La vie merveilleuse de

# SARAH BERNHARDT

# PIÈCES DE LOUIS VERNEUIL

La Charrette anglaise (1916)
Monsieur Beverley (1917)
Mon Oeuvre (1917)
Le Traité d'Auteuil (1918)
Pour avoir Adrienne (1919)
Mademoiselle ma mère (1920)
L'Inconnu (1920)
Daniel (1920)
L'amant de cœur (1921)
La Dame en Rose (1921)
L'enfant terrible (1921)
Un jeune ménage (1922)
Régine Armand (1922)
La Pomme (1922)
La maîtresse de Bridge (1923)
Le Fauteuil 47 (1923)
Ma Cousine de Varsovie (1923)
Lison (1924)
Pile ou Face (1924)
En Famille (1924)
J'aime Frédéric (1925)
La joie d'Aimer (1925)
Le mariage de Maman (1925)
Azais (1925)
La Réussite (1926)
Maître Bolbec et son mari (1926)
Tu m'épouseras (1927)
Satan (1927)
Mademoiselle Flute (1927)
Le Passage de Vénus (1928)

L'amant de Mme Vidal (1928)
L'honnête Mrs. Cheyney (1928)
Ma Sœur et moi (1928)
Monsieur Lamberthier (1928)
La Course à l'Etoile (1928)
Boulard et ses filles (1929)
Monsieur Floche (1929)
Guignol (1930)
Miss France (1930)
La Banque Nemo (1931)
Les Autres (1931)
Les Evénements de Béotie (1932)
Avril (1932)
Une femme ravie (1932)
Parlez-moi d'amour (1933)
L'Ecole des Contribuables (1934)
Mon Crime (1934)
Le mari que j'ai voulu (1934)
La belle Isabelle (1934)
Vive le Roi (1935)
Les Fontaines lumineuses (1935)
Un homme à la mer (1936)
Une femme d'un autre âge (1937)
Le rosier de Mme Husson (1937)
Le Train pour Venise (1937)
Léonidas (1938)
Le coffre-fort vivant (1938)
La femme de ma vie (1938)

SARAH BERNHARDT et LOUIS VERNEUIL
dans *Régine Armand*
(Janvier 1922)

# LOUIS VERNEUIL

382

# LA VIE MERVEILLEUSE DE
# SARAH BERNHARDT

BRENTANO'S
NEW-YORK, N.Y.

À GERMAINE

# COMMENT J'AI CONNU SARAH BERNHARDT

C'est en 1904 que, pour la première fois, j'ai vu Sarah Bernhardt. J'avais onze ans. Elle jouait à Paris, à son théâtre, *La Sorcière,* un drame de Victorien Sardou, le dernier de ceux qu'il a écrits pour elle, et peut-être pas le meilleur. C'est à regret que je formule cette réserve, car je suis un très grand admirateur de Sardou. Merveilles d'agencement et d'ingéniosité, ses pièces contiennent des trouvailles constantes, des situations extraordinaires. Poussée à ce point, la science du théâtre devient une sorte de génie.

Bien que, pendant plus de cinquante ans, et pour toutes ses œuvres, il ait toujours su réunir d'éclatantes distributions, c'est certainement en Sarah Bernhardt qu'il avait trouvé sa plus magnifique interprète. Peut-on, sans aussitôt penser à elle, évoquer ces grandes héroïnes, que Sardou créa pour elle, mais qu'elle seule sût faire vivre : *La Tosca, Fédora, Théodora, Cléopâtre, Gismonda?*

*La Sorcière* n'était pas tout à fait de la même veine. Certes, il y avait de superbes scènes, celle de l'Inquisition notamment, au quatrième acte, où De Max incarnait un inoubliable Cardinal Ximénès et où Sarah Bernhardt, torturée, harcelée par les juges et les agents du Saint-Office, atteignait, dans sa terreur grandissante, à la plus haute puissance tragique, mais le début de la pièce était moins remarquable et le dénouement plus tumultueux, je crois, que véritablement puissant.

A cette époque, je n'ai rien remarqué de tout cela. Le premier acte se passe la nuit. Lorsque Sarah Bernhardt est entrée, sous l'aspect saisissant de Zoraya la mauresque, violemment éclairée par un rayon de lune, le bras gauche plein des fleurs sauvages qu'elle vient de couper sur la colline, avec la faucille d'argent qu'elle tenait dans sa main droite, il m'a semblé qu'un être surnaturel m'apparaissait soudain. Lorsqu'elle parla, je fûs envahi d'une sorte d'extase. D'un bout à l'autre de la représentation, je me sentais positivement fasciné. Et lorsqu'à la fin du cinquième acte, je la vis, expirante, portée par les archers sur le bûcher où la foule, hurlante, veut voir brûler la sorcière, une immense désolation m'envahit soudain, non de la voir mourir, mais que se terminât déjà un spectacle tellement beau que, certainement, jamais je ne pourrais en voir un autre aussi magnifique.

Sarah Bernhardt avait alors soixante ans. L'enfant que j'étais ne s'en doutait pas et, naïvement, je la trouvais la plus belle et la plus jeune du monde. Mais cette illusion n'était pas tellement absurde. A la vérité, elle était extraordinaire pour son âge. Même du premier rang des fauteuils d'orchestre, personne, lors de la création de *La Sorcière,* ne lui aurait donné plus de trente-cinq à quarante ans.

Ce drame était loin d'être un spectacle pour enfants et, certainement, mon père eût préféré m'emmener lui voir jouer une pièce classique, ou même *L'Aiglon.* Mais, au début de décembre 1903, quelques jours avant la première de *La Sorcière,* Sarah Bernhardt avait été gravement souffrante. Une fois de plus, le bruit avait couru que sa vie était en danger, qu'un repos, de très longue durée, allait probablement lui être ordonné... A la vérité, il y avait plus de trente ans que de telles rumeurs circulaient périodiquement. Dès avant la guerre de 1870, au moment où Sarah Bernhardt créa *Le Passant,* de François Coppée, on disait couramment qu'elle était tuberculeuse et que, hélas, elle mourrait jeune.

Les années passant, ces inquiétudes avaient naturellement diminué. Mais un jour, les craintes que d'abord, sa santé avait inspirées, firent place à celles que faisait naître son âge. Si, peu à peu, l'on avait acquis la certitude que, contrairement à la légende, ses poumons étaient parfaitement intacts, par contre, et plus tôt que pour toute autre, on s'est mis à redouter pour elle le poids des années. Peu après la création de *L'Aiglon,* déjà on disait couramment :

— Evidemment, à soixante ans, une femme est loin d'être vieille. Mais songez à la carrière qu'elle a fournie. Elle a débuté à dix-huit ans et, depuis lors, que de fatigues !... Tournées dans le monde entier... directions de théâtres... mise en scène d'immenses spectacles... soucis d'argent... nuits sans sommeil... Il y aurait de quoi tuer plus jeune et plus robuste qu'elle.

Et c'est ainsi que, pendant près de cinquante ans, on s'est constamment attendu à la fin imminente de cette femme qui a vécu soixante-dix-huit ans et demi.

Il était d'ailleurs aussi absurde de croire sa vie prématurément mise en danger par la vieillesse que de l'avoir jugée, jadis, menacée par la maladie. Son endurance et son énergie étaient sans autre exemple, et ce n'est — sa jambe droite ayant été amputée huit ans plus tôt — qu'une *cinquième* crise d'urémie qui, en 1923, eût raison de cette nature exceptionnelle, d'une résistance physique qui, elle aussi, tenait du miracle.

Il n'est pas moins vrai qu'en 1904, on chuchota qu'elle ne continuait à jouer que grâce à des soins constants et des piqûres à chaque entr'acte, son médecin restant en coulisse, tous les soirs, pendant la représentation entière, et que *La Sorcière* pourrait bien être la dernière pièce dans laquelle on la verrait jamais. Ces on-dit résultaient-ils d'une indisposition réelle? Ou bien plutôt, l'administrateur de son théâtre avait-il trouvé ce moyen simpliste et souvent employé par ailleurs, d'attirer, plus dense, la foule de ses adorateurs? A vrai dire, je ne le pense pas. Sarah Bernhardt, à cette époque, était, et pour longtemps encore, dans tout l'éclat de sa gloire. Son action sur les foules était immense. On n'avait vraiment pas besoin, pour faire des recettes, de recourir à ces petites ruses d'artistes de seconde zone.

Quoi qu'il en soit, mon père fut vivement frappé par ces nouvelles alarmantes. Il avait applaudi Sarah Bernhardt à l'aurore de sa renommée, l'avait vue, avec Mounet-Sully à la Comédie-Française, dans *Hernani* en 1877, et, depuis lors, n'avait manqué presqu'aucune de ses créations. Si vraiment, elle devait, d'un jour à l'autre, cesser de vivre ou seulement de jouer, jamais il ne se serait pardonné de ne pas m'avoir fourni, au moins une fois, l'occasion de voir celle que, comme les neuf-dixièmes des Français à l'époque, il considérait comme la plus grande artiste de tous les temps et de tous les pays. Il ne se doutait pas que cette représentation de *La Sorcière* aurait, par la suite, sur ma carrière et sur ma vie, une influence aussi directe et aussi décisive.

Si en effet j'ai, de tout temps, été attiré par le théâtre, si jamais, aussi loin que remontent mes souvenirs d'enfant, je n'ai envisagé d'exercer une autre profession que celle d'auteur dramatique, si au lycée, n'étant même pas encore dans « les grands », j'ai présomptueusement commencé à écrire des tragédies, et si, plein d'impatience, j'ai fait jouer ma première pièce sur un théâtre de Paris, à l'âge de dix-huit ans, c'est certainement mon admiration éperdue pour Sarah Bernhardt, le culte que je lui ai voué du jour où je l'ai vue, le sentiment, qu'elle seule m'a donné, que le théâtre pouvait être beaucoup mieux qu'un art: une mission, et atteindre, dans la Beauté, à des sommets inaccessibles aux profanes, qui ont transformé, en moi, une vocation en une passion exclusive et débordante telle que, pendant trente ans, je n'ai pour ainsi dire vécu que pour le théâtre.

C'est, d'ailleurs, sans que je l'aie jamais approchée, que Sarah Bernhardt m'a ainsi impérieusement montré ma route.

Car ce n'est qu'en 1919, — j'avais vingt-six ans, et mon activité professionnelle était déjà très grande — que je lui ai été présenté, et que, pour la première fois, elle m'a adressé la parole. Il est vrai que cette longue patience a été récompensée. De ce jour, et jusqu'à sa mort, c'est-à-dire durant presque ses quatre dernières années, je ne l'ai, pour ainsi dire, plus quittée, étant d'abord très vite devenu l'un des familiers de sa maison et de son théâtre, et puis, au début de 1921, ayant été légalement et religieusement attaché à elle, par les liens de famille les plus directs et les plus étroits.

Mais je n'avais pas attendu ce moment pour en faire, — comme tant d'autres — l'idole de ma vie, l'objet unique de toutes mes adorations.

De 1904 à 1914, je crois bien que j'ai vu jouer Sarah Bernhardt en moyenne douze à quinze fois par an, et plusieurs fois un même rôle. Bien vite, mon assiduité et quelques menus cadeaux m'avaient fait entrer dans les bonnes grâces de la buraliste du théâtre, et même si je n'arrivais qu'à la dernière minute avant le lever du rideau, elle s'arrangeait pour me garder l'un de mes strapontins préférés : à l'orchestre, à gauche ou à droite, dans l'une des entrées latérales situées le plus près de la scène. C'est dans ce coin obscur que j'ai certainement passé les plus belles soirées de théâtre de mon existence.

De cette époque, *Phèdre*, *L'Aiglon* et *La Dame aux Camélias* restent mes plus grands souvenirs de Sarah Bernhardt. Mais je l'ai vue aussi, inoubliable, dans combien d'autres pièces, et notamment : *La Samaritaine* d'Edmond Rostand, *Les Bouffons* de Miguel Zamacoïs, *Lucrèce Borgia* et *Angelo* de Victor Hugo, *Le Procès de Jeanne d'Arc* d'Emile Moreau, *La Belle au Bois dormant* et *La Beffa* de Jean Richepin, *La Vierge d'Avila* de Catulle Mendès, *La Femme de Claude* de Dumas fils, *Fédora* et *La Tosca* de Sardou, *Lorenzaccio* de Musset et enfin *Jeanne Doré* de Tristan Bernard, qu'elle créa en décembre 1913, et où elle était aussi puissante, aussi belle, sous l'aspect de cette modeste libraire de province, vêtue d'une simple robe de serge noire, que lorsqu'elle incarnait la reine la plus fastueuse, ou telle mystérieuse héroïne de légende.

En outre, je possédais de gros albums, cinq ou six, uniquement emplis de photographies de Sarah Bernhardt à tous les âges et dans tous ses rôles. Il ne me manquait aucune des centaines de cartes postales qui la représentaient, aucun programme des spectacles auxquels j'avais assisté. Même les murs de ma chambre étaient positivement tapissés de ses portraits. Une minuscule tête d'elle était collée à l'intérieur du boîtier de ma montre, et il y en avait une autre, un peu plus grande, dans mon portefeuille. Ai-je besoin de préciser que cette vénération n'impliquait pas le moindre amour, fut-il respectueux, distant et sans espoir? D'abord, j'étais un gamin et elle était une grand'mère. Lorsque j'ai eu vingt et un ans, Sarah Bernhardt en avait soixante-dix. Ensuite, et surtout, elle me paraissait un être tellement surnaturel, tellement surhumain, tellement hors la vie que je n'imaginais même pas qu'on put éprouver pour elle un sentiment autre que l'admiration la plus déférente, une dévotion positivement agenouillée.

Ceux qui n'ont pas vécu de son temps ou qui ne l'ont jamais vue jouer vont peut-être hausser légèrement les épaules, et penser que ma tendresse et ma reconnaissance, jointes à ma très grande intimité avec elle, me portent à exagérer quelque peu mon enthousiasme.

J'espère que les pages qui composent ce livre, et où les faits marquants de son existence seront fidèlement relatés, rendront impossible toute éventuelle incrédulité. D'autre part, combien d'auteurs pourrais-je citer, parmi les plus illustres du monde entier, qui s'expriment sur elle en termes encore beaucoup plus frénétiques que ceux que j'emploie. Je me contenterai de rappeler quelques lignes frappantes de Jules Renard.

Si je choisis Jules Renard c'est que précisément il n'était ni un poète ni, à aucun titre, un lyrique. La concision était son idée fixe, la simplicité son seul orgueil. Son style était le plus mesuré, le moins débordant qui soit et, maniant l'épithète avec une discrétion extrême, il admettait volontiers que tout enthousiasme lui était à priori inconnu. Dans le domaine de la louange, deux lignes sèches et nettes de Jules Renard valent deux pages dithyrambiques de Catulle Mendès. Eh bien, parlant de Sarah Bernhardt, voici comment s'exprime Jules Renard, dans son admirable *Journal,* en 1896:

« Imaginez le plus laid des hommes. Nul ne l'aimera. Il le sait, et se résigne. Mais parfois, il songe: Ah! Si je pouvais vivre un peu auprès de Sarah, dans un petit coin. Je me croirais le plus aimé des hommes. Je ne demanderais rien aux autres femmes. Les autres, c'est très gentil, très joli. Mais Sarah, c'est le génie.

« Dans la foule qui l'attend à la porte de son théâtre, il y a des riches, qui ne valent que parce qu'ils l'admirent, et il y a des misérables, qui se haussent comme des grands de la terre, parce qu'ils vont voir passer Sarah. Et il y a peut-être un criminel, un homme abandonné de tous, et qui s'abandonne lui-même, et qu'on va saisir dès qu'Elle aura passé. Mais il se dit: « Ça m'est égal, maintenant, de mourir. J'ai vu Sarah avant de mourir. Sarah, c'est le génie !... »

Il me paraît difficile d'aller plus loin dans l'hyperbole.

J'ajoute que, pas plus que moi, pas plus que l'immense majorité de ceux, grands ou médiocres, illustres ou ignorés, qui avaient pour elle le même culte, Jules Renard ne faisait entrer le moindre amour dans l'idolâtrie qu'elle lui avait inspirée. Au cours de la même année de son *Journal,* quelques pages plus loin, on trouve cette phrase charmante et significative : « Sur un signe de Sarah Bernhardt, je la suivrais au bout du monde, avec ma femme. »

\*

\*  \*

Au début de 1915, l'opération, redoutée depuis plusieurs années, fut décidément jugée inévitable. Dans une clinique de Bordeaux, sa jambe droite fut amputée un peu au-dessus du genou. Elle accepta cette terrible épreuve avec un courage souriant. Et plus jamais, de ce jour, Sarah Bernhardt n'a fait un pas.

D'innombrables légendes ont été répandues à ce sujet. On a dit que si, durant ses dernières années, Sarah Bernhardt était toujours apparue en scène, immobile, assise ou couchée, c'est qu'elle ne voulait pas boiter en public, sa jambe articulée la contraignant à marcher appuyée sur une canne, et rendant de ce fait chacun de ses mouvements pénibles et disgracieux. On a dit que, chaque matin, malgré son âge, elle ajustait elle-même et, le soir, détachait sans aucune aide sa jambe artificielle, ne permettant à personne de l'assister dans cette besogne.

Tout cela est absurde pour une raison péremptoire : jamais, pendant les huit ans qui se sont écoulés entre son opération et sa mort Sarah Bernhardt n'a porté une jambe artificielle.

Souvent des gens s'étonnent lorsque je leur fournis cette indication.

— Mais alors, comment marchait-elle ?... Avec des béquilles ? questionnent-ils naïvement.

— A cloche-pied ?... ajoutent les irrévérencieux.

Ni l'un ni l'autre. Elle ne marchait pas. Elle ne marchait jamais.

— Mais alors, comment se déplaçait-elle ?...

Elle était portée, toujours et immuablement portée.

Au lendemain de son opération, on avait fabriqué pour elle une sorte de fauteuil pliant, étroit, très peu encombrant, sur les côtés duquel, à la hauteur du siège, étaient fixés deux montants de bois d'environ deux mètres de long et qui se repliaient en même temps que le fauteuil lui-même. C'était, en infiniment plus petit,

avec un simple dossier, et sans portes ni toit, comme une chaise
à porteurs telle qu'on les employait au dix-septième siècle. Elle
appelait d'ailleurs ce siège : « ma chaise ». Son poids total n'excé-
dait pas trois kilogs. Deux personnes, l'une devant Sarah Bernhardt,
l'autre derrière elle — son valet de chambre, sa dame de compagnie,
le régisseur du théâtre, deux machinistes, deux familiers que
sais-je ?... combien de fois, moi-même, ai-je été l'un des porteurs !...
— se plaçaient entre les montants, les soulevaient, et la transpor-
taient ainsi. assise, d'un endroit à un autre.

Le matin à son réveil ou plutôt lorsqu'elle désirait se lever,
la chaise était apportée et dépliée à côté de son lit. S'aidant de
ses mains et de son unique jambe, elle s'y asseyait. Et on la
portait dans sa salle de bains où elle faisait sa toilette, assise,
naturellement. De la même façon, on la portait ensuite de sa
salle de bains à son petit salon ou à la salle à manger. Puis
lorsqu'elle sortait, de la salle à manger à sa voiture dont la
carrosserie avait été spécialement construite, les portes, exceptionnellement larges, permettant d'y faire pénétrer « la chaise ».

Sarah Bernhardt s'installait alors dans le fond de sa voiture,
et son intendant, s'asseyant à côté du chauffeur. gardait devant lui,
pendant le trajet, le fauteuil replié. A l'arrivée au théâtre, — ou
ailleurs — la chaise était à nouveau placée à l'intérieur de la
voiture, et le chauffeur et l'intendant portaient Sarah Bernhardt
jusqu'à sa loge, — ou jusque chez les personnes qu'elle allait
voir — passant régulièrement entre deux haies de curieux et
d'admirateurs massés sur le trottoir.

C'est dans ces extraordinaires conditions que Sarah Bernhardt
effectua sa dernière tournée aux Etats-Unis, au cours de laquelle
elle apparut en « attraction » dans des music-halls, toujours immobile, et uniquement dans de courtes pièces en un acte ou dans
une scène de l'un ou de l'autre de ses grands rôles passés, le
cinquième acte de *La Dame aux Camélias,* par exemple. durant
lequel elle pouvait rester couchée d'un bout à l'autre, ou l'acte de
la prison du *Procès de Jeanne d'Arc.*

Et cette tournée dura dix-huit mois, de la fin de 1916 au
début de 1918. Sa dernière représentation à New-York eût lieu
le 14 janvier 1918 au Keith's Riverside Theatre, dans un acte
intitulé *Du théâtre au champ d'honneur,* où elle incarnait un
jeune soldat français, blessé à mort, et expirant dans une tranchée.

Rentrée en France quelques mois avant l'Armistice, et
extrêmement fatiguée par ce long voyage, on ne la vit pendant
longtemps sur aucun théâtre, dans aucun lieu public. Elle m'a
d'ailleurs dit, par la suite, qu'au cours de cette tournée d'Amérique,
peu à peu elle avait été prise d'une immense mélancolie, qu'elle

sentait partagée par le public, de ne plus pouvoir paraître en scène que dans ces médiocres conditions, — durant un quart d'heure, et dans une œuvrette de circonstance, ou dans des fragments d'une grande pièce que jadis elle interprétait toute entière — et qu'à son retour, la mort dans l'âme, elle avait décidé de ne plus jamais jouer à Paris.

Et puis, tout de même, après plus d'un an de silence, elle céda aux pressantes sollicitations d'un grand music-hall, l'Alhambra de la Place de la République, et à l'automne de 1919, accepta de paraître pendant quatorze jours dans l'un des petits actes, — on dirait aujourd'hui des sketches — qu'elle avait interprétés aux Etats-Unis : *Vitrail* de René Fauchois.

J'ai beaucoup hésité à assister à ce spectacle. Cinq ans et demi s'étaient écoulés depuis ses dernières représentations au Théâtre Sarah Bernhardt dans *Jeanne Doré*. J'avais su son opération et qu'elle ne pouvait plus marcher. N'allais-je pas éprouver une terrible déception à revoir ainsi, diminuée, celle qui, depuis quinze ans, incarnait pour moi l'Art et la Beauté, dans leur plus pure et leur plus complète expression ?

Malgré tout, je n'ai pu résister au désir de la voir une fois encore, peut-être la dernière... — comme on l'avait craint déjà à l'époque de *La Sorcière* — et, le cœur étreint d'une vague angoisse, je suis allé à l'Alhambra.

J'y suis retourné le soir même !...

Evidemment, elle avait changé. A présent, elle n'avait plus l'air jeune. Mais sa voix restait aussi belle, et surtout je retrouvais immuable l'étonnante poésie qui se dégageait d'elle. Son charme souverain était intact, et dès qu'elle prononçait les premières paroles de son rôle, le même habituel frisson d'émerveillement s'emparait, je le voyais bien, des deux mille spectateurs qui s'écrasaient dans la salle archi-comble de l'Alhambra. Vieillie, mutilée, condamnée à une tragique et implacable immobilité, Sarah Bernhardt restait Sarah Bernhardt, fidèle à se devise: *Quand même !...*

*
* *

Une fois de plus, je fus bouleversé et ravi : Enfin après ce long silence, nous allions revoir Sarah Bernhardt ! Mais pensais-je, plus au music-hall entre un prestidigitateur, des danseuses et un singe savant, plus dans ce cadre si choquant et si profondément indigne d'elle. Certainement elle allait reparaître dans de grands rôles, évidemment conçus pour ses moyens actuels, mais dans de vraies pièces, et au Théâtre Sarah Bernhardt qui, je n'en doutais pas, devait préparer un spectacle pour sa rentrée.

Je me renseignai. Erreur totale. Son théâtre dont, depuis son opération, elle avait laissé la gestion complète à son fils et à son administrateur, Victor Ullmann, ne prévoyait plus de représentations de Sarah Bernhardt. D'ailleurs, me dit-on, comment sa rentrée pourrait-elle être envisagée alors qu'elle ne peut plus jouer aucune des œuvres de son répertoire?

Je restai confondu. Comment? Sarah Bernhardt était toujours en possession de presque tous ses moyens. Sans la moindre fatigue, elle jouait actuellement à l'Alhambra, deux fois par jour. Elle ne marchait plus, soit, mais sa mémoire semblait impeccable et, en tout cas, son génie, son immense personnalité et son nom magique étaient, à peu de chose près, aussi puissants qu'aux plus beaux jours. Et aucun écrivain, aucun des auteurs qu'elle avait fait triompher jadis et qui, aujourd'hui la voyant constamment, savaient bien qu'elle était toujours capable de jouer, n'avait songé à lui en offrir la possibilité?... Rostand et Sardou étaient morts, c'est vrai. Mais combien d'autres auraient pu, auraient dû avoir cette idée qui véritablement s'imposait dès qu'on l'avait seulement regardée en scène pendant cinq minutes.

Bientôt, cessant de m'indigner, je me mis à réfléchir... Et, deux jours plus tard, je demandai un rendez-vous à son fils, Maurice Bernhardt.

Je le connaissais un peu, comme je connaissais maintenant à peu près tout le monde au théâtre. D'autre part, j'avais déjà, à ce moment, fait jouer à Paris une dizaine de pièces, dont deux ou trois, *La Charrette anglaise, Monsieur Beverley, Le Traité d'Auteuil,* avaient tenu longtemps l'affiche. J'avais le sentiment que je pouvais sans ridicule formuler la proposition qui m'amenait dans son bureau.

Maurice Bernhardt avait alors près de cinquante-cinq ans. Grand, mince, les traits fins, il avait certainement été l'un des hommes les plus beaux de sa génération. Mais une névrite agitante qui s'était déclarée vers 1914 et qui insensiblement augmentait depuis lors, l'avait prématurément vieilli. D'abord le petit doigt de la main droite, seul, avait été atteint. Bientôt, ce tremblement perpétuel gagnait tous les doigts, puis la main et maintenant l'avant-bras. Et la nuit comme le jour désormais, il devait ignorer l'immobilité. En 1919 déjà, pour écrire il était obligé de tenir sa main droite avec sa main gauche.

C'est avec stupéfaction qu'il m'écouta et me répondit:

— Ecrire une pièce pour ma mère? Mais vous ne savez donc pas qu'elle ne peut plus marcher?

— Eh bien, son personnage ne marchera pas.

— ...Qu'elle a soixante-quinze ans?

— Je l'ai vue à l'Alhambra, il y a trois jours. Elle est prodigieuse. D'ailleurs, il y a longtemps que Sarah Bernhardt n'a pas d'âge.

— Et puis, elle a pu apprendre un acte d'un quart d'heure et le jouer pendant quelques jours. Jamais elle ne pourra apprendre trois ou quatre actes et les jouer pendant des mois.

— D'abord il n'est pas question de trois ou quatre actes. Je crois que, même joué par elle, un personnage strictement immobile ne serait pas supportable durant toute la soirée. Le rôle dont j'ai l'idée pour elle ne paraît qu'aux deux derniers actes d'une pièce en quatre actes, c'est-à-dire qu'elle ne sera en scène que pendant une heure un quart au plus.

— Et vous croyez que vous parviendrez à...?

— Laissez-moi, au moins, essayer.

C'est sans aucune conviction, je l'avoue, et en me prenant certainement pour un rêveur ou un dément, que Maurice Bernhardt me répondit : « Soit. » Sur quoi, je me mis aussitôt au travail.

S'il s'était montré plus encourageant, plus séduit par mon idée, je l'aurais prié de demander à sa mère un rendez-vous pour moi, et, de façon à m'épargner un long travail, peut-être inutile si la pièce devait lui déplaire, j'en aurais, avant de l'écrire, raconté le scénario à Sarah Bernhardt. Mais je savais l'amour passionné qu'elle avait pour son fils et par conséquent l'influence qu'il avait certainement sur elle. Son attitude me prouvait qu'il lui parlerait de mon projet sans enthousiasme. Dès lors, ma seule chance était de lui apporter une pièce terminée qui la séduise au point qu'elle veuille la jouer le plus tôt possible.

Quelques semaines plus tard, cette pièce était écrite sur le plan dont j'avais indiqué à Maurice Bernhardt les grandes lignes. Elle s'intitulait *Daniel,* du nom du personnage conçu pour Sarah Bernhardt. Durant les deux premiers actes, on parlait constamment de lui sans qu'on le voie jamais comme *l'Arlésienne.* Au lever du rideau du troisième acte, enfin il apparaissait, cloué par la maladie dans un grand fauteuil et jouait tout l'acte, qui était très long, sans naturellement sortir de scène. Au quatrième et dernier acte, très court, Daniel couché mourait.

*
* *

C'est vers la fin de novembre 1919 que j'ai lu la pièce à Sarah Bernhardt. Je n'oublierai jamais cette première entrevue avec elle.

Pendant que je travaillais, je n'avais pas revu Maurice Bernhardt, mais plusieurs fois j'avais rencontré Victor Ullmann, son associé. Homme d'affaires avisé, il sentait bien que si son rôle était habilement construit, la rentrée de la « patronne » réaliserait certainement de grosses recettes. Et non seulement il m'avait, lui, vivement encouragé mais, à différentes reprises, il avait parlé avec ravissement à Sarah Bernhardt de moi et de ma pièce, dont il ne connaissait pas un mot.

C'est donc, à priori, très bien disposée, qu'elle me reçut au début d'une après-midi, vers deux heures et demie, dans son hôtel du boulevard Péreire, au premier étage, dans la pièce où elle se tenait presque toujours et qui précédait sa chambre à coucher. C'était un petit salon - boudoir - salle de bains, avec une haute cheminée où pétillait, huit ou neuf mois par an, un grand feu de bois. Elle était seule avec sa dame de compagnie, Jeanne de Gournay, qu'elle fit d'ailleurs sortir aussitôt. A ma demande en effet, Ullmann avait conseillé à Maurice Bernhardt de ne pas intervenir, et après que j'aurais lu mes quatre actes à sa mère, sans aucun autre auditeur, de la prier de prendre toute seule la décision qu'elle voudrait. Si la pièce lui plaisait et si elle se sentait de force à la jouer, elle en était, après tout, meilleur juge que quiconque.

Vêtue d'une longue robe de satin blanc Sarah Bernhardt était assise dans un grand fauteuil au coin du feu. Elle m'accueillit avec un charmant sourire, et me tendit sa main blanche si spirituelle, si expressive, aux ongles très bombés et aux mouvements d'une grâce toujours incomparable.

Je me sentais extrêmement ému. Enfin, après quinze ans d'admiration muette et lointaine, j'étais reçu par Sarah Bernhardt chez elle !... Elle me parlait, j'étais assis à un mètre d'elle et, en guise de premier entretien, j'allais lui lire une pièce écrite à son intention ! Il y avait de quoi se sentir envahi par le trac. De fait, je l'ai rarement eu comme ce jour-là.

Non pas de l'effet que ma lecture produirait sur elle. Je ne sais pas pourquoi, j'avais l'intuition que *Daniel* ne lui déplairait pas. Ce qui positivement me bouleversait, c'était d'approcher cette femme légendaire, fabuleuse, dont l'Europe et l'Amérique s'entretenaient depuis quarante ans, dont tous les journaux, dans toutes les langues, commentaient les moindres gestes, de causer familièrement avec la prodigieuse artiste qui depuis mon enfance m'avait procuré les joies les plus inouïes, c'était, en un mot, de me trouver tout à coup en présence de l'être dont, sans discussion possible, la personnalité était à l'époque la plus considérable du monde entier.

Et d'ailleurs, mon cas n'était pas exceptionnel. Par la suite lorsque j'ai constamment vécu auprès de Sarah Bernardt, j'ai eu l'occasion de lui présenter ou de lui voir présenter un nombre incalculable de gens. Parmi eux il y avait des personnages illustres, âgés, d'importants hommes politiques ou de fameux artistes de tous les pays. Jamais, je le jure, pendant plus de trois ans, je n'ai vu une seule personne, homme ou femme, jeune ou vieille, obscure ou célèbre, parler pour la première fois à Sarah Bernhardt, et ne pas être, aussitôt, la proie d'une émotion insurmontable, et généralement mal dissimulée.

C'est le seul être, que j'aie rencontré, qui produisait immuablement, sur tous ceux qui ne la connaissaient pas encore, cette extraordinaire impression. Depuis trente ans, je crois avoir été en relations avec les plus grandes figures de l'Europe. J'ai connu, plus ou moins, mais personnellement, Mounet-Sully, Anatole France, Bartet, Rodin, Saint-Saëns, Massenet, de Porto-Riche, Réjane, Coquelin, Rostand, d'Annunzio, Poincaré, Clemenceau, Briand, Foch, qui sais-je?... Aucun d'eux n'en imposait autant, n'avait sur ses interlocuteurs l'étonnante emprise qu'exerçait Sarah Bernhardt.

Elle ne l'ignorait pas, et souvent par jeu utilisait ce don exceptionnel pour embarrasser à l'extrême quémandeurs ou importuns. Par contre, elle savait aussi bien, lorsqu'elle le voulait, mettre à son aise le plus tremblant des visiteurs.

C'est ce qu'avec une infinie bonne grâce, elle fit ce jour-là avec moi. Au bout d'un quart d'heure, ayant presque reconquis mon assurance, je pouvais, sans que ma voix s'étranglât dans ma gorge, commencer à lire. Elle m'écouta presqu'immobile, les yeux fixés sur les miens. Après le premier, puis le second acte, elle me dit :

— « Vous ne voulez vraiment que de l'eau pure ? Pas de citronnade ? » Ou bien : « Soyez gentil, mettez une bûche dans le feu. »

Rien autre. Pas la moindre approbation, même vague ou distraite. Je commençais à perdre ma belle confiance. Néanmoins j'attaquai résolument le troisième acte, « son » acte, le meilleur pensais-je, celui en tout cas pour lequel la pièce était faite. Et quand j'arrivai à la « grande scène », je m'aperçus avec une joie folle que Sarah Bernhardt pleurait.

Durant les quelques pages du quatrième acte, son émotion resta la même. Et lorsque pour la dernière fois je prononçai « Rideau » et refermai mon manuscrit, elle me tendit la main, sans rien dire. D'un bond j'étais à genoux devant elle. Elle m'embrassa doucement sur le front et avec simplicité murmura : « Merci ».

Cette gratitude ne s'adressait évidemment ni à la pièce ni au rôle. Aurait-elle pu s'émouvoir de si peu de chose, elle qui avait créé les plus purs chefs-d'œuvre, interprété Shakespeare, Racine, Victor Hugo et Rostand ? Ce qui la touchait, c'étaient les

possibilités que je lui offrais, le moyen, qui se révélait soudain
à elle, de continuer à jouer, malgré son infirmité, et aussi longtemps
qu'elle en aurait la force. J'ai dit qu'elle ne voulait plus paraître
au music-hall ni reprendre ces petits actes, spectacles si décevants,
qui la « présentaient » plutôt qu'ils ne lui permettaient d'incarner
véritablement un personnage. Mais alors, c'était l'inaction, la
retraite et, ce qui était plus grave, la gêne.

Car Sarah Bernhardt était pauvre. Au cours de sa longue
carrière, elle avait gagné des fortunes. Aucun artiste lyrique ou
dramatique n'avait touché des cachets égaux aux siens. Mais elle
n'en avait rien conservé. Toujours elle avait mené un train de
reine, jetant aux vents des sommes inimaginables. Et, au moment
où je lui apportai Daniel, j'ai su plus tard qu'elle était dans
les plus grands ennuis. Prêteurs sur gages, usuriers, traites
renouvelées ou protestées, cette femme admirable connaissait tout
cela. Beaucoup de pays d'Europe se faisaient un devoir et un honneur de subvenir aux besoins de leurs gloires nationales. La France
n'avait pas eu cette idée.

Voilà exactement pourquoi du premier jour Sarah Bernhardt
m'a voué cette affection qui s'est manifestée de tant de manières
et ne s'est jamais démentie. Alors qu'elle croyait ne plus pouvoir
gagner sa vie, je lui ai apporté de quoi faire des recettes jusqu'à
la fin de ses jours. Non pas seulement avec Daniel, mais avec
tous les autres rôles auxquels celui-ci ouvrait la route. Le procédé
et, si j'ose dire, le dosage du personnage immobile ayant été
indiqués, d'autres pièces de cet ordre lui seraient immanquablement
soumises et, contre les prévisions de tout son entourage, lui permettraient de faire une seconde carrière.

*
*  *

A son théâtre en effet, on était tellement persuadé qu'elle
ne rejouerait jamais qu'un programme des plus chargés avait été
établi pour toute la saison en cours. Pièces reçues, vedettes
engagées... Pour passer, tous, avant l'été de 1920, trois ou quatre
spectacles attendaient leur tour. Si bien que, lorsque Sarah Bernardt
déclara à son fils et à Ullmann qu'elle jouerait Daniel, ceux-ci,
malgré leur désir évident d'afficher au plus tôt sa rentrée, durent
me prévenir que la pièce ne pourrait être montée qu'au mois
d'octobre suivant.

Dix mois à attendre! Je fus affreusement déçu. Mais Sarah
Bernhardt ne l'était pas le moins du monde.

— Ce sera si vite passé, me dit-elle. Vous viendrez me voir
souvent... vous me ferez répéter mon rôle... Nous aurons le

temps de réunir une distribution parfaite, de faire exécuter de magnifiques décors...

A soixante-quinze ans, c'est avec la plus belle tranquillité qu'elle remettait une création à l'année suivante et que, d'une manière générale, elle formait maints projets dont souvent l'échéance était encore beaucoup plus lointaine.

Toutefois, à présent qu'elle avait en sa possession une pièce prête et qui n'attendait, pour être montée, qu'une vacance, tout à fait distincte de ses possibilités personnelles, son inaction soudain lui devint plus pesante que par le passé. Son théâtre n'étant pas disponible, évidemment elle aurait pu sur-le-champ jouer *Daniel* sur n'importe quelle autre scène qui eût été trop heureuse de l'accueillir. Mais elle se refusait à apporter l'éclat de son nom à une autre direction, à faire concurrence au Théâtre Sarah Bernhardt et surtout à son fils. D'ailleurs Paris aurait mal compris que l'événement que promettait d'être sa rentrée, — après la Guerre, son opération et son éloignement prolongé de la scène — n'eût pas lieu sur le théâtre auquel en 1899 elle avait donné son nom et conféré une vogue qui, depuis vingt ans, en faisaient l'une des scènes les plus cotées de la capitale.

Alors, son impatience grandissant, elle se demanda si, dans le répertoire classique, il ne lui serait pas possible de découvrir un personnage que, comme *Daniel,* elle pourrait jouer « en place », ou qui, tout au moins, pourrait entrer et sortir de scène porté sur une litière ou un palanquin.

Elle passa en revue toutes les tragédies françaises du dix-septième siècle, voire celles de Voltaire, les œuvres de Shakespeare, feuilleta même Sophocle, Euripide et Eschyle. De fait, grâce à quelques légères coupures et respectueuses modifications, plusieurs rôles pouvaient s'accommoder d'une interprétation immobile. Et tout d'abord elle pensa à jouer Agrippine de *Britannicus.* Mais le rôle est très long, il est réparti sur quatre actes de la pièce et, par conséquent, comporte de fréquentes entrées et sorties. Là, surtout était l'écueil. Le fait d'être portée en scène, admissible en soi pour la mère de Néron, eût été pour le spectateur, tolérable une fois ou deux, pas davantage. Dès la troisième fois, ce lourd apparat pouvait amener des sourires. Et toute sa vie Sarah Bernhardt eut, poussé à l'extrême, le sens du plus infime ridicule. Alors à contre-cœur elle porta son choix sur *Athalie.*

Autant, en effet, elle admirait profondément toute l'œuvre de Racine, jusque, et surtout y compris *Phèdre,* autant ses deux dernières tragédies, écrites après un long sommeil, et seulement destinées aux pupilles de Madame de Maintenon, lui semblaient inférieures. Une quinzaine d'années plus tôt, pour quelques jeudis classiques, elle s'était amusée à monter *Esther,* en reconstituant exactement une représentation à l'Ecole de Saint-Cyr, tous les rôles de la pièce étant tenus par des femmes, et Sarah Bernhardt, elle-même, jouait Assuérus. Mais cela avait été pour elle beaucoup plus un délassement, un jeu qu'une véritable reprise faite avec amour et conviction. *Athalie* surtout lui avait toujours semblé une pièce mortellement ennuyeuse. Mais, avantage essentiel, le personnage n'apparaît que deux fois : au deuxième et au cinquième actes. Et, pour se rendre au temple et en sortir il est très acceptable que la reine soit portée par ses gardes sur une sorte de trône.

Un jour de février 1920, je reçus un coup de téléphone de sa dame de compagnie me priant de passer voir Sarah Bernhardt. Je n'ai pas indiqué, car cela va de soi, que, depuis la lecture de *Daniel,* j'avais eu l'occasion de la revoir à différentes reprises et de plus en plus fréquemment. Maintenant il ne se passait guère de semaine sans qu'elle me fît l'honneur de me recevoir, au moins une fois ou deux au thé ou le soir après le dîner, ou même au déjeuner qui chaque jour réunissait une dizaine de convives autour d'elle. Et toujours elle m'accueillait avec une sympathie et une bonne grâce extrêmes.

Ce jour-là, alors que personne encore ne connaissait son projet, elle me dit :

— Figurez-vous que j'ai envie de jouer *Athalie.*

Puis, éclatant aussitôt de son petit rire nerveux et argentin, elle se reprit :

— Non. Disons la vérité. Figurez-vous que j'ai envie de jouer. Et je ne trouve aucun autre rôle qu'*Athalie.* Avant de me décider j'ai voulu savoir ce que vous en pensiez.

Je me récriai surpris : Sarah Bernhardt n'avait vraiment besoin des conseils de personne et surtout pas des miens pour...

Souriant de ma méprise, elle m'interrompit :

— Ce n'est pas de cela qu'il est question. Je vous avais promis de faire ma rentrée dans votre pièce. *Daniel* ne peut passer qu'en octobre. Soit. J'attendrai comme vous et je ne jouerai nulle part aucun autre ouvrage d'une façon régulière c'est-à-dire en série, en soirée, avec une répétition-générale, et en convoquant la presse. Ceci reste convenu. Je n'envisage *Athalie* que pour huit ou dix représentations isolées, non consécutives, à raison de deux matinées par semaine, le jeudi et le samedi. Mais ce sera tout de même une pièce que je jouerai avant la vôtre. Si cela vous contrarie, dites-le moi franchement. Je remettrai ce projet et ne donnerai *Athalie* que la saison prochaine après que j'aurai créé *Daniel.* Décidez.

Pour toute réponse, évidemment je la remerciai de me permettre, ainsi qu'à tout Paris, de la voir dès que possible dans un rôle qu'elle n'avait encore jamais joué.

Et, dans les conditions indiquées, c'est-à-dire seulement en matinées classiques, cependant qu'en soirée son théâtre continuait à épuiser son programme, Sarah Bernhardt joua *Athalie* au début d'avril 1920. Elle y fût absolument extraordinaire en ce sens que positivement elle *créa* le personnage, en donnant une réalisation non pas seulement différente mais exactement inverse de celle qu'en avaient fournie depuis deux cents ans toutes les plus illustres interprètes du rôle.

On a toujours montré *Athalie* sous l'aspect d'une reine solennelle, dure, presque brutale, parlant haut et semant la terreur autour d'elle. Je me rappelle Sarah Bernhardt m'expliquant lumineusement pourquoi cela est absurde :

— Comment ? Voilà une femme qui insidieusement vient voir ce qui se passe au temple c'est-à-dire dans le camp de ses ennemis. Elle ne va pas gronder, tempêter et, de ce fait, mettre chacun sur ses gardes. Si elle est douée de la moindre intelligence, elle s'efforcera d'abord de rassurer ceux qui l'observent et, par une douceur simulée mais extrême, de leur inspirer confiance.

« Ceci me paraît surtout important, ajoutait-elle, dans la scène fameuse avec le petit Joas. J'ai vu à la Comédie-Française plusieurs artistes réputées, et notamment Madame Segond-Weber, attaquer l'interrogatoire d'une voix caverneuse, les sourcils froncés, et la menace aux lèvres. Devant une pareille attitude, il est évident que l'enfant prendra peur, éclatera en sanglots et s'enfuira à toutes jambes, en refusant de répondre à cette virago, qui — et ce sera bien fait pour elle — ne saura rien de ce qu'elle voulait savoir. »

Quelle subtilité, quelle puissance et quelle vérité, au contraire, dans l'interprétation de Sarah Bernhardt, lorsque, blonde et souriante, elle faisait approcher d'elle le petit garçon, lui caressait les cheveux, l'embrassait sur le front et, de sa voix la plus douce, aux intonations mélodieuses et persuasives, le questionnait :

— Comment vous nommez-vous ?... Votre père ?... Vous êtes sans parents ?...

Je l'entends encore, bouleversante, et je l'entendrai toujours.

\*
\* \*

Au début de l'été de 1920, Sarah Bernhardt partit pour Belle-Isle où depuis des années elle passait ses vacances. Aimablement elle m'avait offert d'y venir la voir pendant quelques jours. Mais en juillet et août, je faisais dans toute la France une tournée de casinos avec Gaby Morlay, jouant ma plus récente comédie, *Mademoiselle ma mère*, que nous venions de créer à Paris en février. Je dûs refuser l'invitation de Sarah Bernhardt, mais avec quels regrets !

Pour lui permettre de se reposer à Belle-Isle jusqu'à fin septembre, nous avions avec son fils et Ullmann définitivement fixé la première de *Daniel* au début de novembre. Les répétitions commencèrent donc vers le premier octobre.

Ce que furent ces répétitions ; comment fut montée la pièce ; pourquoi j'avais écrit pour Sarah Bernhardt un rôle d'homme ; qui étaient autour d'elle mes autres interprètes ; comment fut accueillie la première représentation de *Daniel,* le 9 novembre 1920 ; les ovations sans fin qui saluèrent le retour à la scène de Sarah Bernhardt ; la carrière de la pièce d'abord à Paris puis partout ailleurs où elle la joua pendant deux ans... tout cela, je ne saurais le relater hâtivement ici dans ce chapitre d'Introduction qui n'a pour but que de fournir, si j'ose dire, mes références, j'entends : d'établir clairement pour le lecteur comment j'ai connu Sarah Bernhardt beaucoup mieux qu'aucun autre écrivain vivant. D'autres, en effet, ont pu la connaître pendant plus longtemps. Nul n'a été avec elle, durant ses dernières années, en relations aussi constantes, aussi étroites que moi.

Je reviendrai donc en détails sur *Daniel,* au dernier chapitre de ce livre, lorsqu'après le récit, tenu d'elle-même, de ses jeunes années et de toute sa carrière, je retracerai la période de sa vie dont j'ai été personnellement et quotidiennement le témoin.

C'est depuis son retour de Belle-Isle, et grâce à ma pièce, que mon intimité avec Sarah Bernhardt était devenue de plus en plus grande. Durant tout le mois d'octobre, presque chaque jour, j'arrivais chez elle le matin vers onze heures, je lui faisais répéter son rôle, elle me gardait à déjeuner, et elle m'emmenait dans sa voiture au théâtre où les répétitions avaient lieu de une heure et demie à cinq heures et demie.

A partir de novembre, lorsque la pièce fut en cours de représentations, Sarah Bernhardt était dans sa loge chaque jour vers six heures, se reposait d'abord une demi-heure sur son divan, puis dînait légèrement et se maquillait ensuite. Un soir sur deux au moins, j'arrivais au théâtre un peu avant elle et ne la quittais guère qu'une fois le spectacle terminé.

Le dimanche, entre les deux représentations, elle me gardait, dans sa loge, pour le dîner qui réunissait généralement autour d'elle sa famille et quelques intimes, c'est-à-dire Maurice Bernhardt, sa femme et ses deux filles, Ullmann, parfois un interprète de la pièce, Arquillière ou Marcelle Géniat, par exemple, et, presque chaque semaine, Louise Abbéma, la plus ancienne, la plus fidèle amie de Sarah Bernhardt et l'un de ses deux peintres attitrés. L'autre, Georges Clairin, était mort en septembre 1919.

Au début de janvier, je partis pour Londres où *Daniel,* traduit en anglais par Mrs. Sybil Harris, était monté par Gilbert Miller au Saint James Theatre. La distribution comprenait Lyn Harding, Alexandra Carlisle, Aubrey Smith et Claude Rains dans le rôle de Sarah Bernhardt. J'avais tenu à assister aux dernières répétitions et à la première qui eût lieu le 15 janvier 1921. Deux jours après, je rentrais à Paris.

*
* *

Parvenu à ce point de mon récit, je ne puis que m'interrompre pour citer sans commentaires un entrefilet qui, avec quelques variantes, parut simultanément dans tous les journaux de Paris du 10 mars 1921 :

« Hier, à midi, en l'église Saint-François-de-Sales, a eu lieu le mariage de M. Louis Collin du Bocage, dit Louis Verneuil, auteur dramatique, avec Mlle Lysiane Bernhardt.

« La jeune mariée est la seconde fille de M. Maurice Bernhardt, et la petite-fille de Mme Sarah Bernhardt.

« Les témoins étaient MM. Henri Lavedan et Arthur Meyer, pour Mlle Bernhardt, MM. Robert de Flers et Georges Berr, pour M. Verneuil.

« Toutes les notabilités du théâtre, des lettres et de la presse ont défilé à la sacristie, pour offrir leurs respectueuses félicitations à la grande artiste qui, il y a onze ans à la même église, assistait au mariage de l'aînée de ses petites-filles, Mlle Simone Bernhardt qui est aujourd'hui Mme Edgar Gross. »

*
* *

A partir de ce jour, ma vie s'est, pour ainsi dire, confondue avec celle de Sarah Bernhardt. Je n'habitais pas chez elle, à Paris du moins, mais jusqu'à sa mort je n'ai plus passé un jour sans la voir, l'accompagnant chaque fois qu'elle partait en voyage, et notamment dans les cinq ou six tournées qu'elle fit encore malgré son âge durant ces deux ans.

Ce fut d'abord Londres où, le 4 avril 1921, elle joua *Daniel* avec toute sa compagnie de Paris. Trois mois après qu'elle avait été représentée en anglais au Saint James, la pièce était produite en français au Princes. Puis, c'était l'Espagne où, en mai, Sarah Bernhardt alla jouer *Daniel,* à Madrid et à Barcelone. Puis ce fut le repos annuel à Belle-Isle, où je passai l'été de 1921, du 15 juillet au 15 septembre.

*
* *

La propriété de Sarah Bernhardt à Belle-Isle avait, elle aussi, son histoire. Trente-cinq ans plus tôt, cherchant un coin isolé où elle pourrait passer tranquillement ses vacances, elle avait, à une heure de bateau de la côte française, — on s'embarquait à Quiberon — découvert avec ravissement cette île presque sauvage où ne poussaient guère que des ajoncs et des tamaris et où, perdus dans la lande déserte, il n'y avait que deux villages de quelques centaines d'habitants chacun : Sauzon et Le Palais.

Pour deux mille francs Sarah Bernhardt y avait acheté à l'Autorité militaire un ancien fort garde-côtes désaffecté, situé à la pointe extrême-ouest de l'île, à quelques mètres du rivage, et l'avait aménagé en maison de campagne. Elle vivait alors seule avec la dame de compagnie de ses premières années de théâtre, Madame Guérard, et avec son fils à ce moment encore un tout jeune homme. Un grand salon-salle à manger, trois chambres et une cuisine étaient dès lors parfaitement suffisants. Et tout autour du fort, la lande qui s'étendait à perte de vue, constituait un parc, inculte mais immense.

Et puis, deux ans plus tard, Maurice s'était marié. Alors, à cinquante mètres du fort, Sarah Bernhardt avait fait construire une petite villa de quatre pièces pour qu'il s'y installât avec sa femme et qu'ils s'y sentissent tous deux indépendants et tranquilles.

Et puis, Maurice avait eu une fille, et puis une autre qui eurent une nourrice d'abord, puis une institutrice. Alors, formant un triangle avec le fort et la villa, Sarah Bernhardt avait fait construire une autre villa qui fut affectée aux enfants, à leur gouvernante et aux domestiques, dont normalement le nombre avait augmenté en proportion de celui des maîtres.

Et puis, ses deux meilleurs amis, Georges Clairin d'une part, et Louise Abbéma, de l'autre, devenus peu à peu de plus en plus intimes avec Sarah Bernhardt, faisaient, maintenant, presque partie de sa famille. Ils ne passaient plus, comme avant, à Belle-Isle chaque été quelques jours seulement, mais deux ou trois mois. Il fallait les installer convenablement. Alors elle fit construire pour eux une troisième villa qui, au premier étage, comprenait un immense atelier.

Et du même coup, songeant que bien d'autres amis aussi venaient en nombre croissant passer régulièrement chez elle une partie de leurs vacances, et qu'on ne savait jamais où et comment les loger, elle fit construire une quatrième villa qui celle-là, comptait six chambres. Cette fois, on en aurait fini avec les entrepreneurs !

C'est ainsi que, vers 1905, la propriété de Sarah Bernhardt à Belle-Isle se composait de cinq bâtiments, — le fort et ses annexes successives — groupés à quelques mètres les uns des autres en une sorte de cercle irrégulier. Aux environs, sur toute la pointe de l'île, aucun gêneur, pas la moindre cahute. Il n'y avait rien, que ce village en miniature. Ajoutons que la construction, puis la décoration et l'ameublement des cinq édifices lui avaient coûté un peu plus d'un million. Mais ceci était secondaire. Jamais l'argent n'avait compté pour elle. L'important était qu'elle se sentait ravie de son installation, patiemment combinée et enfin parachevée suivant son goût et pour les commodités de chacun.

Et voilà que l'été suivant, en arrivant à Belle-Isle, Sarah Bernhardt vit avec horreur qu'à 500 mètres environ de chez elle, sur une petite colline, on avait, durant l'hiver précédent, construit une grande bâtisse, déjà presqu'achevée, d'une cinquantaine de mètres de long, sur douze ou quinze de large !...

Belle-Isle, que chacun en France savait maintenant être la retraite estivale de Sarah Bernhardt était, de ce fait, devenu un but d'excursion de plus en plus fréquenté. Et un hôtelier breton avait eu l'idée d'ouvrir là, à proximité du célèbre fort, un hôtel de voyageurs d'une vingtaine de chambres. Epouvantée, Sarah Bernhardt entra sur-le-champ en pourparlers avec lui et, séance tenante, lui acheta son hôtel. Naturellement, il profita de la situation, pour exiger une somme astronomique et sans proportion avec la valeur de sa bâtisse. Au fait, ne l'avait-il pas élevée uniquement pour la revendre à Sarah Bernhardt dont il avait prévu l'immédiate réaction ? Peu importe. Pour s'en débarrasser, elle paya. Et pour que pareil fait ne se reproduisit jamais, elle acheta aussi, — ce qu'elle aurait dû faire depuis longtemps — tout le terrain environnant, sur une immense superficie, des hectares et des hectares, aussi loin que la vue pouvait s'étendre.

Ceci fait, sa première idée fût de démolir cet affreux hôtel. Puis elle se ravisa. Il était encore en construction. Elle l'achèverait à son idée, et, abandonnant le fort et les quatre villas, qui avaient tout de même l'inconvénient, notable les jours de pluie, d'être assez éloignés les uns des autres, elle habiterait elle-même avec toute sa famille et ses amis désormais réunis sous un seul et même toit, l'ex-hôtel devenu château et qui, du nom d'un petit port voisin, serait baptisé le Manoir de Penhoët.

Ce programme se réalisa l'été suivant. Tout le monde s'installa définitivement au château, cependant que, démeublés et déserts, les anciennes résidences et l'atelier de Clairin n'étaient plus qu'un but de promenade ou un abri en cas d'orage.

Et c'est ainsi qu'ayant sagement payé deux mille francs la première maison où elle s'était jadis installée dans la région, Sarah Bernhardt, après avoir achevé et meublé le château, aménagé le parc et fait creuser dans le roc des escaliers de ciment qui descendaient jusqu'à la mer, engloutit à Belle-Isle un peu plus de quatre millions.

C'est donc au Manoir de Penhoët, la seule construction habitée depuis, alors, dix ou douze ans, que je passai l'été de 1921. Ma chambre, tendue de toile de Jouy verte, était au rez-de-chaussée, avec deux fenêtres sur la mer, et elle était séparée du grand hall par un étroit vestibule, d'où un petit escalier de pierre de quelques marches descendait directement dans le parc.

Comme de coutume, les hôtes étaient nombreux. D'abord, il y avait naturellement la famille : Maurice Bernhardt, et sa seconde femme Marcelle, Simone Gross et ses deux enfants, alors âgés, je crois, de huit et dix ans, Jeanne de Gournay, la fidèle dame de compagnie des dernières années de Sarah Bernhardt et le Docteur Marot, son médecin particulier, qui, à Paris, venait la voir chaque matin et, lorsqu'elle quittait Paris, partait toujours avec elle. C'étaient aussi Louise Abbéma, Denise Hellmann, une amie de Lysiane, Jacqueline Bernhardt, une petite cousine éloignée et Maurice Perronnet, le filleul de Sarah Bernhardt et le secrétaire de son théâtre. Reynaldo Hahn vint passer quelques jours, l'écrivain Marcel Boulenger aussi. Et puis Victor Ullmann et sa fille, l'actrice Alice Dufrène et puis une autre jeune comédienne, vaguement de la famille, nommée Violaine, que sais-je encore ?... Jamais nous n'étions à table moins de douze ou quinze.

Le matin, après le petit déjeuner pris en commun dans la salle à manger, tout le monde, vers neuf heures, montait jusqu'à la chambre de Sarah Bernhardt lui dire bonjour. Elle nous accueillait encore couchée, toujours bienveillante et joyeuse. Recevoir chez elle ceux qu'elle aimait, fût toujours son plus grand plaisir. Et puis, au bout d'un quart d'heure, tous, un à un, se retiraient et, jusqu'au déjeuner, se dispersaient au gré de leurs occupations préférées : tennis, pêche, chasse, excursions, canotage... C'était normal. Tous venaient à Belle-Isle depuis des années. Passer un mois ou deux chez Sarah Bernhardt était pour eux une habitude. Ils ne se rendaient plus compte de leur chance exceptionnelle. Moi c'était le premier été où j'étais reçu chez elle. Je n'étais pas encore blasé, — et je ne le fus jamais.

Alors, dès que tous ses hôtes avaient quitté sa chambre, je lui disais :

— Je ne vous dérange pas, Great ?...

(Personne ne l'a jamais appelée *Grand'mère*. Elle n'aimait pas ce mot-là. Ses petites-filles, sa belle-fille, ses arrière-petits-enfants, bref, toute sa famille, sauf bien entendu son fils qui disait « Maman », l'a toujours appelée *Great*.)

Elle souriait : « Mais non, tu le sais bien. »

Alors je m'installais au pied de son lit et, cinq fois par semaine au moins, je passais toute la matinée auprès d'elle. Elle ne me renvoyait guère que les jours de courrier, c'est-à-dire ceux où, en deux heures, elle dictait environ cinquante lettres à la malheureuse Jeanne de Gournay qui, ignorant la sténo, s'essoufflait en vain à écrire aussi vite que Sarah Bernhardt parlait. Alors, agacée, souvent elle me faisait rappeler et c'est moi qui lui servais de secrétaire. Les autres matins se passaient pour moi à l'écouter, et, par mille questions dont le nombre et la variété l'amusaient, à lui faire raconter sa carrière, ses premiers succès, ses créations, ses tournées, les célébrités du siècle précédent qu'elle avait fréquentées, et les innombrables aventures qu'elle avait vécues, au cours de sa prodigieuse existence qui professionnellement avait commencé soixante et un ans plus tôt. En effet, née en octobre 1844, Sarah Bernhardt était entrée au Conservatoire en octobre 1860, à seize ans.

Ces merveilleuses matinées — que je retrouvai encore une fois, l'été suivant — restent parmi les heures les plus riches de ma vie. Tout à coup, elle regardait sa petite pendule de chevet, et s'écriait :

— Midi et demie !... Jamais je ne serai prête pour le déjeuner. Veux-tu te sauver bien vite !...

Et, dans une colère simulée et joyeuse, elle me lançait à la tête, pendant que je gagnais la porte, tous ses oreillers, un par un. Puis souvent, en effet, elle n'apparaissait dans la salle-à-manger que vers une heure et demie. Tous l'attendaient. Alors, dès qu'elle franchissait la porte, elle s'écriait, de sa chaise :

— C'est encore Louis qui m'a fait bavarder. Si tout est trop cuit ce sera sa faute. Il est insupportable. Je ne le garderai plus jamais le matin dans ma chambre.

Et le lendemain je restais aussi longtemps que la veille.

\*
\*  \*

Vers le 15 septembre, ce fut la rentrée à Paris. Sarah Bernhardt était attendue à son théâtre, pour répéter. Ainsi qu'elle l'avait prévu, en effet, et après qu'elle eût créé *Daniel*, d'autres pièces qu'elle pouvait jouer immobile, lui avaient été apportées, et parmi celles-ci, elle en avait retenu une en vers, *La Gloire*, dont l'auteur était le fils d'Edmond Rostand, Maurice. Elle donna la première représentation de cette pièce, à son théâtre, le 19 octobre 1921.

Dès la fin de novembre, et tout en jouant *La Gloire* tous les soirs, elle commençait à répéter la seconde pièce que j'ai écrite pour elle et qui fut son dernier rôle : *Régine Armand*. Dans cette comédie dramatique en quatre actes, encouragé par son état de santé véritablement inouï, j'avais osé la faire apparaître durant trois actes. Seul, le premier acte se jouait sans elle.

Sarah Bernhardt créa *Régine Armand* à Bruxelles, au Théâtre des Galeries-Saint-Hubert, le 12 janvier 1922, après avoir, à partir de Noël 1921, donné au même théâtre quelques représentations d'*Athalie*, de *Daniel* et de *La Gloire*. A soixante-dix-sept ans, elle joua donc à Bruxelles, en trois semaines, quatre pièces, dont une création.

Durant la fin de janvier, tout février, mars et le début d'avril elle fit avec mes deux pièces, une longue tournée en Belgique, en Hollande, en Suisse et à travers toute la France. Nous changions de ville presque chaque jour, en tout cas tous les deux jours et le dimanche il y avait deux représentations. Je me demande encore comment elle pouvait fournir un effort semblable et quotidiennement répété. Au bout de quelques semaines, nous étions tous épuisés. Seule Sarah Bernhardt, levée la première, couchée la dernière, apparaissait chaque matin aussi fraîche, aussi reposée qu'en vacances.

C'est le 20 avril 1922, après avoir déjà joué le rôle près de cent fois en province et à l'étranger, qu'elle donna à Paris la première de *Régine Armand*. Ce fut sa dernière répétition générale, son dernier triomphe.

L'été de 1922 nous ramena tous à Belle-Isle. Et mes « matins », dans la chambre de Sarah Bernhardt, furent mieux employés encore que l'été précédent. Elle avait eu l'idée d'écrire un *Art de dire,* dont elle me dicta les deux premiers chapitres. Rien de plus malheureusement. Et comme ce travail lent et minutieux lui prenait beaucoup de temps, souvent elle me faisait venir en outre l'après-midi, de quatre à sept. Je la retrouvais alors dans une sorte d'immense kiosque qu'elle avait fait construire au bout du parc, sur une hauteur, à pic sur la mer et où elle aimait à s'isoler. Sarah Bernhardt a toujours adoré la clarté, le soleil, l'espace, les vastes horizons. Et, comme fréquemment la conversation revenait à ses souvenirs, dont la diversité m'éblouissait, je la suppliais de terminer ses *Mémoires* dont seule, la première partie a été publiée, s'arrêtant en 1881, au retour de sa première tournée d'Amérique. Ce livre est, d'ailleurs, volontairement très incomplet, car il ne concerne que sa carrière et laisse strictement de côté toute sa vie privée, sentimentale et intime. Néanmoins, et même si elle devait la conter dans le même esprit, c'était de loin, la seconde partie de sa vie qui devait être la plus intéressante. Je revenais donc, presque chaque jour, à la charge.

— J'ai bien le temps, disait-elle, je ferai cela quand j'aurai quatre-vingts ans !...

Pourtant, à force d'insistance, j'obtins sa promesse que, dès l'été suivant, elle me dicterait la fin de ses *Mémoires*. Dès lors, je ne la pressai pas davantage. L'année prochaine, pourquoi pas ?... Comme tout son entourage, peu à peu, je m'étais habitué à considérer que le temps ne comptait pas pour elle, qu'elle serait toujours là !...

Et pourtant, elle ne passa pas un bon été. La fatigue d'un hiver trop laborieux, sans doute. Elle avait joué, presque sans arrêt, d'octobre 1921 à juin 1922, faisant, dans la même saison, deux créations et une longue tournée. Durant tout le mois de septembre, en particulier, elle se sentit faible, oppressée, constamment fatiguée. Cela l'agaçait au suprême degré, elle n'admettait pas d'être malade.

Et, un beau jour, elle décréta que c'était Belle-Isle qui ne lui valait rien. D'abord, que de soucis, rien que pour y arriver : cette route interminable, cette traversée !... Le voyage déjà, était épuisant. Et puis, cet air vif, qui, sans doute, lui avait bien réussi lorsqu'elle était jeune, devait, certainement lui être, à présent, très néfaste. D'autre part, pouvait-on rien concevoir de plus stupide que de posséder une propriété tellement loin de Paris qu'elle n'y pouvait passer que deux mois par an ?...

Bref — et c'était là, typiquement, Sarah Bernhardt toute entière, — après être venue à Belle-Isle régulièrement chaque année, depuis 1887, elle découvrit tout à coup que c'était un pays purement inhabitable. Et vers la fin de septembre, avec la soudaineté qui caractérisa toujours ses plus importantes décisions, elle mit son domaine en vente et dit au Manoir de Penhoët un adieu définitif.

Rentrée à Paris et passant d'un extrême à l'autre, elle acheta une propriété à Garches, à un quart d'heure, en voiture, de son hôtel du boulevard Péreire.

— Ça, au moins, proclamait-elle avec satisfaction, c'est une maison de campagne dont je pourrai profiter. Dès qu'elle sera installée, j'irai tous les dimanches. J'y résiderai aux premiers beaux jours, j'y passerai six mois chaque année. Et c'est là que nous finirons mes *Mémoires,* me dit-elle. Je t'attends à Garches en mai, au plus tard. Et tu n'en partiras que lorsque nous aurons terminé.

Hélas ! Elle n'a pas achevé ses *Mémoires,* et elle n'a jamais habité sa propriété de Garches.

Fin octobre 1922, elle partit, avec *Daniel* et *Régine Armand,* pour une tournée de six semaines dans le Sud de la France et en Italie. Elle débuta à Marseille. Et, huit jours plus tard, elle eut un accident d'automobile, entre Nice et Menton. Sarah Bernhardt ne fut pas atteinte, mais sa voiture, très endommagée, était, pour des semaines, inutilisable. On en chercha partout une autre, dont les portes seraient assez larges pour laisser passer sa chaise. Mais en vain.

Alors, elle fut obligée de continuer la tournée en chemin de fer. Mais quelle fatigue supplémentaire, et quels tracas incessants! Chaque jour, au lieu de partir en auto à son heure et d'aller, par la route, directement de l'hôtel d'une ville à l'hôtel de la ville suivante, il lui fallait se conformer aux horaires et parfois partir à sept heures du matin, pour n'arriver, après deux ou trois changements de train, que vers cinq heures du soir, pour jouer à huit heures. Et puis, dans chaque gare, la monter dans sa chaise jusque dans le wagon, souvent très haut, ses porteurs devant gravir avec précaution trois ou quatre marches, et la redescendre à la gare suivante, imagine-t-on ces complications quotidiennes?

Nous la suppliions de s'arrêter, de rentrer à Paris et de remettre la fin de cette tournée au printemps. Elle ne voulut rien entendre. Elle était annoncée, le public comptait sur elle, Tant qu'elle en aurait la force, elle jouerait partout où on l'attendait. Et après avoir paru à Gênes, Pise, Rome, Naples, Florence, Bologne, Venise, Vérone et Milan, elle termina cette effroyable randonnée à Turin, jouant, le 29 novembre, *Régine Armand* et le 30, *Daniel*. Ce fut sa dernière représentation, la dernière fois de sa vie qu'elle parut en public.

Epuisée de fatigue, elle rentrait le lendemain à Paris, pour répéter aussitôt une nouvelle pièce de Sacha Guitry, *Un Sujet de Roman,* qu'elle devait créer avec Lucien Guitry, au Théâtre Edouard VII, pour Noël. Elle avait vingt jours pour apprendre et établir son rôle. Dans un incroyable sursaut d'énergie, elle y parvint. Mais le 23 décembre, le jour même de la répétition générale publique, ses forces la trahissaient. Vers cinq heures, étant déjà au théâtre, dans sa loge, elle sentit brusquement tout son corps envahi par un froid glacial qu'elle connaissait bien. C'était une crise d'urémie, la quatrième. Il fallut, d'urgence, la ramener chez elle et la représentation fut contremandée.

Mais la pièce ne fut pas remise. Ayant aussitôt compris que Sarah Bernhardt était très malade, l'auteur jugea superflu d'attendre son rétablissement. Dès le lendemain, il faisait appel à une autre interprète, et la première représentation de *Un Sujet de Roman* eut lieu le 4 janvier 1923, avec Lucien Guitry et Henriette Roggers (Mme Claude Farrère) dans le rôle écrit pour Sarah Bernhardt.

\*
\* \*

Durant près d'un mois, son état fut grave et la dernière semaine de l'année 1922, surtout, s'écoula pour nous dans une constante inquiétude. Maurice Bernhardt, Marcelle, Lysiane et moi passions, à tour de rôle, la nuit dans la pièce voisine de sa chambre. Vers le 15 janvier, elle se rétablit ou, du moins, parut se rétablir. Elle redescendit à la salle à manger pour prendre ses repas qui, bientôt, groupaient à nouveau autour d'elle les familiers de la maison.

En février, elle recommença à faire des projets. Les travaux de sa maison de Garches avançaient. Elle s'y rendit plusieurs fois, pour stimuler les entrepreneurs et les ouvriers. Comme elle l'avait dit, elle tenait à s'y installer le 1er mai, au plus tard. Et jusque-là, elle voulait jouer, encore et toujours.

Alors, comme ses médecins lui interdisaient d'entreprendre une nouvelle tournée, elle commença à étudier le rôle de Cléopâtre dans *Rodogune,* de Corneille. C'était aussi un personnage qu'elle pouvait jouer assise et portée, d'autant mieux que, paraissant à trois actes, il ne comporte néanmoins qu'une seule entrée et une seule sortie. Cléopâtre, en effet, se trouve en scène au lever du rideau du deuxième acte, au baisser du rideau du quatrième et d'un bout à l'autre du dernier. Sarah Bernhardt se réjouissait follement des facilités matérielles que lui offrait ce rôle, qu'elle comptait interpréter en matinées classiques, pour Pâques 1923, comme, trois ans plus tôt, elle avait joué *Athalie.*

D'autre part et parce qu'elle avait, comme toujours, un impérieux besoin d'argent, elle accepta de tourner un film (muet naturellement) intitulé *La Voyante.* Elle y jouait un personnage épisodique de devineresse. Le metteur en scène était Louis Mercanton et le rôle principal était tenu par Mary Marquet.

Mais, trop fatiguée pour se rendre chaque jour au studio, elle demanda à tourner chez elle. Son hôtel du boulevard Péreire était très vaste, surtout le rez-de-chaussée qui comprenait un immense hall-atelier-salon. C'est là qu'on monta les décors des scènes qu'elle devait jouer dans *La Voyante,* tous les appareils d'éclairage, de prises de vues et autres accessoires ayant été, eux aussi, amenés dans son hall, transformé en un véritable studio de cinéma.

Vers le 15 mars, elle tourna deux ou trois fois. Et puis, le 21, une nouvelle crise d'urémie se déclara. C'était la cinquième. Elle n'y résista pas. Durant quatre jours, son état s'aggrava avec une rapidité extrême. Dans la journée du 25 mars, elle entrait dans le coma et le lundi 26 mars 1923, vers huit heures du soir, elle expirait, sans avoir repris connaissance.

Le gouvernement français envisagea de faire à Sarah Bernhardt des obsèques nationales. Mais plusieurs ministres étant absents, le Conseil ne put en délibérer valablement. C'est alors la Ville de Paris qui prit l'initiative d'assurer ses funérailles et qui fit à celle qui avait tant contribué à l'éclat de la capitale, des obsèques municipales. Elles furent inoubliables.

Maurice Bernhardt, dont la névrite s'aggravait beaucoup[1] ne pouvant s'occuper de rien, c'est moi qui me rendis à l'Hôtel de Ville et, au nom de la famille, organisai toutes choses avec M. Aucoc, le syndic du Conseil Municipal. Derrière le corbillard et devant les voitures réservées aux officiels et aux parents, on avait prévu cinq immenses chars-porte-couronnes, uniquement destinés aux fleurs. Ils furent bien insuffisants et des monceaux de gerbes, des centaines de couronnes, n'ayant pu trouver leur place, durent rester en vrac à la maison mortuaire ou à l'église.

Le jour de l'enterrement, dès huit heures du matin, et d'un bout à l'autre du parcours du cortège, depuis le boulevard Péreire jusqu'à Saint-François-de-Sales, et de Saint-François-de-Sales au cimetière du Père-Lachaise, une foule immense s'était massée sur les trottoirs, de chaque côté de la chaussée et attendait, sur six et sept rangs d'épaisseur, de part et d'autre. La circulation dans Paris fut pratiquement interrompue durant la moitié de la journée. Maurice, incapable de faire à pied ce long trajet, ayant dû partager la voiture qu'occupaient sa femme et ses filles, le deuil fut conduit par Edgar Gross et par moi, les deux plus proches parents masculins de Sarah Bernhardt.

Et pendant trois heures, au pas lent des chevaux caparaçonnés, un défilé interminable, comprenant tous les noms les plus illustres du théâtre, des lettres et de la politique qui, tous, avaient tenu à escorter Sarah Bernhardt jusqu'à sa dernière demeure, passa entre deux haies, compactes et ininterrompues, que formaient des centaines de milliers de Parisiens recueillis, émus. bouleversés. La plupart pleuraient et au passage du cercueil, combien se mirent à genoux, sur le trottoir ou sur les pavés de la rue !...

Le vide que je ressentis après la disparition de Sarah Bernhardt, fut immense. Depuis près de trois ans, depuis les premières répétitions de *Daniel,* tout mon temps lui avait été, pour ainsi dire, consacré. Soudain, j'étais privé du but unique, de la raison même de toute mon activité. Il me fallut des mois pour me faire à une nouvelle existence qu'elle n'emplissait plus.

Du moins, il me restait d'elle des souvenirs innombrables, tour à tour émouvants et pittoresques, passionnants et parfois infiniment comiques, une foule d'anecdotes et surtout des faits, dont beaucoup sont peu connus ou ne le sont pas du tout. Ce sont

---

1. Maurice Bernhardt est mort le 22 décembre 1928, jour anniversaire de sa naissance. Il avait exactement 64 ans.

uniquement ces souvenirs qui empliront les pages qui vont suivre.
Tout ce qui est postérieur à 1919, j'y ai personnellement assisté.
Tout ce qui est antérieur, c'est Sarah Bernhardt elle-même qui
me l'a raconté, au cours de nos longues causeries familières. Il
me semble difficile d'invoquer de meilleures sources. Et c'est
pourquoi j'ai cru pouvoir écrire ce livre.

\*
\*  \*

Au moment où je commence le récit qui va suivre, je ne
laisserai pas échapper cette occasion qui m'est offerte, de rendre
un sincère et cordial hommage à la piété avec laquelle Lysiane
s'est vouée au culte de sa grand'mère.

Dès l'été de 1923, notre divorce lui a permis de reprendre
le nom de Bernhardt, ce qui a dû être pour elle une grande
joie et une grande fierté. Et grâce à sa dévotion attentive, la
ferveur des innombrables fidèles de l'illustre artiste est intelligemment et régulièrement entretenue. En toute occasion, sa
mémoire est honorée. Chaque anniversaire est pieusement célébré.

Au nom de tous ceux qui ont aimé et admiré Sarah Bernhardt,
je remercie Lysiane de nous aider à nous souvenir...

# CHAPITRE II

## SON ENFANCE. SA JEUNESSE. SES DÉBUTS.

Sarah Bernhardt est née à Paris, 5, rue de l'Ecole de médecine, le 23 octobre 1844.

La date et le lieu de sa naissance ont soulevé d'innombrables controverses. On a dit qu'elle était née en Bretagne... ou en Normandie. On a dit qu'elle était allemande ou, tout au moins, née à Francfort. On l'a dite algérienne... juive... hollandaise... hongroise... voire américaine !... Dès sa première tournée aux Etats-Unis, en 1880, une demi-douzaine de Bernhardt, dont l'un, particulièrement formel, à Philadelphie, revendiquaient sa paternité. Pourquoi et comment de tels désaccords, à propos d'un événement précis, inscrit sur les registres de l'Etat-civil français, parfaitement vérifiable et qui, dès lors, ne saurait logiquement prêter à la moindre discussion ?

Pour plusieurs raisons. D'abord parce que les parents de Sarah Bernhardt n'étaient pas mariés et que si, dès sa naissance, son père l'a reconnue et lui a donné son nom, il n'a jamais vécu avec sa mère, voyageait constamment, est mort très jeune, en 1857 et que très rares sont ceux qui l'ont rencontré.

Ensuite parce que sa mère n'était pas française, qu'elle n'est arrivée à Paris qu'environ un an avant la naissance de Sarah, sa fille aînée et qu'elle eut par la suite deux autres filles, de deux pères différents et toutes deux nées loin de Paris, et peut-être hors de France. D'où confusion facile.

Enfin parce que, par une singulière coïncidence, le nom de son père, Bernhardt, et celui de sa mère, Van Hard, se ressemblaient, comme on le voit, beaucoup. Cette similitude a suggéré à quelques-uns que, née de père inconnu, elle avait été déclarée sous le nom de sa mère et que, par la suite, elle aurait changé Van Hard en Bernhardt, qui, de ce fait, n'aurait été qu'un pseudonyme. C'est cette fable, d'ailleurs insoutenable, qui a permis à tant de légendes de naître et, pendant trente ans, à tant de maniaques, de déséquilibrés, ou simplement d'admirateurs plus ambitieux que les autres, de se prétendre le père de l'illustre artiste.

On peut ajouter que Sarah Bernhardt, qui ne méconnaissait pas l'importance de la publicité, n'a peut-être jamais rien fait de ce qui eût été nécessaire pour mettre fin à ces polémiques, dont la fréquence et l'acharnement faisaient planer sur ses origines un

mystère propre à accroître la curiosité des foules. Et sans doute
ne trouvait-elle pas déplaisant de laisser sept ou huit villes se
disputer l'honneur de lui avoir servi de berceau, à l'instar du
divin Homère.

La mère de Sarah, Julie Van Hard, était née en 1823 en
Hollande, à Rotterdam. Ses parents, tous deux hollandais, Gustave
et Lisa, étaient de condition très modeste. Sa mère, israélite, était
couturière. Son père, comptable, était catholique et très pratiquant.
Ils eurent six filles, Julie étant la troisième. Et comme leurs
parents ne purent jamais se mettre d'accord sur le culte dans lequel
elles seraient élevées, toutes grandirent sans pratiquer aucune
religion, quelle qu'elle fût. Gustave Van Hard mourut relativement
jeune et Lisa se trouva seule avec ses six enfants, dont les trois
dernières étaient encore petites. Incapable de les élever toutes avec
ses maigres ressources, elle dut laisser les aînées se débrouiller elles-
mêmes.

C'est ainsi que, dès l'âge de quatorze ans, Julie, ayant
trouvé un emploi de « petite main » dans une maison de couture
allemande, partit pour Hanovre, puis pour Berlin, puis pour
Francfort où, en 1843, elle était vendeuse chez une modiste. Là,
elle fit la connaissance d'un agent consulaire français qui, rentrant
à Paris, l'emmena avec lui. Mais bientôt, lassé d'elle, il l'abandonnait. Elle avait vingt ans, parlait très mal le français et se
trouvait, sans un sou, sur le pavé de Paris, où elle venait d'arriver
et où elle ne connaissait personne. Pourtant elle trouva une place
d'ouvrière chez une modiste de la rive gauche.

Et le soir du Réveillon de 1843, dans une brasserie du
quartier latin, elle fit la connaissance d'un jeune étudiant en droit,
Edouard Bernhardt. Celui-ci, Français, originaire du Havre, était
momentanément fixé à Paris pour suivre les cours de l'Université.
Julie était très belle, malgré sa pauvre petite robe et son humble
position. Edouard Bernhardt en devint très vite épris, au point de
la retirer de la maison de modes où elle travaillait. Bientôt,
il l'installait dans le petit appartement, 5, rue de l'Ecole de
médecine où, en octobre suivant, naissait Sarah Bernhardt.

Durant l'été de 1844, l'Université étant fermée, Edouard
avait dû retourner au Havre dans sa famille. En septembre son
père, important exportateur, lui ayant fait une situation dans sa
maison de commerce, il n'était pas revenu à Paris. Et tout doucement, sans rupture violente, son idylle avec Julie avait pris fin.
Cependant, lorsqu'il apprit que la jeune modiste avait une fille,
indiscutablement de lui, il accourut aussitôt, la reconnut et aussi
longtemps qu'il vécut, participa, dans toute la mesure de ses
moyens, aux frais de son éducation et de son instruction. Quand

il mourut, son testament disposait, en faveur de la petite Sarah, d'une rente modeste, dont le capital devait lui être versé à sa majorité.

Sarah Bernhardt, d'ailleurs, ne connut que fort peu son père. Non seulement il habitait le Havre, mais encore il voyageait incessamment pour les affaires de la maison paternelle. Il alla jusqu'en Chine et mourut en Italie. Lorsqu'il traversait Paris, il venait voir sa fille, à la pension ou au couvent, la sortait une fois ou deux et disparaissait à nouveau, pour des mois.

Cependant, la chance avait tourné pour Julie Van Hard et de la façon la plus favorable. Il semble que la naissance de Sarah lui ait porté bonheur. Deux ou trois mois plus tard, elle avait fait la connaissance d'un chirurgien nommé le baron Larrey, fils du fameux médecin en chef des armées de Napoléon 1$^{er}$. Elle était devenue sa maîtresse et quittant son modeste logement de la rue de l'Ecole de médecine, avait pu prendre un joli appartement, dans un quartier plus central et plus élégant, 6, rue de la Chaussée d'Antin. Mais elle y habitait peu. Le baron Larrey était constamment appelé en consultation aux quatre coins de l'Europe, ou bien il voyageait pour son plaisir et très amoureux de la jeune femme, l'emmenait toujours avec lui.

Restée en correspondance avec ses sœurs, Julie leur avait raconté la soudaine et surprenante amélioration de sa situation. Deux d'entre elles, Anna et Mathilde, étaient paisiblement mariées en Hollande, une autre à la Martinique. Mais les deux aînées, Rosine et Henriette, végétaient de ci de là, menant, d'un pays à l'autre, une existence assez semblable à celle de Julie avant sa rencontre avec le baron Larrey.

Aussitôt, elles accoururent à Paris, cette ville merveilleuse où l'on faisait si rapidement fortune. Si Julie y avait réussi, pourquoi la chance ne leur sourirait-elle pas, à elles également ? Et puis, mon Dieu, si la chance se montrait quelque temps rétive, leur sœur, en attendant, pourrait toujours les aider un peu.

De fait, Julie n'eut pas à les secourir. Jolies toutes les deux, dès qu'elles furent introduites dans le milieu élégant et frivole où vivait désormais leur sœur, elles furent, l'une et l'autre, vite « casées » et, elles aussi, plus ou moins richement entretenues. L'aînée, Henriette, épousa d'ailleurs bientôt un rentier du nom de Félicien Faure et mena une vie bourgeoise. Rosine et Julie restèrent les deux irrégulières de la famille.

\*
\*  \*

Quant à la petite Sarah, son père étant constamment en voyage d'affaires et de son côté, sa mère constamment en voyage d'agrément, on l'avait mise en nourrice chez une brave paysanne bretonne, près de Quimperlé. Mais à l'époque, c'était toute une affaire, de se rendre en Bretagne. Et lorsqu'il lui prenait l'idée d'aller embrasser sa fille, Julie Van Hard perdait un temps énorme. Alors, pour que le dérangement fût moins grand, elle fit revenir l'enfant et sa nourrice et les installa à Neuilly. Là, en deux heures, aller et retour, elle pouvait remplir ses devoirs maternels et quand elle n'en avait pas le temps, elle priait sa sœur Rosine d'aller voir la petite Sarah à sa place.

Bientôt, la nourrice, qui était veuve, était demandée en mariage par un brave homme, concierge à Paris, 65, rue de Provence. Lui ayant accordé sa main et se préparant à vivre avec lui, elle alla chez Julie Van Hard pour la prier de reprendre sa fille, qui avait maintenant quatre ans. Mais la porte était close. Partie, une fois de plus, avec le baron Larrey, Julie était en Pologne ou au Portugal ou ailleurs... Elle alla chez Rosine. Elle aussi voyageait avec quelque amoureux. Alors, ne sachant que faire, — et ne sachant pas écrire, — la brave nourrice prit l'enfant avec elle et pendant des mois, Sarah Bernhardt vécut dans une loge de concierge !...

C'était à l'entresol, au-dessus de la porte cochère et ne prenant jour sur la rue que par un œil-de-bœuf, une unique pièce, à la fois chambre à coucher et cuisine, où son petit lit, dressé dans un coin sombre, était séparé par un rideau de celui des « jeunes mariés ». Habituée au grand air de la Bretagne, puis de Neuilly, l'enfant se sentait là atrocement malheureuse. Elle passait ses journées à jouer mélancoliquement dans la cour de l'immeuble ou dans le ruisseau de la rue de Provence, avec des petites filles et des petits garçons de son âge, les enfants des concierges du quartier, attendant qu'un jour, tout de même, quelqu'un de sa famille se rappelât son existence et vînt la chercher.

Et voilà qu'un matin, elle vit une jeune et belle dame, accompagnée d'un monsieur élégant, descendre d'une voiture à deux chevaux, devant l'immeuble voisin de celui où sa nourrice tirait le cordon. Elle la reconnut aussitôt et se mit à crier :

— Tante Rosine !... Tante Rosine !...

La sœur de Julie, — car c'était elle, en effet, — s'arrêta et regarda, avec une stupeur un peu dégoûtée, cette mioche hirsute, en tablier à carreaux, sale à faire peur, pleine de taches de la tête aux pieds. Puis, tout à coup, elle s'écria :

— Mais c'est la petite Sarah !...

Et, s'excusant auprès de l'homme qui l'accompagnait, elle entra, avec l'enfant, dans la loge de la concierge, pour demander des explications que l'ex-nourrice lui fournit aussitôt. Un quart d'heure plus tard, la jeune femme repartait, promettant de découvrir où était Julie et de lui écrire. Mais désespérée, Sarah s'accrochait à elle et sanglotait :

— Emmène-moi, ma tante, emmène-moi !...

Rosine la raisonna. Elle ne se souciait nullement de faire monter dans son brillant équipage cette enfant noire de crasse et surtout, de la présenter à son compagnon. Elle pria donc la nourrice de garder la petite fille, que la brave femme prit dans ses bras, pour la monter à l'entresol, dans la chambre. Mais la nature impérieuse et volontaire de Sarah, qui avait alors cinq ans, se révélait déjà. Furieuse, elle se précipita à l'œil-de-bœuf et, pour rejoindre sa tante, sauta dans la rue et s'écrasa sur le trottoir. Heureusement, l'entresol n'était pas haut : trois mètres au plus. Néanmoins, elle eut le bras démis et la rotule cassée. Rosine, terrifiée, fut bien obligée d'emmener l'enfant et d'appeler, en toute hâte, médecins et chirurgiens. Quelques jours plus tard, Julie était de retour et prenait sa fille chez elle. Elle la garda deux ans, naturellement confiée aux soins d'une domestique.

Mais son genre de vie s'accommodait mal de la présence constante de la petite Sarah sous son toit. Julie avait maintenant vingt-huit ans et devenait de plus en plus élégante et jolie. Son succès grandissait constamment. A présent, elle était en pleine vogue. Pour la garder, l'indulgent baron Larrey devait supporter qu'elle sortît désormais et s'affichât avec bien d'autres adorateurs. Et beaucoup de ceux-ci eussent été déçus d'apprendre que leur jeune et séduisante amie était déjà la mère d'une enfant de sept ans.

Un autre important événement se produisit : Julie était enceinte. Quelques mois plus tard, elle allait mettre un second enfant au monde. Qui était son père ? On ne l'a jamais su au juste. Mais certainement un homme pour lequel elle eut un vif penchant, car cette seconde fille, Jeanne, fut toujours sa préférée. C'est donc à la fois pour se débarrasser d'une trop grande fille et pour pouvoir consacrer à celle qui allait naître, tout le temps dont elle pourrait disposer, que Julie prit le parti de mettre Sarah en pension.

Vers la fin de l'année 1851, elle la conduisit et l'installa chez une certaine Mme Fressard, dont l'institution était située 18, rue Boileau, à Auteuil.

Sarah y resta deux ans et s'y sentait heureuse, travaillait sagement et avait de gentilles petites camarades, dont certaines restèrent ses amies pendant bien longtemps. L'un d'elle surtout,

Clotilde, devenue la femme d'un politicien nommé Pierre Merlou qui fut quelque temps, ministre des Finances au début de ce siècle, assistait régulièrement à toutes les premières du Théâtre Sarah Bernhardt et ne manquait jamais, à l'entr'acte, de venir embrasser celle qui, cinquante ans plus tôt, avait été sa condisciple à la pension Fressard.

Mais, entre les parents de Sarah s'éleva bientôt le désaccord coutumier, celui qui se produit si fréquemment à propos de l'éducation d'un enfant dont le père et la mère ne vivent pas ensemble. Aux premières visites qu'Edouard Bernhardt avait faites à sa fille, chez Mme Fressard, cet établissement avait reçu son approbation. Et puis, un beau jour, il s'avisa que les études n'y étaient pas assez poussées, cette pension ne comptant que des classes préparatoires pour toutes petites filles et que, surtout, on n'y donnait aux enfants aucune instruction religieuse, ce que Julie Van Hard n'avait même pas remarqué, mais qui lui semblait, à lui, purement inadmissible. Bref, après un long échange de lettres et probablement même quelques rencontres avec Julie, il exigea que Sarah fût retirée de chez Mme Fressard et mise dans un couvent où son éducation serait désormais dirigée par des religieuses.

Ce fait est la plus probante réponse à ceux qui prétendent que le père de Sarah Bernhardt était juif. S'il l'avait été, il n'aurait pas tenu à ce point à la faire élever au couvent où, d'ailleurs, une enfant née de parents israélites et par conséquent israélite elle-même, n'aurait pas été admise.

Sa grand'mère maternelle, Lisa Van Hard, était juive, c'est incontestable. Elle est morte très vieille, à Paris, vers 1880 et beaucoup d'amis de Sarah l'ont connue. Mais c'était sa seule parente israélite. Les Bernhardt du Havre existent toujours et malgré l'orthographe du nom, c'est une famille notoirement chrétienne.

C'est au couvent de Grandchamps, à Versailles, exactement à côté de la caserne Satory, que la jeune Sarah entra, un matin de septembre, au début de l'année scolaire 1853-54. Sa mère l'avait amenée chez Mme Fressard. C'est son père qui la conduisit au couvent et qui la confia à la supérieure, la mère Sainte-Sophie. Deux jours plus tard, prise de remords d'avoir laissé enfermer sa fille dans une institution qu'elle n'avait même pas visitée, Julie Van Hard accourait et durant tout l'après-midi, examinait consciencieusement le couvent de Grandchamps : les classes, les dortoirs, le réfectoire, la chapelle... Elle en fut à ce point ravie que par la suite, elle y mit également, — mais pas pour longtemps — sa seconde fille, Jeanne et aussi, durant deux années, sa troisième fille, Régina, l'autre sœur de Sarah, qui naquit en 1854 et mourut à vingt ans.

\*

\* \*

Sarah Bernhardt resta au couvent de Grandchamps jusqu'en 1859. Aucun incident bien notable ne marqua ces six années studieuses, au cours desquelles elle acquit une instruction solide, étendue et que, grâce à sa prodigieuse mémoire, elle conserva toujours. De cette époque, un seul fait est à retenir : en juin 1856, Sarah fit sa première communion. Très pieuse à cet âge, elle se prépara avec le plus grand recueillement, à cette importante cérémonie et parmi la centaine de petites filles qui, en même temps qu'elle, allaient communier pour la première fois, elle montra une ardeur mystique particulièrement édifiante.

Quelques semaines avant l'événement, le prêtre qui devait diriger la retraite des élèves communiantes, demanda à chacune son certificat de baptême. Sarah écrivit aussitôt à sa mère pour la prier de lui envoyer le sien. Et brusquement, voilà que Julie Van Hard s'aperçut que sa fille n'en avait pas, et pour cause ! On se rappelle qu'au moment de la naissance de Sarah, Julie était depuis seulement quelques mois à Paris, qu'elle avait peu d'argent, peu d'usages et pas de religion... Bref, elle avait complètement oublié de faire baptiser l'enfant. Savait-elle seulement, alors, que c'était là une coutume assez généralement répandue ?... Quant à Edouard Bernhardt, arrivé du Havre en toute hâte et repartant de même, il avait reconnu la petite fille, mais persuadé que sa mère y avait pensé, il ne s'était pas préoccupé de son baptême.

Ainsi, vivant depuis bientôt trois ans chez les religieuses, Sarah n'était pas encore catholique, au sens impérieux du mot. Il convenait de réparer au plus tôt cette fâcheuse omission. Et le 21 mai 1856, — elle avait onze ans et demi — dans la chapelle de Grandchamps, fut baptisée, par le chapelain du couvent.

« *Sarah, Rosine, Marie, Henriette, née à Paris, 12e arrondissement, le 23 octobre 1844, fille de M. Edouard Bernhardt, demeurant au Havre, rue des Arcades, 2, et de Mme Julie Van Hard, demeurant à Paris, rue Saint-Honoré, 265. Le parrain a été M. Régis Lavolée, rue de la Chaussée d'Antin, 65, à Paris, et la marraine Madame Anna Van Hard Van Bruck, tante de l'enfant.* »

Tel est le texte exact de son certificat de baptême, conservé, jusqu'à sa mort, par Sarah Bernhardt.

Au début de l'année suivante, au cours de l'un de ses nombreux voyages, Edouard Bernhardt mourait à Pise, après une courte maladie. Il ne restait plus à Sarah que sa mère, toujours lointaine,

dans toutes les acceptions du terme et qui la laissa encore deux
ans au couvent. Puis, en juin 1859, comme sa seconde fille, Jeanne,
lui manquait atrocement et qu'elle décidait de la garder désormais
auprès d'elle, elle n'osa pas la retirer de Grandchamps et y laisser
sa fille aînée, qui avait près de quinze ans et avait virtuellement
terminé ses études.

Sarah quitta donc, à cette date, le couvent et après un été
passé avec son oncle et sa tante Faure à Cauterets, réintégra
le domicile maternel qui, on vient de le lire, était maintenant
situé 265, rue Saint-Honoré, où Julie occupait un vaste et luxueux
appartement.

Dans tout l'éclat de ses trente-six ans et très belle, Julie
Van Hard était alors devenue une véritable personnalité. Ayant
toujours conservé un léger accent hollandais, elle prononçait son
propre nom à l'allemand : Youlie. Et trouvant cela moins banal
que Julie, presque tous ses amis l'appelaient Youle. Ceux-ci
formaient, autour d'elle, une petite cour fervente et joyeuse et
presque chaque soir, il y avait brillante réunion, dans le bel
appartement de la rue Saint-Honoré.

Les intimes de Julie se nommaient le général de Polhes, le
parrain et peut-être le père de sa troisième fille, Régina, le
peintre Fleury, le docteur Monod, Régis Lavolée, le parrain de
Sarah et Adolphe Meydieu, le parrain de Jeanne, Rossini, l'illustre
compositeur du *Barbier de Séville,* le ménage Faure que formaient
la sœur aînée de Julie, Henriette et son mari, son autre sœur
Rosine, toujours escortée d'un nouvel amant, le bon baron Larrey,
mélancoliquement devenu l'ami de la maison, après en avoir été
le maître et enfin, dépassant de dix coudées, par le rang et l'allure,
toute l'assemblée, qui l'accueillait, d'ailleurs, avec un profond
respect, le duc de Morny, le demi-frère de l'Empereur Napoléon
III, l'un des trois ou quatre personnages les plus importants en
France, à cette époque. Rue Saint-Honoré, il était et pour cause,
le plus assidu.

C'est, en effet, Youle, la mère de Sarah Bernhardt, qui fut la
dernière passion du duc de Morny. Pendant les sept dernières
années de sa vie, il la combla de ses bienfaits, et reportant sur
ses trois filles une part de l'affection qu'il éprouvait pour leur
mère, fit ouvrir à Sarah les portes du Conservatoire, puis de la
Comédie-Française et dota généreusement Jeanne et Régina. Il
mourut en 1865, à cinquante-quatre ans, laissant à Julie une gentille
fortune qui, de ce jour, lui permit de mettre un terme à ses
aventures galantes.

Et pourtant, cette existence brillante ne plaisait pas à Sarah
et chez sa mère, elle n'était pas heureuse. Est-ce parce que celle-ci

marquait, pour sa sœur Jeanne, une préférence par trop nette ?
Est-ce parce qu'elle supportait mal le désœuvrement, si contraire
à sa nature active et entreprenante ? Chaque jour, en tout cas, elle
s'échappait de l'appartement maternel et montait à l'étage supérieur, chez une jeune femme douce et paisible qui, en raison de
leur voisinage, était devenue l'amie de Julie et pour laquelle la
jeune Sarah s'était prise d'une débordante affection. Elle s'appelait
Madame Guérard et était mariée à un historien, brave homme, mais
de peu de talent. Veuve de bonne heure et sans fortune, elle devint,
quelques années plus tard, la secrétaire intime, la dame de compagnie de Sarah Bernhardt et durant près de trente ans, l'accompagna
partout et toujours. La mort de Mme Guérard, vers 1890, constitua
pour Sarah Bernhardt, la plus grande perte qu'elle eût jamais
faite.

Contrastant avec la demeure fastueuse et gaie de Julie, l'intérieur modeste et reposant des Guérard semblait à Sarah une
sorte de refuge. Pendant des heures, elle restait assise auprès de
sa grande amie et le regard perdu, formait les projets les plus
fous, les plus contradictoires.

— Avec vous, mon p'tit' dame, (c'est ainsi qu'elle appelait
Mme Guérard) je peux rêver tout haut, lui disait-elle.

Et le rêve qu'elle faisait le plus fréquemment, était de retourner au couvent, mais non plus comme élève, comme religieuse !...
La vie la rebutait et surtout la vie telle qu'on la menait autour
d'elle. Aucun homme ne lui plaisait et quelques-uns, pourtant, lui
faisaient déjà la cour, l'un d'eux l'ayant même demandée en
mariage. A quinze ans, elle n'avait ni but, ni désir, ni aspiration
d'aucune sorte. Rien ne l'intéressait ou pis encore, tout l'ennuyait.
Lorsque sa mère donnait un grand dîner, et c'était fréquent, elle
multipliait les prétextes pour ne pas y assister. Elle aurait souhaité
qu'on prît le parti de ne plus mettre son couvert quand il y avait
du monde. Mais parfois, ou bien parce que, sans elle, on eût été
treize, ou bien parce que tel personnage important, amené par le
duc de Morny, avait demandé à faire la connaissance de Sarah,
Julie exigeait qu'elle fût présente à la réception et fît bonne figure
à ses invités. Alors, quelques minutes avant qu'on se mît à table,
elle renversait un encrier sur sa robe ou bien feignait de se fouler
le pied. Tout, n'importe quoi, pour échapper à ces corvées
mondaines !

Cette attitude et ce caractère sauvage pourront paraître surpre-
nants. Par la suite, la vie toute entière de Sarah Bernhardt a prouvé que, non seulement elle ne détestait pas les réunions nombreuses,
mais qu'au contraire, haïssant la solitude, elle aimait s'entourer
constamment d'amis, qu'ils fussent intimes ou non. Oui, mais alors

c'est elle qui les choisissait, c'est elle qu'on venait voir. Elle était le point de mire, l'unique objet de l'intérêt et de l'admiration de toute l'assistance. Et sans avoir jamais été orgueilleuse, Sarah, néanmoins, n'aimait pas beaucoup que, dans son entourage, on s'occupât, en dehors d'elle, de quoi que ce soit.

C'est ce même sentiment qui, déjà, confusément, se manifestait. Au début de 1860, Julie, alors dans tout le rayonnement de sa parfaite beauté, attirait tous les hommages, c'était logique, alors, que la petite Sarah, maigre, sans coquetterie, ses cheveux frisés et rebelles toujours insuffisamment coiffés, généralement maussade et de caractère difficile, était traitée en quantité négligeable. Il faut ajouter que Julie ne tentait rien pour tâcher de faire valoir sa fille, pas plus, d'ailleurs, que pour la conquérir et gagner sa tendresse.

Indolente, parlant peu, n'ayant que des mouvements lents, gracieux et toujours parfaitement distingués, d'une intelligence moyenne, mais ayant néanmoins, grâce à son astuce féminine naturelle, bien réussi sa vie, c'est-à-dire su trouver et retenir successivement plusieurs entreteneurs fortunés et de haute condition sociale, elle regardait avec une surprise un peu découragée, cette enfant, alors d'une beauté douteuse, turbulente, nerveuse, agitée, constamment en révolte contre tout et contre tous, capable de violences bruyantes et de mauvais goût, qui ne soignait ni sa toilette, ni son attitude et qui, sans raison, ou du moins pour les causes les plus futiles, passait, avec une exagération choquante, du plus fol enthousiasme au plus profond désespoir.

D'abord elle essaya de la raisonner, de la rendre « normale », mais bientôt elle y renonçait et caressant doucement les cheveux soyeux de sa jeune sœur Jeanne, si enjouée, si affectueuse et si facile à vivre, se bornait à déclarer, en soupirant, que Sarah était décidément une enfant incompréhensible. De fait, Julie n'a jamais rien compris au caractère, à la nature et même, plus tard, au talent de sa fille. Elle est morte en 1876, à cinquante-trois ans, bien après les premiers grands succès de Sarah, sans s'être, en aucune façon, rendu compte qu'elle avait donné le jour à une très grande artiste. Elle la trouvait excentrique, déconcertante, pas comme tout le monde et surtout, un peu fatigante. C'est tout ce que Julie Van Hard a jamais vu en elle!

*<br>* *

Rue Saint-Honoré, le choc constant de ces deux natures si profondément opposées, se faisait chaque jour plus brutal. Au bout de quelques mois, l'ennui de Sarah devenait presque de l'hypocondrie et de son côté, Julie, toujours si calme, sentait son impatience tourner, peu à peu, à l'exaspération. Le duc de Morny s'en rendit bien vite compte et, plein de sollicitude amoureuse pour sa maîtresse, jugea qu'il était urgent de la délivrer du souci perpétuel que sa fille aînée constituait pour elle.

Mais que faire de Sarah?... Son père était mort. Ni l'une ni l'autre de ses tantes n'aurait voulu d'elle. Et à quinze ans et demi, elle était à la fois trop âgée pour être, à nouveau, mise en pension et trop jeune pour vivre seule, même, au besoin, avec une institutrice. Il fallait lui trouver une occupation, c'était le seul remède. Et un soir, après le dîner, alors que par extraordinaire il n'y avait pas d'autre invité que la bonne Mme Guérard, le duc de Morny, tout à coup, prononça négligemment :

— Moi, si je m'appelais Sarah, je sais bien ce que je ferais.

Le jeune fille était, comme de coutume, perdue dans sa rêverie. Elle sursauta :

— Et quoi donc?...

— Je me présenterais au Conservatoire.

Un long silence suivit cette suggestion inattendue. Julie, Sarah, Mme Guérard et la petite Jeanne, qui avait alors neuf ans, se regardèrent. Le duc de Morny n'avait pas prévenu sa maîtresse de son idée qui, du reste, lui était venue brusquement et de la façon la plus logique. Ayant fait des études complètes, mais sans préparation spéciale pour une carrière définie, Sarah n'était apte à exercer aucun métier digne de la situation de sa mère. Il y a quatre-vingts ans, d'ailleurs, bien rares étaient en France les doctoresses ou les avocates. Si l'on excepte couturières et modistes, d'une manière générale, les femmes ne travaillaient pas. Cherchant, pour la fille de Julie, une profession agréable, absorbante et n'exigeant aucune connaissance particulière préalable, le duc avait nommé la seule possible : le théâtre.

Sarah réfléchissait :

— Je n'aime pas beaucoup votre idée, Monseigneur.

— Vraiment? Et pourquoi cela?

C'est Julie qui répondit, de sa voix douce :

— Parce qu'elle est trop maigre pour faire une actrice.

Piquée, Sarah protesta aussitôt :

— Ce n'est pas du tout ce que je voulais dire. J'ai vu Rachel...

— Où cela? Elle était morte avant que tu sortes du couvent.

— J'ai vu ses portraits. Et elle n'était pas bien grosse non plus. Je ne crois pas que le succès d'une actrice dépende essentiellement de son poids.

Le duc de Morny sourit.

— Très juste. Alors?... Vos objections, mon enfant?

Sarah resta d'abord un instant silencieuse. Au début de cet entretien, la suggestion de Morny lui avait paru extravagante. Elle n'était allée que quatre ou cinq fois au théâtre et ne s'y était pas beaucoup amusée. Quant à la profession de comédien, elle ne se doutait pas une seconde de ce que c'était et en quoi cela pouvait bien consister. Evidemment, elle savait qu'on apprenait des rôles par cœur, pour les réciter ensuite sur la scène. Mais les études préparatoires, les répétitions, la mise au point d'une pièce, elle avait de tout cela, une idée aussi vague que des travaux d'un chimiste ou d'un ingénieur agronome. Sa seule impression nette, c'est qu'elle entrevoyait là un monde et une existence qui ne l'attiraient pas du tout ou, plus exactement, qui lui semblaient n'offrir aucun intérêt. C'est cela qu'elle allait répondre au duc. Et puis, une fois de plus, sa mère l'avait vexée, presque défiée. Eh bien, elle relevait le défi. On verrait si elle était aussi maigre que cela !... Le théâtre ?... Soit ! Va pour le théâtre !... Pourquoi pas, après tout ?... A une condition, toutefois : c'est qu'on y travaillât beaucoup. Si soudain, elle acceptait d'embrasser une carrière que, cinq minutes plus tôt, elle jugeait parfaitement déplaisante, que cette décision, au moins, eût pour résultat de l'occuper du matin au soir, c'est-à-dire de la soustraire aux réceptions de sa mère et à ses réflexions désobligeantes.

Le duc de Morny la rassura en riant :

— Je crois bien qu'au Conservatoire, les classes de comédie n'ont lieu que deux fois par semaine, mais le reste du temps, il vous faudra apprendre vos rôles. Du reste, au théâtre comme partout ailleurs, on ne réussit pas sans se donner une peine énorme.

Cette indication décida tout à coup la jeune Sarah qui, dès le lendemain, recherchait, parmi ses livres de classe rapportés du couvent, les tragédies de Racine et de Corneille, dont elle commença sur-le-champ à apprendre indistinctement tous les rôles, de femmes et d'hommes. Quelques jours plus tard, son parrain, le bon Régis Lavolée et Adolphe Meydieu, le parrain de Jeanne, tous deux très amusés par les soudaines résolutions de Sarah, se concertaient pour choisir avec un peu plus de discernement les personnages qu'il convenait, pensaient-ils, de lui faire travailler d'abord. Et ce sont ces deux braves bourgeois, sans aucune expérience du théâtre et que seul, guidait leur instinct de vieux abonnés de la Comédie-Française, qui furent les premiers professeurs de Sarah Bernhardt.

On prétend que tous les vrais artistes ont été, dès leur plus tendre enfance, entraînés vers leur art par une vocation irrésistible. C'est vrai, en principe. Pourtant, si, à cette règle, il y a des exceptions, on conviendra que Sarah Bernhardt en est une. A seize ans ou presque, elle n'avait jamais pensé à faire du théâtre. Pour débarrasser d'elle sa mère qui ne l'aimait pas, l'un de ses amants a dit, un beau jour : « Et si nous essayions d'en faire une actrice ?... » Pour échapper à sa mère, dont l'existence de femme entretenue la choquait, Sarah a répondu : « Soit. Essayons. » Pourrait-on croire que c'est très exactement ainsi que s'est décidée la carrière de celle qui devait devenir la plus grande artiste du monde ?

*

* *

C'est avec conviction, presqu'avec acharnement, comme tout ce qu'elle a entrepris au cours de son existence, que Sarah prépara son examen d'entrée à l'Institut National de Déclamation. Tant de zèle était du reste assez superflu. Au retour des vacances, à la fin de l'été de 1860, le duc de Morny était allé voir le directeur du Conservatoire, qui était Auber, le célèbre compositeur de *Fra Diavolo* et du *Domino Noir*. Bien qu'il eût alors près de quatre-vingts ans et que sa renommée fût immense, l'illustre musicien avait été infiniment flatté que le frère de l'Empereur eût pris la peine de se déranger, au lieu de le convoquer au Palais des Tuileries. Dès lors, quelles que fussent ses qualités — et même si elle n'en avait aucune — la jeune Sarah Bernhardt était reçue d'avance. Pouvait-on songer à ne pas admettre sur-le-champ une candidate que recommandait chaudement le duc de Morny en personne et qui, on le sut bientôt, était la propre fille de sa maîtresse ?

C'est au début d'octobre 1860, à l'examen annuel, que, dans ces conditions particulièrement favorables, Sarah Bernhardt se présenta devant le jury d'admission du Conservatoire qui, autour d'Auber, comprenait notamment Beauvallet, Samson, Régnier, Provost, Bressant, cinq des plus importants sociétaires de la Comédie-Française et l'aînée des deux sœurs Brohan, Augustine, qui, dans les rôles de coquettes, fit auprès d'eux une éblouissante carrière.

Tout d'abord, M. Meydieu, qui ne doutait vraiment de rien, avait fait étudier à Sarah le rôle de *Phèdre*. Mais, dans son entourage, on s'était rendu compte que, pour ce personnage, elle était peut-être un peu jeune et surtout, inexpérimentée. On lui avait alors conseillé celui d'Aricie. Et puis, après mûres réflexions, on l'avait dirigée vers Chimène, du *Cid*. Pourtant, tout cela ne satisfaisait ni ses deux mentors, ni Mme Guérard. Blonde et frêle, Sarah paraissait à peine ses seize ans et elle n'avait rien d'une grande héroïne de tragédie. Alors, changement radical, on lui fit apprendre Agnès, de *l'Ecole des Femmes*, de Molière. Et c'est dans la scène fameuse du 2e acte, avec Arnolphe, « Le petit chat est mort... » qu'elle s'était fait inscrire sur la liste des candidates.

Le jour de l'examen, au Conservatoire, accompagnée de Mme Guérard, elle attendait, très émue, son tour dans la salle réservée aux concurrents, cependant que, depuis une heure, jeunes gens et jeunes filles défilaient sur la célèbre petite scène, lorsque, cinq minutes avant que fût appelé son nom, l'appariteur vint la trouver et lui dit :

— Vous avez votre réplique ?...

— Ma réplique ?

— Oui, votre partenaire, le jeune homme qui vous donne la réplique dans le rôle d'Arnolphe ?... Qui est-ce ?... Où est-il ?...

Sarah pâlit. Mme Guérard aussi. Personne n'avait pensé à la réplique !... Lorsque Meydieu, Lavolée ou Mme Guérard lui faisaient travailler Agnès, chacun d'eux lisait l'autre rôle. Et ils avaient complètement oublié que, le jour du concours, il faudrait un acteur pour le jouer, en scène, avec elle. On voit, par là, avec quelle inexpérience, on pourrait dire avec quelle naïveté, Sarah avait été préparée à son examen. Que faire ?... Parmi tous les concurrents présents, en chercher un qui sût Arnolphe et répéter vivement la scène avec lui ?... C'était bien hasardeux et trop long : Sarah allait être appelée d'un instant à l'autre. Résolument, elle décida :

— Eh bien, tant pis !... Je dirai une fable !...

Et quand son tour fut venu, l'appariteur annonça au jury stupéfait :

— Mademoiselle Sarah Bernhardt, dans *Les Deux Pigeons,* de La Fontaine.

Le tonitruant Beauvallet se pencha vers Auber et murmura : « C'est une plaisanterie ?... Nous ne sommes pas ici à l'Ecole Maternelle !... » En guise de réponse, Auber griffonna rapidement quelques mots sur une feuille de papier qu'il lui passa, ainsi qu'à ses autres collègues. En lisant le nom du duc de Morny non seulement tout-puissant, mais extrêmement sympathique au Théâtre-Français, tous devinrent aussitôt attentifs et bienveillants. Et sans être « sonnée » avant la fin, Sarah récita gentiment sa fable, d'un bout à l'autre. Quand elle eut terminé, le bon Auber esquissa discrètement le geste d'applaudir et lui adressa, de loin, un petit signe amical et encourageant. Une heure plus tard, on lui annonçait que, sur les cent ou deux cents concurrents qui venaient de se présenter, elle était parmi les quinze ou vingt qui étaient reçus.

Sarah Bernhardt resta au Conservatoire deux ans. Et c'est dans la classe de Provost, un comédien de valeur et surtout un remarquable professeur, qu'elle passa la première année. Provost jouissait, d'ailleurs, d'un prestige particulier, car il avait été le professeur de Rachel. Les conseils de cet excellent maître, qu'elle adorait, furent extrêmement précieux à Sarah Bernhardt. Il lui enseigna les premiers principes d'un art dont, jusqu'à son examen d'admission inclusivement, elle ignorait tout et fit naître chez elle l'amour passionné du théâtre qui, pendant plus de soixante ans, devait rester son unique raison de vivre.

Il sut à ce point faire de la naïve apprentie qu'elle était, une excellente élève et déjà, presqu'une actrice, qu'au concours de fin d'année, elle se distingua de façon inattendue et cette fois, sans rien devoir à son influent protecteur.

En juillet 1861, elle obtint un second prix de tragédie dans *Zaïre*, de Voltaire et un premier accessit de comédie dans *La Fausse Agnès*. A dix-sept ans et alors que, dix mois plus tôt, elle n'avait jamais appris deux vers par cœur, c'était un joli résultat.

Il constitua pour Sarah un vif encouragement et c'est avec enthousiasme qu'elle commença sa seconde année de Conservatoire, à l'issue de laquelle son premier prix paraissait certain.

Malheureusement, en janvier 1862, Provost tomba gravement malade et dut cesser ses cours. Et Sarah passa dans la classe de Samson, en qui elle avait une confiance beaucoup moins grande et qui, d'ailleurs, ne la comprenait pas et la dirigea mal. Malgré ses protestations, il l'obligea, en fin d'année, à concourir dans deux vieilles pièces de Casimir Delavigne, dont Samson avait été l'ami d'enfance et pour lequel, bien qu'il fût mort depuis vingt ans et déjà très démodé, il conservait un culte et une admiration assez inexplicables.

En juillet 1862, Sarah Bernhardt concourut donc, en tragédie, dans *La Fille du Cid*, de Delavigne, un drame bien médiocre, créé en 1839 et, en comédie, dans une pièce plus mauvaise et plus poussiéreuse encore, *l'Ecole des Vieillards*, qui avait été un succès, mais en 1823. Et elle n'obtint aucune récompense. Eu égard aux bonnes notes qu'elle avait eues au cours de l'année scolaire, on lui accorda seulement un rappel de son second prix de tragédie de l'année précédente. Ce fut une terrible déception pour elle et surtout, une immense humiliation lorsque, rentrant rue Saint-Honoré, elle dut annoncer à sa mère ce piteux résultat. Julie soupira :

— Je l'avais bien dit !... Tu n'arriveras jamais à rien dans la vie, ma pauvre enfant !...

*
* *

Pendant des semaines, Sarah resta désespérée, voulait se tuer, retourner au couvent, disparaître à jamais !... Le duc de Morny eut pitié d'elle et intervint à nouveau, cette fois auprès de Camille Doucet. Celui-ci, un auteur dramatique sans gloire, mais un homme doux, bienveillant et très bien en cour, allait être, l'année suivante, nommé Directeur Général des Beaux-Arts (et quelques années plus tard, secrétaire perpétuel de l'Académie Française). Et à ce moment déjà, il disposait, dans les théâtres d'Etat, d'une influence considérable. Il rendit visite à Edouard Thierry, l'administrateur général du Théâtre-Français et malgré son médiocre concours, obtint l'engagement de Sarah Bernhardt à la Comédie Française.

Elle y débuta le 1ᵉʳ septembre 1862, dans le rôle d'*Iphigénie,* de la tragédie de Racine. Nerveuse à l'excès, paralysée par le trac, elle s'y montra absolument insignifiante. Le lendemain, dans *l'Opinion Nationale,* Francisque Sarcey, l'éminent critique qui, pendant quarante ans, fit et défit à sa guise les situations des plus illustres écrivains et comédiens français du 19ᵉ siècle, écrivait :

« Mlle Bernhardt, qui débutait hier dans *Iphigénie,* est une grande et jolie jeune personne, d'une taille élancée et d'une physionomie fort agréable. Le haut du visage, surtout, est remarquablement beau. Elle se tient bien et prononce avec une netteté parfaite. C'est tout ce qu'on peut dire d'elle en ce moment. »

La coutume des « trois débuts » successifs, qui, à la Comédie-Française, s'est, par la suite, un peu perdue, était alors une tradition immuable.

C'est donc dès le 5 septembre que Sarah Bernhardt effectuait son second début dans *Valérie,* un drame de Scribe et Mélesville, créé au Théâtre-Français en 1822, rarement repris depuis et qui avait été récemment remis au répertoire, à l'occasion de la mort de Scribe, survenue l'année précédente. Pour honorer l'illustre écrivain qui lui avait apporté tant de pièces à succès, la Comédie-Française reprit, en 1861 et 1862, la plupart de celles qui y avaient été créées.

Dans *Valérie,* qui est pourtant un bon rôle, Sarah ne réussit pas davantage à se faire remarquer. Et son troisième début, le 11 septembre, dans le personnage d'Henriette, des *Femmes Savantes,* de Molière, fut tout aussi terne.

Cette soirée inspira à Sarcey un article assez frappant, car il montre, non seulement combien Sarah produisit peu d'effet, mais aussi qu'à l'époque, l'illustre compagnie de la Maison de Molière subissait déjà des critiques à peu près semblables à celles dont, depuis lors, elle a toujours et régulièrement, été l'objet. Il écrivait :

« Cette représentation a été bien pauvre et donne lieu à des réflexions qui ne sont pas gaies. Que Mlle Bernhardt soit insuffisante, ce n'est pas une affaire. Elle débute et il est tout naturel que parmi les débutants qu'on nous présente, il y en ait qui ne réussissent point. Il faut en essayer plusieurs avant d'en trouver un bon. Mais ce qui est triste, c'est que les comédiens qui l'en-

touraient ne valent pas beaucoup mieux qu'elle. Et ce sont des
sociétaires !... Ils n'avaient, par-dessus leur jeune camarade, qu'une
plus grande habitude des planches. Ils sont aujourd'hui ce que
pourra être Mlle Bernhardt dans vingt ans, si elle se maintient
à la Comédie-Française. »

Loin de s'y maintenir, c'est très vite qu'elle devait quitter la
grande Maison.

Au cours des derniers mois de l'année 1862, Sarah Bernhardt
joua quelques rôles du répertoire, — notamment Hippolyte dans
l'Etourdi, de Molière, — tous sans aucun succès et de ce fait, sans
aucune joie. Nous savons qu'elle détestait passer inaperçue et
durant son premier séjour à la Comédie-Française, ce fut toujours, exactement, son cas. Partageant l'opinion de Sarcey, l'Administrateur Général et le Comité la considéraient comme une
pensionnaire très quelconque, sans talent et sans avenir et qui,
incapable d'attirer l'attention sur elle, gagnerait doucement l'époque
de sa retraite, sans être jamais sortie des rôles de troisième plan.
Un minuscule incident devait en décider autrement. Il se produisit
le 15 janvier 1863.

Au Théâtre-Français, chaque année, le 15 janvier, on célèbre
l'anniversaire de Molière, en terminant le spectacle par ce qu'on
appelle « la Cérémonie ». Le buste de l'immortel auteur du *Misanthrope* étant placé au milieu de la scène, tous les sociétaires et pensionnaires entrent, deux par deux, viennent déposer une palme devant lui et se rangent ensuite, de part et d'autre du théâtre, pour
écouter un à-propos en vers, dit par l'un des plus importants
membres de la compagnie.

Ce soir-là, pour participer à la Cérémonie, Sarah Bernhardt
descendait l'escalier qui mène des loges d'artistes au foyer. puis à
la scène, tenant par la main sa petite sœur, Régina, qui avait à
peine neuf ans et qu'elle avait amenée, comme elle le faisait parfois, pour lui tenir compagnie dans sa loge pendant le spectacle.
Devant elles, marchait solennellement une importante sociétaire de
la Maison, Mme Nathalie, actrice pompeuse, d'un talent moyen,
mais qui, malgré un fort embonpoint et la cinquantaine toute proche,
avait conservé des adorateurs haut placés.

Par inadvertance, la petite Régina marcha sur la traîne de
Nathalie, qui faillit tomber. D'une main, elle se retint à la rampe
de l'escalier, tandis que de l'autre, elle repoussait brutalement
l'enfant, qui fut projetée la face contre le mur. Du sang apparut
aussitôt sur son front. « Méchante bête !... » cria Sarah, furieuse.
Et elle flanqua, sur les joues flasques de Nathalie, deux gifles
retentissantes.

Tumulte, brouhaha. La grosse sociétaire s'évanouit. On s'empresse autour d'elle. La Cérémonie est retardée de dix minutes !... Et, le lendemain, Sarah était convoquée chez l'Administrateur Général, M. Thierry, qui exigeait qu'elle fit des excuses à Mme Nathalie, devant lui et devant trois des plus anciens sociétaires.

— Après quoi, ajouta-t-il d'un ton glacial, le Comité jugera s'il y a lieu de vous infliger une amende ou de prononcer votre résiliation.

Ses échecs successifs, au Conservatoire et au Théâtre-Français, n'avaient pas assoupli le caractère de Sarah, dont rien ne calma jamais la violence et l'emportement. L'idée de présenter des excuses à cette méchante femme qui avait blessé sa petite sœur, la mit dans une colère indescriptible.

— Le Comité n'aura aucune décision à prendre, répliqua-t-elle à Edouard Thierry, car c'est moi qui m'en vais. J'avais deviné ce que vous alliez me demander et pour y répondre, j'ai apporté mon engagement. Le voici !...

Et sortant de son sac son contrat avec la Comédie-Française, elle le déchira en huit morceaux, qu'elle jeta au nez de l'Administrateur abasourdi. Et elle sortit de son bureau en claquant la porte.

*
*    *

Cette rupture violente avec l'illustre théâtre où elle avait eu la chance inespérée d'entrer par faveur, ne rendit pas à Sarah l'existence facile chez sa mère. A présent, ce n'étaient plus seulement les soupirs résignés et la dédaigneuse lassitude de Julie qu'elle devait subir, mais aussi la mauvaise humeur et les sévères reproches de tous les familiers de la maison : Meydieu et Lavolée, humiliés dans leur amour-propre de « professeurs », ses tantes, qui elles, au moins, avaient su diriger leur vie... Courtois, mais distant, le duc de Morny ne disait rien. Il s'était désintéressé de cette enfant terrible. Seule, l'excellente Mme Guérard lui gardait toute sa tendresse intacte.

En outre, les raisons de son départ du Théâtre-Français avaient été connues dans Paris et pendant plus d'un an, Sarah, partout considérée comme une jeune actrice qui, véritablement, avait trop peu de talent pour se permettre d'avoir un aussi mauvais caractère, ne trouva aucun engagement, aucune scène qui consentit à l'accueillir.

Cette inaction forcée ne tarda pas à avoir des résultats logiques. Jusque-là, elle s'était exclusivement consacrée au travail, passant au Conservatoire deux années étonnamment studieuses, puis, au Théâtre-Français, s'efforçant, vainement mais avec application, de jouer de son mieux les rôles qu'on lui confiait. Puisque, nulle part, on ne voulait de la comédienne, la femme aurait peut-être plus de succès. Elle avait bientôt dix-neuf ans, ses traits s'étaient affinés, sa personnalité s'affirmait. Déjà on pouvait deviner la beauté étrange et singulière que chacun allait bientôt reconnaître en elle. Elle s'appliqua à mettre cette beauté en valeur. Alors qu'elle ne s'était encore jamais souciée de tout cela, elle commença à soigner son apparence, à choisir de jolies toilettes, bref à s'efforcer de séduire et de plaire. Bien entendu, sa mère l'encourageait dans cette voie nouvelle. Si Julie n'était pas tendre pour sa fille, elle fut, par contre, assez généreuse et c'est sans même les regarder qu'elle payait ses factures, satisfaite de constater qu'enfin, Sarah semblait vouloir se civiliser un peu.

C'est de cette époque que date le début de la vie amoureuse de Sarah Bernhardt, si, toutefois, on peut se servir de tels mots pour désigner l'époque où elle cessa d'être une jeune fille. Que pouvait-il, en effet, advenir de cette petite actrice sans engagement, jolie, élégante, vivant dans un milieu où régnait une morale assez accommodante, dont la tante était une demi-mondaine et la mère une femme entretenue, dont le père était mort et qui n'avait, pour veiller sur elle, que Mme Guérard, bien douce et bien honnête, mais qui l'aimait tant qu'elle fut toujours incapable de lui adresser la moindre remontrance?

Son désœuvrement devait fatalement l'amener à sortir avec des jeunes gens et, un jour ou l'autre, à céder au plus entreprenant. C'est de cette façon banale que Sarah Bernhardt connut l'amour, ses premiers amants, acceptés sans plaisir et quittés sans regret, étant bien anonymes et n'ayant éveillé chez elle qu'une cordiale indifférence.

C'est précisément l'absence complète d'émotions de cette sotte existence, qui l'écœura bien vite. La nature de Sarah, généreuse, exaltée, ardente, immuablement portée à l'exagération, a toujours réclamé, professionnellement des tâches surhumaines et sentimentalement, de grandes passions. Ces petites aventures, sans lendemain et sans intérêt, ne pouvaient la satisfaire.

Malgré tant d'échecs et tant de refus déjà subis, elle fit donc une suprême tentative pour forcer les portes d'un théâtre et grâce à un ami de son parrain, nommé M. de Gerbois, elle obtint, au début de 1864, de Montigny, qui a laissé un grand nom comme directeur du Gymnase, une entrevue, puis un engagement, à cent vingt-cinq francs par mois.

Sa première apparition sur ce théâtre eut lieu en mars 1864, dans une pièce de Dumanoir, intitulée *La Maison sans Enfants*. Puis, en plein été et renonçant à prendre des vacances, elle créa,

le 16 juillet 1864, un rôle assez gentil dans *Le Démon du Jeu*, comédie de Théodore Barrière et Crisafulli, qui eut un grand succès.
Malgré les chaleurs, la pièce tint l'affiche trois mois, jusqu'à celle
qui devait être, au Gymnase, la dernière nouveauté de l'année :
*Un Mari qui lance sa Femme,* comédie de Eugène Labiche et Raymond Deslandes.

Dans cette pièce, Montigny lui avait distribué un rôle épisodique de princesse slave évaporée, un peu folle, avalant constamment des sandwiches et dansant à tout propos. On voit à quel point
ce personnage pouvait convenir à Sarah Bernhardt, même très
jeune !... Le soir de la première, elle y fut aussi terne, aussi gauche
que possible. Et le lendemain matin, dans son boudoir, en se polis-
sant nonchalamment les ongles, Julie, devant le duc de Morny,
lui disait :

— Mon Dieu, ma pauvre enfant, que tu étais ridicule dans
ta princesse russe !... J'avais honte en apercevant dans la salle des
gens qui savent que tu es ma fille.

Cet insuccès, qui lui était reproché de façon aussi cruelle,
plongea la pauvre Sarah dans un profond désespoir. Elle avait
maintenant vingt ans et, quatre ans après son admission au Conservatoire, elle en était toujours là !... Pas un jour de plus, elle ne
continuerait à paraître dans un personnage qui lui valait de tels
sarcasmes. Et le soir même, ayant passé sa journée en préparatifs,
elle partait pour l'Espagne, après avoir envoyé à Montigny une
lettre d'excuses, qui se terminait par ces mots : « Ayez pitié d'une
pauvre petite toquée !... »

*<br>* *

Une vingtaine d'années plus tard, Victorien Sardou raconta
à Sarah Bernhardt qu'il se trouvait par hasard dans le bureau de
Montigny, au Gymnase, lorsque, vers quatre heures, lui fut remise
la lettre de sa pensionnaire, l'informant qu'elle ne jouerait pas le
soir. Il la lut, lâcha un juron, appela son régisseur, pour qu'il s'assurât aussitôt une doublure et revint s'asseoir, tout courroucé.
Sardou le questionna :

— Que se passe-t-il ?

— C'est cette jeune folle, qui s'est déjà sauvée de la Comédie-
Française, bougonna Montigny. Je l'ai engagée, je ne sais pas trop
pourquoi et voilà qu'elle abandonne aussi le Gymnase, sans crier
gare !...

— Ah ! oui, cette blonde frisée, fit Sardou. Comment s'ap-
pelle-t-elle, déjà ? Sarah quelque chose...

— Bernhardt, mais peu importe. Après deux incartades pareilles, si elle trouve encore un engagement à Paris, je veux être changé en panier à bois!... Quitter une pièce le lendemain de la première!... A-t-on idée de cela!... Et lisez-moi cette prose!...

Sardou lut la lettre de Sarah, absurde, décousue, tour à tour rageuse et désespérée, s'indignant du rôle qu'on l'avait forcée à jouer et suppliant pourtant Montigny de lui pardonner, le tout dans un désordre inimaginable, où s'indiquait néanmoins une certaine éloquence. Sardou reposa la lettre sur le bureau du directeur du Gymnase et sourit.

— Elle est drôle, cette petite!..., fit-il.

— Pas pour les directeurs!... grommela Montigny. La voilà en Espagne! Bon débarras!... Et qu'on ne me parle plus jamais de cette hystérique!...

*
* *

Pourquoi l'Espagne?... Une raison particulière lui avait-elle fait choisir ce pays plutôt qu'un autre?... Non. Elle voulait fuir Paris et se cacher, rien de plus. Par Marseille et Perpignan, elle gagna Alicante, puis Madrid, décidée à s'y fixer pour toujours, à épouser un torero ou un fermier espagnol et, prenant son nom, à faire à tout jamais oublier celui, du reste bien obscur encore, de Sarah Bernhardt.

Et puis elle réfléchit. Toute sa vie, Sarah a commis bien des extravagances, mais toujours, au dernier moment, elle a su éviter celles qui eussent été irréparables. Et, trois semaines à peine après avoir quitté Marseille, elle rentrait à Paris. Non pas seulement que l'Espagne l'eût bien vite déçue. La raison essentielle de ce retour rapide est qu'elle attendait un enfant et elle ne se sentait ni le droit ni le courage de le mettre au monde hors de France et loin des siens.

Mais, dès son retour chez sa mère, une nouvelle déception l'attendait. En apprenant que Sarah était enceinte, Julie Van Hard, qui avait eu, elle-même, trois filles naturelles de trois pères différents, fut prise soudain d'une vertueuse indignation. Elle entra dans une colère froide et lui déclara tout net que jamais elle n'accepterait que ce scandaleux enfant naquît sous son toit!...

C'est ainsi que Sarah dut vivre désormais seule et loua son premier appartement, un petit entresol de trois pièces, rue Duphot, presqu'au coin de la rue Saint-Honoré. Malgré tout, elle ne voulait pas trop s'éloigner du domicile maternel.

Satisfaite d'être enfin débarrassée d'elle, Julie, d'ailleurs, participa un peu aux frais de sa modeste installation, surtout lorsque

Sarah lui proposa d'emmener la petite Régina, qui avait dix ans, qui adorait sa grande sœur et qui était folle de joie à l'idée d'aller habiter avec elle. Julie ne se sentit pas moins heureuse de ne garder désormais auprès d'elle que sa bien-aimée Jeanne et avant la fin de l'année 1864, la famille s'était ainsi divisée, suivant ses préférences avouées et ses tenaces aversions.

*

* *

Qui était le père de l'enfant qu'attendait Sarah Bernhardt ? Un des vagues « camarades d'amour » auxquels elle s'était abandonnée avec indifférence, après son départ du Théâtre-Français, au cours de cette année si vide et si tristement joyeuse ?... Non. Elle ne se serait pas pardonné une erreur aussi lourde et elle n'aurait jamais pu adorer, comme elle l'a fait jusqu'à sa mort, un fils conçu dans de semblables conditions. Maurice fut, dans la plus belle acception du terme, un enfant de l'amour et sa naissance était le résultat du plus touchant roman de la vie de Sarah Bernhardt.

Au moment de son engagement au Gymnase et avant même qu'elle y eût débuté, la troupe de Montigny avait été demandée, un soir, pour assurer, au Palais des Tuileries, dans les salons de l'Empereur, une courte représentation privée, après un dîner intime donné par Napoléon III en l'honneur d'un prince étranger de passage. En principe, c'était à la Comédie-Française qu'était réservé l'honneur de fournir au Palais Impérial ces spectacles de gala. Mais parfois, l'Impératrice Eugénie, fatiguée du répertoire un peu solennel de la Maison de Molière, préférait qu'on fît appel à l'un des théâtres du boulevard.

Camille Doucet qui, malgré la gifle à Nathalie, conservait pour Sarah une affection indulgente, qu'il lui témoigna toujours, avait demandé à Montigny de la comprendre parmi les artistes désignés pour jouer aux Tuileries, lui donnant ainsi, peut-être, l'occasion de se faire remarquer dans l'entourage des souverains. Et bien que Sarah Bernhardt fût la plus jeune et la plus ignorée des artistes de sa troupe, Montigny avait déféré au désir du Directeur des Beaux-Arts.

Le soir de la représentation aux Tuileries, après quelques « numéros » qui réunissaient divers pensionnaires du Gymnase et une pièce en un acte, du répertoire du théâtre, jouée, notamment, par deux de ses vedettes d'alors, Blanche Pierson et Céline Montaland, la jeune Sarah apparut sur l'estrade, improvisée dans un angle du grand salon des Tuileries, fit une profonde révérence vers Leurs Majestés et la petite assistance et annonça : *Oceano Nox.*

C'est le titre d'un poème du recueil *Les Rayons et les Ombres*, de Victor Hugo. Et elle commença :

> Oh ! Combien de marins, combien de capitaines,
> Qui sont partis, joyeux, pour des courses lointaines,
> Dans ce morne horizon se sont évanouis...

En entendant le titre du morceau, Napoléon III avait eu un mouvement. Tous les spectateurs en avaient compris le sens et se regardaient, choqués, stupéfaits... En effet, Victor Hugo, ardent républicain, adversaire acharné de l'Empereur, contre lequel il avait écrit, entre autres violents pamphlets, *Napoléon le Petit*, était, depuis son avènement en 1852, exilé à Guernesey, où il resta dix-huit ans. Il ne rentra à Paris qu'en octobre 1870, pendant la guerre, après la déchéance de Napoléon III et la proclamation de la Troisième République. En 1864, réciter du Victor Hugo aux Tuileries, devant Leurs Majestés, constituait une inconvenance, qui était presqu'une insulte.

On a déjà compris que la jeune Sarah ne s'en doutait nullement et avait agi en toute innocence. A dix-neuf ans et demi, elle lisait peu les journaux et ne comprenait rien à la politique. Elle adorait le talent de Victor Hugo. Ne connaissant en lui que le poète et ignorant le parlementaire, elle avait appris des vers qui lui semblaient beaux et, candidement, les récitait de son mieux. Rien de plus.

Mais, sur l'Empereur et ses invités, *Oceano Nox* produisit l'effet d'une douche glacée. Au dernier vers, l'Empereur n'applaudit pas et toute l'assistance imita sa réserve. Sarah crut que le poème avait déplu parce qu'il était trop triste et dans l'espoir de terminer sur une note plus souriante, annonça, de sa voix la plus suave : « *Lorsque l'enfant paraît...* »

Un poème des *Feuilles d'Automne !*... Encore de Victor Hugo !... Cette fois, l'Empereur fut convaincu que cette impertinente jeune personne le faisait exprès et se moquait de lui. Le programme était épuisé ou presque. Après Sarah Bernhardt, il ne restait plus à entendre qu'un artiste sans notoriété particulière. Avant même qu'elle eût attaqué le premier vers de son second morceau, Napoléon III se levait brusquement et, offrant son bras à l'Impératrice, passait dans le salon voisin, où tous ses invités le suivaient, scandalisés. Cependant que décontenancée, ahurie, la pauvre petite Sarah restait toute seule, sur l'estrade, en face de cinquante fauteuils vides !

Aussitôt, de la coulisse, le régisseur, venu du Gymnase pour conduire la représentation, bondissait vers elle et la couvrait d'une interminable bordée d'injures. Sarah n'était pas patiente. Quelque erreur qu'elle eût pu commettre, elle n'admettait pas d'être traitée

de la sorte. Elle répliqua vertement. Furieux, le régisseur la saisit
par le poignet. Elle poussa un cri de rage et de douleur. Et Dieu
sait les proportions que cet incident allait prendre lorsque, de la
salle, une voix d'homme s'éleva :

— Voulez-vous laisser cette enfant tranquille ?...

Pétrifiés, le régisseur et la jeune artiste se retournèrent. Celui
qui venait de prononcer ces paroles était un jeune homme de
vingt-cinq à trente ans, brun, élégant, d'une rare distinction et qui,
tout en parlant, s'avançait vers l'estrade.

Lorsque, derrière l'Empereur, les assistants étaient sortis de la
salle, il s'était trouvé l'un des derniers et touché par la mine décon-
fite de Sarah, il était resté un instant, pour voir ce qu'il allait advenir d'elle. Il venait d'entendre les grossièretés dont on l'avait
abreuvée et, indigné, protestait, avec calme, mais avec fermeté. Du
haut de la scène le régisseur répliqua :

— De quoi vous mêlez-vous, Monsieur ? Et d'abord, qui
êtes-vous ?

Le jeune homme se nomma :

— Je suis le Prince Henri de Ligne. Et je ne laisserai jamais
insulter une femme devant moi. Surtout une femme jeune, jolie,
naïve et sans défense, comme Mademoiselle.

En entendant le nom et le titre de son interlocuteur, le régis-
sur bredouilla quelques vagues excuses et disparut. Et dans le
grand salon désert, Sarah resta seule avec son défenseur inconnu.

Exaltée, éprise de romanesque, toujours émue par tout ce qui
était noble ou rare, elle fut, aussitôt, vivement intéressée par le
chevaleresque jeune gentilhomme qui prenait, ainsi, vigoureuse-
ment parti pour une petite comédienne inconnue, insignifiante et
qui venait d'attirer son attention sur elle en commettant — le
Prince de Ligne le lui expliqua bientôt en souriant — l'une des
bévues les plus monumentales dont se fût jamais rendue coupable
une actrice mandée au Palais de l'Empereur.

De son côté, le prince, visiblement, était, dès ce premier entretien, très séduit par la beauté si personnelle et la nature vibrante
de la jeune artiste. La soirée terminée, il la reconduisit jusqu'à la
porte de la maison maternelle. Et puis ils se revirent le lendemain,
et puis le surlendemain... Et, jusqu'à l'été, chaque jour et chaque
soir. Bien vite, ce fut plus qu'un grand amour : une véritable passion, sincère de part et d'autre, le sentiment réciproque le plus rare
et le plus touchant qui eût jamais uni deux jeunes cœurs. [1]

---

1. D'aucuns seront surpris, sans doute, que le nom véritable du Prince de
Ligne soit imprimé dans ce volume. Sa famille est, depuis plusieurs siècles, l'une des
plus nobles et des plus illustres de Belgique. Une coutume hypocrite aurait peut-être
dû conseiller à l'auteur de ce livre de ne le désigner que comme « un grand seigneur
belge » ou, à la rigueur : « le Prince de L... ».

Lorsqu'arriva l'été de 1864, le jeune prince fut chargé par le gouvernement belge d'une mission longue et lointaine et dut quitter l'Europe pour plusieurs mois. C'est avec un véritable déchirement que les amants durent se séparer. Le Prince Henri ne devait être de retour qu'à la fin de l'année ou au début de 1865, d'abord en Belgique, puis à Paris.

Mais, quand il y revint, Sarah avait quitté le Gymnase, quitté le domicile maternel et, si l'on s'enquérait d'elle, avait interdit qu'on donnât sa nouvelle adresse, rue Duphot. Non qu'elle eût voulu rompre avec celui qu'elle adorait toujours, loin de là. Mais elle était extrêmement fière et pour rien au monde, elle n'aurait voulu avoir l'air de mettre à profit sa maternité prochaine.

Son sentiment, bien digne d'elle, était facile à comprendre. Elle ne savait pas si, au retour de son voyage, le Prince Henri voudrait encore la voir et renouer avec elle leurs relations interrompues. L'avertir qu'elle attendait un enfant dont, de toute évidence, il était le père, c'était lui forcer la main, c'était lui imposer un devoir. Et cela déplaisait à Sarah. Si son amant devait jamais

---

A la réflexion, il paraît impossible que les précisions, d'ailleurs indiscutables, fournies dans cet ouvrage, puissent choquer ou même contrarier qui que ce soit. D'abord, il ne peut être que flatteur, pour un homme, d'être nommé comme ayant été l'objet du premier et du plus grand amour de la plus illustre artiste du monde. D'autre part, il ne pourrait y avoir dommage moral, pour ses héritiers, que si le Prince de Ligne était dépeint ici d'une manière injurieuse ou déplaisante. Or, le rôle qu'il a joué dans la vie de Sarah Bernhardt a toujours été particulièrement chevaleresque, loyal et généreux. Et le souvenir qu'après soixante ans, elle avait gardé de lui, était plein de tendresse et de reconnaissance. Il semble donc que ce soit plutôt servir et honorer la mémoire du Prince de Ligne que de ne pas passer sous silence ses relations avec Sarah Bernhardt.

D'autre part, et de tout temps, la vie des hommes et des femmes illustres a été retracée, dans les moindres détails, par ceux qui avaient assumé cette tâche. Qui n'a lu le *Verlaine tel qu'il fut*, de François Porché? Si, entre cent autres, je choisis cet exemple, c'est pour deux raisons: La première est que Verlaine était exactement un contemporain de Sarah Bernhardt, étant né la même année qu'elle, en 1844. La seconde est que le livre de Porché est peut-être le plus typique, parmi les biographies contemporaines. Je crois qu'il est impossible de trouver récit plus complet d'une vie intime. A-t-on jamais reproché à son auteur d'avoir raconté les amours de Verlaine? Evidemment non. Comme Sarah Bernhardt, le poète des *Fêtes galantes* appartient à l'histoire. Dès lors, aucun des actes de sa vie ne saurait être interdit aux historiens.

D'ailleurs, en ce qui concerne, tout spécialement, le cas qui nous occupe, la question a déjà été résolue.

Comme Sarah Bernhardt, une autre illustre actrice française a vécu, elle aussi, un roman d'amour avec un non moins illustre grand seigneur. Et non seulement ses historiens n'en ont fait nul mystère, mais ils ont donné à cette aventure la plus large publicité, par le livre, et par le théâtre. Je veux parler de la comédienne Adrienne Lecouvreur et du comte Maurice de Saxe.

On m'objectera peut-être qu'il y a bien longtemps de cela, qu'Adrienne Lecouvreur appartient à un lointain passé, alors qu'on n'a pas encore célébré le centenaire de la naissance de Sarah Bernhardt.

Cette réponse n'aurait de valeur que si les premiers récits de la vie d'Adrienne Lecouvreur paraissaient en même temps que cette vie de Sarah Bernhardt.

Mais c'est en 1849, il y aura bientôt cent ans, que Scribe fit jouer sa pièce: *Adrienne Lecouvreur*, et c'est en 1750 que Maurice de Saxe mourut Maréchal de France.

Donc, au milieu du dix-neuvième siècle, nul ne contestait à Scribe le droit d'étaler au grand jour, sur la scène de la Comédie-Française, des faits qui s'étaient réellement passés au milieu du dix-huitième.

Pourquoi, au milieu du vingtième siècle, serait-il moins opportun de relater des faits qui se sont réellement passés au milieu du dix-neuvième?

lui revenir, elle voulait que ce fût, seul, son désir de la revoir qui le ramenât à elle.

C'est donc à l'insu du Prince, presque fâchée avec sa mère et veillée par la seule Mme Guérard, qu'elle donna le jour à son fils, qui fut déclaré de père inconnu et sous le seul nom de Maurice Bernhardt. Il naquit le 22 décembre 1864. Sarah Bernhardt avait exactement vingt ans et deux mois.

Mais, bien que Julie et aussi, un peu, ses tantes lui vînssent en aide, de temps à autre, l'existence était toute différente, pour Sarah, à présent qu'au lieu de vivre largement et sans soucis chez sa mère, elle avait, à sa charge, un loyer, un enfant, sa nourrice et aussi sa jeune sœur. A tout prix, il fallait qu'elle travaillât et très vite.

Elle accepta donc de doubler ( ! ) l'une des principales interprètes d'une opérette( ! ! ! ) intitulée *La Biche au Bois,* vaudeville-féerie de MM. Cogniard frères, qui avait été créée, vingt ans plus tôt, en 1845, avec un immense succès à la Porte-Saint-Martin et qu'on venait de reprendre au même théâtre, au début de mars 1865, avec une diva, célèbre à l'époque, Jeanne Ugalde, qui jouait un travesti et, dans l'héroïne, une ravissante comédienne, prêtée par l'Odéon, Mlle Debay. La danseuse-étoile était Mariquita, qui. trente ans plus tard, fut, à l'Opéra-Comique, la plus remarquable maîtresse de ballet qu'eût jamais possédée ce théâtre.

Au début d'avril, Mlle Debay étant tombée malade, Sarah reprenait son rôle, — la Princesse Désirée, — qu'elle joua près d'un mois. Naturellement, son nom fut imprimé sur les affiches du théâtre et dans les journaux. Et c'est ainsi que le Prince de Ligne retrouva Sarah Bernhardt, qu'il cherchait vainement depuis trois ou quatre mois, chaque fois qu'il venait à Paris.

Un soir, à la Porte-Saint-Martin, à la fin du spectacle, il apparut dans sa loge. Les reproches qu'il commençait déjà à lui adresser, cessèrent bien vite lorsqu'elle lui eût tout expliqué. Et aussi ardente qu'auparavant, leur passion reprit, mais plus profonde, plus grave : c'est qu'à présent, dans la chambre voisine de celle de Sarah, rue Duphot, il y avait le berceau du petit Maurice.

\*
\* \*

Le court passage de Sarah à la Porte-Saint-Martin n'avait, en aucune façon, amélioré sa situation artistique. D'abord, les « gens de théâtre » aiment, avant tout, les artistes qui se spécialisent et ceux qui réussissent le mieux sont toujours ceux qui, durant toute leur carrière, jouent non seulement des ouvrages du même ton, mais des rôles d'un seul et unique emploi. Les pro-

fanes croiraient volontiers le contraire, que l'art de se transformer
et la faculté de passer du plaisant au sévère, de la tragédie au
vaudeville, sont, chez un comédien, l'indice d'un talent plus rare
et de ce fait, plus recherché. C'est une erreur totale. Un acteur « de
composition » qui, à chaque pièce nouvelle, apparaît au public sous
un aspect différent, a toujours plus de peine à conquérir une brillante situation qu'un acteur que, dans toutes ses créations, on retrouve, avec confiance, éternellement le même. Sardou avait coutume
de dire :

— Un coup de théâtre intégral est presque toujours une
faute. Le public n'admet d'être surpris que par ce qu'il avait confusément deviné.

Ce qui est vrai pour les comédies l'est aussi pour les comédiens. Un acteur qui se présente immuablement à ses fidèles tel
qu'ils s'attendent à le voir, les déçoit rarement et, en conséquence,
conserve plus aisément sa réputation. Si l'on s'amuse à passer en
revue les plus grands artistes français de ces cent dernières années,
on constatera qu'à quelques exceptions près, ceux qui ont laissé
les noms les plus illustres sont ceux qui s'étaient enfermés dans
« un genre » et prudemment, n'en sont jamais sortis.

C'est dire qu'en 1865, Sarah n'était guère sur le chemin de la
notoriété. Après avoir, au Conservatoire, concouru en tragédie et
débuté, au Théâtre-Français, dans *Iphigénie,* elle avait joué des
comédies gaies au Gymnase et la voilà qui s'exhibait dans une opérette à grand spectacle à la Porte-Saint-Martin !... Bientôt, disait-
on, ce sera le music-hall (qu'on appelait alors le café-concert), à
moins qu'elle ne soit demandée par d'Ennery pour la prochaine
reprise de *La Prière des Naufragés !...* En attendant, d'ailleurs, on
ne la demandait nulle part.

Mais, cette fois, elle ne s'en affectait en aucune façon. Car
maintenant, rue Duphot, l'existence était magnifique. Eperdument,
Sarah et le Prince Henri continuaient à vivre leur merveilleux
roman d'amour. Chaque fois qu'il pouvait s'échapper de Bruxelles,
— et cela se produisait très souvent, — il accourait à Paris retrouver la jeune femme et c'était, en toute confiance, en une compré-
hension absolue et réciproque, la vie à deux, dans toute sa rare
et sublime beauté.

Ah! non, le théâtre ne lui manquait pas ! Entre son amant et
son tout petit garçon, joli comme un amour, Sarah passait des
jours de rêve et ne formait qu'un souhait : que cette bienheureuse
époque ne prît jamais fin.

\*
\* \*

Peu à peu, voyant que sa maîtresse, véritablement, ne vivait que pour lui et que, malgré un passé qui n'était pas immaculé, c'était, lorsqu'elle aimait, le cœur le plus tendre et l'âme la plus noble qu'il pourrait jamais rencontrer, le Prince Henri, après mûres réflexions, résolut de l'épouser et de reconnaître son fils.

C'était là une grave décision. Le dernier héritier des de Ligne, cette noble et altière famille dans laquelle jamais il n'y avait eu de mésalliance, prenant pour femme une vague petite comédienne sans nom et sans fortune, de descendance juive par sa mère, qui était sa maîtresse et qui avait de lui un enfant naturel !... Il prévoyait que tous ses parents, proches et éloignés, accueilleraient cette nouvelle avec horreur. Mais sa résolution semblait inébranlable.

Il ne posait qu'une condition : si elle devenait sa femme, Sarah quitterait, à tout jamais, le théâtre, pour se consacrer uniquement à son mari et à son enfant. Elle avait acquiescé à ce désir, non seulement sans regret, mais avec élan. Quitter le théâtre ?... Ce ne serait pour elle ni une grosse perte, ni un grand sacrifice. Jamais elle n'y avait eu aucun succès et rien ne semblait indiquer qu'elle dût, un jour, y réussir.

Alors, au cours de l'été de 1866, profitant des beaux jours qui mettent, en principe, les vieilles gens de meilleure humeur, le jeune prince, dans le château de ses ancêtres, aux environs de Bruxelles, aborda courageusement la question et dépeignant la jeune Sarah comme l'épouse idéale, fit part à toute sa famille assemblée de son irrévocable intention de lui donner son nom.

Une flotille d'avions de bombardement aurait, ce soir-là, soit cinquante ans avant que ces engins aient commis leurs premiers exploits, laissé tomber dix tonnes d'explosifs sur le manoir des de Ligne, que la stupeur qui y régna aussitôt, n'eût pas été plus grande. De toute évidence, Henri devait être, à Paris, la proie d'une horrible et dangereuse personne qui, par ses perfides et ambitieuses machinations, l'avait ensorcelé.

L'incident était d'importance et le péril méritait d'être conjuré avec toute la promptitude et l'énergie requises. Le père d'Henri, le Prince Eugène de Ligne, étant retenu en Belgique par son état de santé, c'est le Général de Ligne, son cousin, qui — à l'insu de son neveu — prit le train pour Paris et un jour, sonna à la porte de Sarah Bernhardt, rue Duphot.

Il s'attendait à trouver une personne résolue, rouée, sûre d'elle-même et dont il aurait à combattre, avec une implacable vigueur, la féline astuce et la fourberie. Et voilà que lui apparaissait une toute jeune femme, de vingt-deux ans à peine, blonde, douce et charmante et qui, dans son modeste salon, jouait paisiblement par terre avec un bébé, qui ne marchait encore qu'en trébuchant gentiment.

Dès lors, l'entretien garda le même objet, mais sur un ton tout autre que celui que le Général avait prévu. Doucement, presque paternellement, il lui représenta la responsabilité énorme qu'elle prenait.

Dans deux ou trois ans, la passion d'Henri s'étant émoussée, certainement il en voudrait à Sarah de l'avoir brouillé avec sa famille, — car, s'il l'épousait, sa rupture avec tous les siens était inévitable, — de lui avoir fait perdre sa situation, son rang et aussi la plus grande partie de sa fortune. En effet, la première sanction, prise contre lui par ses parents, serait de le priver de tout ce qui, dans le patrimoine familial, ne lui appartenait pas encore personnellement et devait lui revenir un jour. Avait-elle le droit de laisser s'abattre sur celui qu'elle aimait, une pareille suite de catastrophes?...

Et comme le père Duval dans *La Dame aux Camélias*, — mais le Général avait ôté son chapeau — il se retira, la laissant seule avec ses réflexions, en face de ce cas de conscience véritablement terrible pour une femme aussi jeune et aussi amoureuse.

Et pourtant, son parti fut vite pris. Son sauveur habituel et tout-puissant, le duc de Morny étant mort depuis quelques mois, elle alla trouver le bon Camille Doucet et lui dit :

— Par n'importe quel moyen et à n'importe quelles conditions, il me faut, tout de suite, un engagement dans un théâtre, quel qu'il soit. Mais pas pour une seule pièce. Un contrat de durée qui m'occupe beaucoup, me donne un gros travail, pendant des années et avec un important dédit, de sorte qu'en aucun cas, je ne puisse reprendre ma liberté.

Surpris et comme il la voyait dans un état d'agitation extrême, Camille Doucet lui demanda quelques explications. A mots couverts, et sans prononcer aucun nom, Sarah les lui fournit. Alors, très touché, le Directeur des Beaux-Arts lui dit avec douceur :

— Soyez sans inquiétude. Je vois et j'ai tout à fait ce qu'il vous faut. La direction de l'Odéon, théâtre national et qui se trouve, par conséquent, sous mon contrôle direct, vient d'être confiée à deux nouveaux titulaires associés : un nommé de Chilly, ancien directeur de l'Ambigu, homme vulgaire et sans goût, mais qui a apporté l'argent et Félix Duquesnel, un jeune, brillant et délicieux garçon. Il n'a pas trente-cinq ans, je sais qu'il vous a vue au Théâtre-Français et qu'il vous trouve charmante. Si je le lui demande, je suis sûr qu'il sera ravi de vous faire entrer dans sa troupe. Vous aurez de ses nouvelles avant quarante-huit heures.

Le surlendemain, en effet, Sarah recevait la visite de Duquesnel qui, au lieu de la convoquer à son bureau, à l'Odéon, avait

tenu à se déranger. Non que la situation artistique, absolument
nulle, de la jeune femme méritât cette marque de considération,
mais tout au contraire, parce que son orageux départ du Théâtre-
Français, puis sa fuite du Gymnase et depuis lors, son inaction
presque totale, la rendaient à peu près partout indésirable et que
le jeune directeur redoutait, avant d'avoir conclu avec elle, de la
mettre en présence de son associé de Chilly qui, certainement, se
serait opposé à son engagement.

Camille Doucet avait dit vrai : blond, gai et sympathique, Félix
Duquesnel produisit sur Sarah la plus favorable impression et lui
rendit moins douloureux le sacrifice immense auquel elle était
résolue. Il lui remit, tout préparé, un engagement de trois ans,
signé de lui « pour de Chilly et Duquesnel » et lui dit en riant :

— Je fais là un coup de force ! Tant pis ! De Chilly sera bien
forcé de s'incliner devant le fait accompli ! Lisez ce papier. Si ces
termes vous conviennent, retournez-le moi avec votre signature et
vous débuterez à l'Odéon dans quinze jours.

Au moment où il allait se retirer, le Prince Henri de Ligne
arrivait chez Sarah. Surpris de trouver là ce jeune homme, il
demanda, après son départ, qui il était et ce qu'il était venu faire.
S'appliquant — au prix de quels efforts — à prendre un air dégagé,
elle lui répondit que c'était l'un des directeurs du Second Théâtre
National Français qui lui proposait de l'engager. Et elle montra le
contrat au Prince Henri stupéfait. Est-ce que, depuis longtemps,
il n'était pas convenu qu'une fois pour toutes, Sarah renonçait au
théâtre ?

— En effet, dit-elle, vous me l'avez demandé et j'y étais
presque décidée. Mais vous êtes si souvent absent !... Je passe parfois des semaines toute seule, à ne rien faire, à vous attendre...

Il protesta :

— Lorsque nous serons mariés...

— Nous ne le sommes pas encore. Et j'ai réfléchi. Jamais votre
famille ne consentira à m'accueillir. Toujours je serai l'intruse,
celle qu'on dédaigne et qu'on veut ignorer. Tandis qu'à l'Odéon,
je serais reçue à bras ouverts, gâtée, choyée... Voyez : le directeur
est venu jusque chez moi pour me prier de traiter avec lui. Et c'est
un magnifique théâtre, où je pourrais, enfin, jouer de si beaux
rôles !

Le jeune Prince n'en croyait pas ses oreilles. D'abord, il sup-
posa que c'était une plaisanterie, que Sarah s'amusait, voulait le
taquiner... Et puis, quelques instants plus tard, lorsqu'il la vit
tremper résolument sa plume dans l'encrier et en sa présence, signer
l'engagement préparé, sa colère et sa douleur éclatèrent en véhé-
ments reproches.

— Ainsi, cependant que, de tout mon cœur, j'essayais de convaincre ma famille, de lui faire accepter l'idée de notre mariage, vous organisiez sournoisement votre rentrée au théâtre !... Vous obteniez ce contrat, Dieu sait grâce à quelles intrigues et quelles complaisances ! Décidément, ceux qui voulaient me détacher de vous, avaient raison. On ne transforme pas une cabotine ! Toujours elle restera ce qu'elle est et ne vivra que pour sa seule passion : les coulisses !... Je rougis de ma sottise et d'avoir, pendant tant de mois, cru en vos serments et en votre sincérité !...

Stoïquement, Sarah subit cette cruelle algarade, si profondément injuste, mais, évidemment, le prince ne pouvait pas deviner la vérité. Dix fois, elle eut l'envie folle de lui crier :

— Ce n'est pas vrai ! Je t'adore ! Et ce n'est que par amour pour toi, que j'ai eu le geste qui allait provoquer aussitôt notre séparation !...

Et pourtant, elle ne dit rien. Elle eut l'incroyable courage de se taire. Parce qu'elle savait bien que, si elle avait parlé, si elle lui avait raconté la visite du Général de Ligne, le Prince Henri, indigné, aurait couru chez son oncle et lui ayant dit ce qu'il pensait de sa démarche, se serait, plus que jamais, obstiné à l'épouser, hâtant encore, ainsi, sa rupture avec les siens, cette rupture qu'à n'importe quel prix, elle avait décidé d'éviter.

Mais quand le jeune Prince fut parti, pour toujours, elle tomba inanimée sur le sol. Une fièvre violente s'empara de son pauvre corps frêle. Et pendant près d'un mois, Mme Guérard et sa famille eurent des craintes pour sa vie.

*

\* \*

C'est pourquoi, incapable de jouer aussi vite qu'elle l'eût souhaité, Sarah ne débuta à l'Odéon que dans les premiers jours de décembre 1866, dans le rôle de Silvia, du *Jeu de l'Amour et du Hasard,* de Marivaux. Elle était à peine rétablie, encore bouleversée par ce drame affreux et d'autre part, on lui avait, une fois de plus, confié un personnage qui ne lui convenait en aucune façon. Le théâtre de Marivaux exige surtout des qualités de préciosité, de coquetterie, d'insincérité qui n'étaient pas et ne furent jamais dans sa nature. Aussi, l'on remarqua peu son entrée à l'Odéon, où elle devait, mais seulement quelques années plus tard, conquérir la notoriété.

Toutefois, elle appartenait maintenant à un théâtre qu'elle aimait, où elle se sentait protégée, encouragée, car, si de Chilly n'eut, longtemps, aucune considération pour elle, par contre et du premier jour, Duquesnel lui témoigna une constante bienveillance et eut, dans son avenir, une foi totale. Et cela était capital pour la sensibilité si aigüe de Sarah qui, toujours, eut besoin de se sentir « en confiance » et par la suite, ne put jamais s'entourer que de gens qu'elle savait être parfaitement dévoués et sincères. De ce fait et sans être un metteur en scène exceptionnel, Duquesnel fut pour beaucoup dans la révélation de son talent, à l'épanouissement duquel elle allait désormais consacrer ses jours et ses nuits.

De janvier 1863, date où elle quitta la Comédie-Française, jusqu'à décembre 1866, date de son entrée à l'Odéon, soit pendant tout près de quatre ans, Sarah n'avait, pour ainsi dire, rien fait au théâtre : quelques mois au Gymnase, quelques semaines à la Porte-Saint-Martin... A partir de la fin de l'année 1866, jusqu'à la fin de l'année 1922, soit pendant cinquante-six ans consécutifs, elle n'allait plus cesser de jouer, ne prenant que de rares vacances. Difficultés, obstacles, maladies et aussi tout ce qui traversa et parfois, emplit sa vie privée ou sa vie sentimentale, rien maintenant — sauf les deux guerres franco-allemandes de 1870 et de 1914 — ne devait plus jamais la détourner du théâtre, à quoi elle s'était destinée si jeune et où, en somme, elle ne réussit pas vite.

En effet, bien qu'elle fût entrée au Conservatoire à seize ans, ce n'est, on le voit, qu'à vingt-deux ans que Sarah Bernhardt commença véritablement sa carrière et seulement à vingt-cinq ans qu'elle remporta son premier succès. Ces précisions pourront servir d'utile enseignement aux jeunes artistes impatientes qui s'étonnent de ne pas être célèbres au lendemain du jour où, pour la première fois, elles se sont montrées sur une scène.

# CHAPITRE III

## L'ODÉON, LA GUERRE DE 1870

Sarah Bernhardt resta à l'Odéon pendant près de six ans, jusqu'en juillet 1872 et professionnellement, elle y fut extrêmement heureuse. Dans ses *Mémoires,* elle se rappelle avec ravissement cette époque :
« Ah ! L'Odéon ! C'est le théâtre que j'ai le plus aimé. Et je ne l'ai quitté qu'à regret. Tout le monde s'aimait, tout le monde était gai. Et Duquesnel était un directeur plein d'esprit, de galanterie et de jeunesse. Je me souvenais des quelques mois que j'avais passés à la Comédie-Française. Rien que des gens guindés, potiniers, jaloux. Au Gymnase, on ne parlait que robes et chapeaux, que de choses très loin de l'art. A l'Odéon, c'était le rêve : on ne pensait qu'à monter des pièces. On répétait le matin, l'après-midi, tout le temps. J'adorais ça. Et je travaillais ferme, toujours prête à remplacer quelqu'un, sachant tous les rôles. »
Comme la Comédie-Française, l'Odéon était — et est encore — un théâtre de répertoire, c'est-à-dire où les spectacles sont joués en alternance. Au cours des neuf ou dix représentations d'une semaine, soirée tous les jours et matinée le jeudi et le dimanche, et parfois le samedi, on donne souvent cinq ou six pièces différentes, seule, la « nouveauté » étant jouée trois ou quatre fois. De ce fait, il est fréquent qu'au cours d'une année, l'Odéon représente cinquante à soixante spectacles, parmi lesquels une vingtaine de pièces classiques reviennent périodiquement à l'affiche et sont produites régulièrement tous les ans.
C'est ainsi qu'au cours de ses six années d'Odéon et surtout jusqu'à la Guerre de 1870, Sarah Bernhardt joua un nombre considérable de rôles. Elle ne demandait que cela, d'ailleurs. En premier lieu parce qu'elle souhaitait, grâce à un travail acharné, oublier, si possible, celui qu'elle avait dû quitter avec tant d'héroïque abnégation, ensuite parce que le succès, qu'elle rencontra enfin, décupla sa passion pour le théâtre, quelque temps contenue par les événements et les échecs, mais qui, au fond d'elle-même, n'attendait que l'occasion de se déchaîner irrésistiblement.
Enumérer tous les rôles qu'elle joua à l'Odéon serait interminable et fastidieux. Lorsque, à partir de 1882, sa célébrité étant devenue immense et définitive, chacune de ses créations constitua un événement, ce livre aura le devoir élémentaire de n'en omettre

aucune. Mais une telle précision ne saurait être requise pour le
travail quotidien, routiner, touffu et souvent obscur qu'elle fournit
au second Théâtre National Français.

C'est, en effet, par l'accumulation des personnages différents,
principaux, secondaires ou épisodiques qu'elle interpréta à l'Odéon
que, lentement, Sarah Bernhardt conquit la première place. Engagée par de Chilly et Duquesnel à cent cinquante francs par mois
et encore tout à fait inconnue, six ans plus tard, lorsqu'elle cessa
d'être leur pensionnaire, si elle ne gagnait encore que huit cents
francs par mois, du moins était-elle devenue la plus importante
actrice de leur théâtre.

Mais si elle atteignit ce résultat, c'est seulement au prix de
constants et patients efforts et sans avoir eu, sinon une seule fois
et la dernière année, de ces « premières » sensationnelles qui, en
une soirée, révèlent et lancent une actrice.

Le 15 janvier 1867, pour l'anniversaire de Molière, Duquesnel lui fit jouer Armande des *Femmes Savantes*. On se rappelle
qu'en 1862, elle avait effectué son troisième début, à la Comédie-
Française, dans le rôle d'Henriette, de la même pièce et n'y avait
eu aucun succès. Elle ne réussit pas beaucoup mieux dans Armande
qui, un peu comme Silvia, du *Jeu de l'Amour et du Hasard*, n'est
en somme qu'une précieuse. Tant qu'on s'obstinerait à lui confier
des personnages de cet ordre, elle y serait toujours dépassée par
les actrices, si nombreuses, auxquelles la coquetterie tient lieu de
sensibilité et qui, adroitement, remplacent par de la virtuosité, une
puissance et une émotion absentes, mais dont les rôles de ce genre
leur permettent d'être, sans dommage, totalement privées.

Parmi beaucoup de rôles dans lesquels Sarah Bernhardt passa
inaperçue, deux personnages, au début de l'année 1867, lui permirent d'attirer sur elle l'attention des habitués de l'Odéon et de
quelques critiques : Cordélia, dans *Le Roi Lear*, de Shakespeare,
où elle se montra infiniment touchante et pathétique et surtout, le
jeune Zacharie, dans *Athalie*, de Racine. Il est d'ailleurs à remarquer qu'à deux exceptions près, Sarah Bernhardt réussit toujours
dans les travestis.

Duquesnel et de Chilly avaient eu l'idée de remonter la tragédie de Racine avec la partition de Mendelssohn et un grand orchestre dans la salle. Chacun des quatre premiers actes de la pièce
se termine par des chœurs, alternativement chantés et parlés. Ceux-
ci, répartis sur la brochure entre cinq ou six « voix », devaient
être dits par des élèves du Conservatoire. Mais, déconcertés par la
musique qui les accompagnait — et qu'aux représentations ordi-
naires d'*Athalie*, on supprime presque toujours — ces enfants ne
parvenaient pas à adopter le rythme nécessaire. Duquesnel décida

alors de confier tout le texte des chœurs parlés au seul Zacharie, assisté parfois de sa sœur Salomith. La voix cristalline de Sarah, une mélodie en elle-même, détailla les vers de Racine avec une douceur et une délicatesse exquises. Et le soir de la première, de Chilly commença à trouver qu'en engageant cette petite Sarah Bernhardt, son associé n'avait peut-être pas eu une idée tellement déraisonnable.

La même année, comme on reprenait, une fois de plus, une pièce qui connut, durant la seconde moitié du 19e siècle, l'un des succès les plus durables enregistrés à Paris à cette époque, *Le Testament de César Girodot*, d'Adolphe Belot et Villetard, une comédie d'ailleurs éblouissante, créée en 1859, Sarah Bernhardt joua le rôle d'Hortense, où elle fit preuve de qualités comiques tout à fait inattendues. Mais le rôle, s'il est peu important, est bien écrit et peut être joué « dans la sincérité ». Et toujours, ce fut là, pour elle, la condition de toute réussite.

Deux autres pièces sont également à citer parmi celles qu'elle interpréta en 1867, non qu'elle y eût remporté un grand succès, mais parce qu'elles montrent que, peu à peu, les grands écrivains de l'époque commençaient à accepter Sarah Bernhardt pour interprète, certes pas encore pour des créations, mais pour des reprises plus ou moins notables. Ces deux pièces, toutes deux de George Sand, étaient *François le Champi*, créée en 1849, restée depuis lors au répertoire de l'Odéon et dans quoi Sarah joua, gentiment, le gentil rôle de Mariette et *Le Marquis de Villemer*, une pièce beaucoup plus récente, créée en 1864, de ce fait l'objet d'une plus grande sollicitude et dans laquelle on lui distribua le rôle de la folle Baronne d'Arglade, un personnage qui a déjà un passé et de l'expérience et pour lequel il lui eût fallu plus d'autorité et d'abattage.

George Sand, qui avait alors soixante-trois ans, était au faîte de son immense renommée. En outre, depuis la mort d'Alfred de Musset, survenue dix ans plus tôt, elle restait l'héroïne d'un inoubliable roman d'amour qui, pour la jeune Sarah, exaltée et frémissante, faisait d'elle une personnalité considérable, qu'elle était heureuse et toute fière d'approcher. C'est la raison pour laquelle, — bien qu'elle y eût personnellement brillé d'un éclat modéré — ces deux pièces lui laissèrent l'un de ses premiers grands souvenirs de théâtre. De ce moment, d'ailleurs, George Sand la prit en vive amitié et par la suite, fut parmi ceux qui la décidèrent à quitter l'Odéon pour revenir à la Comédie-Française.

A la fin de l'année 1867, Sarah Bernhardt jouait encore *Le Drame de la Rue de la Paix*, d'Adolphe Belot et dans quelques critiques, son nom était cité avec un mot aimable.

Le 18 février 1868, l'Odéon faisait une importante reprise de *Kean*, d'Alexandre Dumas père, un drame fameux qui, surtout, contient un admirable rôle d'homme. Depuis sa création par Frédérick-Lemaître, en 1836, tous les grands acteurs de tous les pays l'ont joué successivement.

Ce soir-là, le personnage était interprété par Charles Berton, un comédien qui fit à Paris une estimable carrière, sous le Second Empire, moins brillante pourtant que celle de son fils, Pierre Berton, qui, quelques années plus tard, créa plusieurs pièces aux côtés de Sarah Bernhardt et, notamment, le rôle du Baron Scarpia dans *La Tosca*.

Dans cette reprise de *Kean*, Sarah jouait le rôle d'Anna Damby et produisit une grande impression, moins toutefois pour la qualité de son interprétation que pour le courage et la juvénile autorité dont elle fit preuve en scène, dans des circonstances difficiles.

C'était l'époque où, devant l'opposition de plus en plus résolue du parti républicain, l'Empereur, devenu libéral, avait dû se résoudre à quelques concessions. Et notamment, sous la pression de l'opinion publique, le Ministre des Beaux-Arts avait récemment autorisé la Comédie-Française à reprendre *Hernani*, de Victor Hugo, toujours en exil. Cette reprise avait eu lieu le 20 juin 1867, avec Maria Favart, Delaunay, Bressant et Maubant et avait été non seulement un triomphe littéraire, mais un événement politique.

A la suite de ce formidable succès, la presse de gauche, et aussi le public de l'Odéon, avaient demandé à la direction de ce théâtre de reprendre *Ruy Blas*. Sûrs de faire des recettes magnifiques, Duquesnel et de Chilly y auraient volontiers consenti, mais le Ministre s'y était opposé, craignant, de la part des étudiants de la rive gauche, des manifestations plus bruyantes encore qu'à la Comédie-Française. En outre, le succès de la reprise d'*Hernani* devant se prolonger jusqu'au printemps de 1868, le gouvernement ne pouvait vraiment pas accepter que les deux théâtres impériaux fussent, simultanément, accaparés par le nom de Victor Hugo.

Nés la même année, en 1802, Alexandre Dumas père et Victor Hugo, les deux grands écrivains romantiques du siècle, s'étaient, pendant longtemps, disputé la première place. Le génie d'Hugo avait fini par triompher. Et son long exil, à Guernesey, qui faisait de lui une victime, ajoutait à l'universel enthousiasme qu'il inspirait en France.

Le public de l'Odéon et surtout les étudiants, toujours surexcités, voulurent voir une sorte de provocation à leur égard dans le fait qu'au lieu de *Ruy Blas* que tout Paris réclamait, c'est justement *Kean* qu'on affichait, Dumas usurpant la place d'Hugo! C'était absurde, mais c'est ce qui explique que, le soir de cette reprise, lorsque le rideau se leva, la salle éclata en vociférations, réclamant, sur l'air des lampions :

— *Ruy Blas!... Ruy Blas!...* Victor Hugo!... Victor Hugo!...

Essayant de dominer le tumulte, les acteurs enflaient leurs voix et, de temps à autre, réussissaient à se faire entendre. Dans la coulisse, Dumas, bouleversé, allait et venait, épongeant la sueur qui, de ses cheveux crépus, coulait sur ses tempes. Qu'on voulût une pièce d'Hugo et même le retour en France du grand poète, soit! Pour sa part, il y souscrivait volontiers. Mais que les manifestations de sympathie pour l'auteur des *Châtiments* dégénérassent en cris hostiles contre lui, il ne pouvait l'admettre. Avant son entrée en scène, Sarah Bernhardt avait vu son indignation. Elle lui murmura :

— Ne vous inquiétez pas, Maître, s'ils ne se taisent pas, moi, je leur ferai bien comprendre leur inconvenance.

Dumas l'avait regardée avec un peu d'incrédulité.

Bien que très aimé du public, Charles Berton, lorsqu'il parut en scène, n'avait pas réussi à imposer silence aux protestataires. Comme elle l'avait promis, c'est Sarah qui y parvint. Elle entra, costumée en « anglaise de 1820 » et comme, peu après, les galeries et le parterre recommençaient à hurler : « Hugo!... Hugo!... », elle cessa de jouer et s'avança droit jusqu'à la rampe, face au public. Surpris, les manifestants firent silence. Alors, dans un charmant sourire, elle prononça ces mots :

— Vous souhaitez défendre la cause de la justice. Est-ce bien la servir que de rendre, ce soir, Alexandre Dumas responsable des décrets qui ont proscrit Victor Hugo?...

Cette simple phrase, si frappante dans sa parfaite logique, produisit un effet immédiat. Devant le calme souriant de la jeune actrice, la salle éclata en applaudissements et la représentation s'acheva non seulement sans incidents, mais sur un vif succès pour la pièce, pour les artistes et pour l'auteur, qui, ravi, embrassa sa crâne interprète.

— Je vais écrire un beau rôle pour vous, mon enfant, lui dit-il, je vous le dois.

Dumas n'eut pas le temps de tenir sa promesse. Quelques mois après, il tombait malade et mourut en 1870.

*Kean* fit une belle reprise. Ses représentations alternaient avec celles d'une pièce éphémère et insignifiante, intitulée *La Loterie du Mariage,* dans laquelle, néanmoins, Sarah eut encore un petit succès. Doucement, insensiblement, elle se faisait sa place. Et c'est de Chilly, désormais entièrement satisfait de sa jeune pensionnaire, qui proposa à Duquesnel de l'augmenter. Au début de la saison 1868-69, ses appointements furent portés à trois cent cinquante francs par mois.

C'était la fortune ou, tout au moins, l'indication qu'elle était
en route. Depuis longtemps, Sarah se trouvait à l'étroit rue Duphot.
Elle déménagea et prit un appartement un peu plus grand, 16 rue
Auber, presqu'au coin de la rue Caumartin. Elle fut aidée dans
cette folie qui, sans cela, eût tout de même été un peu prématurée,
par sa grand'mère, Lisa Van Hard.

Celle-ci, depuis quelques mois, avait définitivement quitté
la Hollande pour venir vivre à Paris et, tout d'abord, Julie avait
mis à la disposition de sa mère une chambre chez elle, rue Saint-
Honoré. Mais la constante présence de cette vieille femme de
soixante-dix ans, grande, osseuse et dure, critiquant tout le monde
et toutes choses, dont l'humble condition se révélait à chaque
instant par ses goûts, ses gestes et son attitude, dont surtout,
l'accent judéo-hollandais était terrible, infiniment plus prononcé
que celui, si gracieux, de Youle, tout cela agaça bientôt celle-ci
au suprême degré.

Depuis la mort de Morny, elle menait une existence paisible
de bourgeoise cossue et malgré ses quarante-cinq ans qui, en même
temps que le goût du calme, lui avaient apporté un léger embom-
point, continuait à recevoir son petit cercle d'amis, maintenant
moins turbulents, mais aussi distingués. Cette mère n'était pas
« montrable ». Et de même que, jadis, elle n'avait pas voulu garder
chez elle Sarah, parce que cette grande fille la vieillissait, elle
ne voulut pas garder Lisa, parce que sa seule apparence trahissait
par trop sa modeste origine.

Alors, ainsi qu'elle avait, quatre ans plus tôt, recueilli la
petite Régina, Sarah, bon cœur, prit aussi chez elle sa grand'-
mère. Celle-ci lui fit cadeau des quelques meubles qu'elle avait
apportés avec elle de Hollande — sa seule petite fortune — et c'est
en les mêlant à ceux de la rue Duphot que fut garni l'appartement
de la rue Auber. Là, pendant que Sarah était au théâtre et qu'en
l'attendant, Régina jouait dans le jardin du Luxembourg, Mme Lisa
Van Hard, relayant la bonne, veillait sur son arrière-petit-fils,
Maurice.

De temps en temps, Youle venait leur faire une visite. Elle
descendait de sa belle voiture, passait dix minutes dans l'appartement un peu bohème où vivaient, sans luxe et dans un désordre
presqu'inévitable, sa mère, deux de ses filles et son petit-fils et
dissimulant son dégoût, repartait bien vite, en laissant sur la
table, quand elle y pensait, quelques billets de cent francs — sa
part dans les frais de l'éducation de Régina.

Et elle descendait retrouver sa chère petite Jeanne qui, belle
et parée, l'attendait en-bas dans la voiture.

L'année suivante, à peine commencée, devait apporter à Sarah sa première vraie réussite. Et, alors qu'elle avait déjà joué tant de longs rôles dans de grands spectacles, c'est une toute petite pièce, à deux personnages, qui lui fournit l'occasion de ce succès. Cette pièce, en vers, s'appelait *Le Passant*, et avait pour auteur François Coppée, un jeune poète de 26 ans. Elle fut créée à l'Odéon, le 14 janvier 1869, par Mme Agar, une excellente tragédienne, à ce moment dans tout l'éclat de son talent et par Sarah Bernhardt qui, ce jour-là, révéla le sien.

Alors totalement inconnu et dans une situation plus que modeste, François Coppée, malgré bien des stations dans leur antichambre, n'était même pas parvenu à se faire recevoir par les directeurs de l'Odéon. Timidement, il avait alors apporté sa petite pièce à Agar, bienveillante pour les poètes. Ravie, elle l'avait fait lire à Sarah, dont l'enthousiasme avait été plus grand encore et ce sont les deux comédiennes qui, à force d'insistance, avaient obtenu de Duquesnel qu'il prit connaissance du mince manuscrit. Plein de goût, il avait aussitôt apprécié la qualité de l'ouvrage et, étant donné ses frais dérisoires, — un vieux décor du répertoire et seulement deux costumes neufs — l'avait mis en répétitions sans même consulter de Chilly.

*Le Passant* eut un véritable triomphe. La grâce poétique de cette petite pièce, son lyrisme délicat, enchantèrent positivement le public. Quelques jours plus tard, le nom de Coppée était sur toutes les lèvres. Le soir de la première, dix rappels saluèrent l'œuvre et ses parfaites interprètes : Agar, idéalement belle dans la courtisane Silvia et Sarah Bernhard, purement adorable dans le petit page Zanetto, son second rôle en travesti. Bien moulée dans un justaucorps mauve qui lui allait à ravir, la toque, ornée d'une grande plume, posée d'aplomb sur sa perruque blonde, la guitare en bandoulière, sa silhouette dans *Le Passant* est restée célèbre. Pour composer son costume, elle s'était, avec beaucoup d'à-propos, inspirée de la statuette bien connue du sculpteur Paul Dubois, le « Chanteur Florentin », qui avait été exposée, trois ans plus tôt et très remarquée.

Elle donna, en cette occasion, la première preuve du goût étonnant avec lequel elle sut toujours « habiller » un personnage d'époque. Non seulement avec une scrupuleuse exactitude, mais aussi avec une telle intuition de ce qui frappait l'œil et la mémoire du spectateur, qu'aucun des personnages qu'elle a créés, ne pouvait plus, par la suite, être imaginé sous un autre aspect que celui qu'elle lui avait donné.

Jusqu'à l'été, la petite pièce de Coppée fut jouée plus de cent fois. On la donnait en fin de soirée, avec la plupart des ouvrages qui alternaient alors sur l'affiche de l'Odéon. Si les recettes d'un spectacle faiblissaient, on le « corsait » avec *Le Passant* et elles remontaient aussitôt. A la 50ᵉ représentation de ce succès, les appointements de Sarah Bernhardt étaient, d'un coup, portés à cinq cents francs par mois.

Vers le mois d'avril. *Le Passant* fut demandé par les Tuileries et joué, au cours d'une grande soirée, devant l'Empereur, l'Impératrice et le petit Prince Impérial, qui avait alors treize ans.

Lorsque Duquesnel avait transmis le désir de Leurs Majestés à Agar et à Sarah, celle-ci était d'abord restée perplexe. Elle se rappelait la maladresse qu'elle avait commise aux Tuileries cinq ans plus tôt. Napoléon III savait-il que l'une des interprètes du *Passant* n'était autre que cette petite débutante du Gymnase, qui avait choisi avec si peu d'à-propos les poèmes qu'elle avait l'honneur de réciter devant lui ?...

S'il s'en souvenait, sans doute ne lui en gardait-il pas rancune, car deux jours après qu'elle eût posé la question à Camille Doucet, celui-ci l'informait que l'Empereur comptait bien qu'on jouerait, aux Tuileries, la pièce de Coppée « telle qu'elle était donnée à l'Odéon ».

C'est, néanmoins, avec une certaine appréhension que Sarah Bernhardt parut devant les souverains et avec plus d'anxiété encore qu'après la représentation, elle vit un chambellan s'approcher d'elle et d'Agar et leur dire que Sa Majesté désirait leur adresser ses félicitations.

Lorsqu'elle s'avança vers Napoléon III, qui attendait les deux actrices dans un angle du salon où était dressé le buffet, elle fut frappée par le changement considérable qu'elle remarqua aussitôt dans les traits et le maintien de l'Empereur. Il semblait las, désabusé. En cinq ans, il avait vieilli de quinze. Les attaques de plus en plus violentes dont il était l'objet, la luttte incessante qu'il devait soutenir contre les adversaires de son pouvoir, le minaient positivement. Alors qu'il était encore si alerte, si brillant, en cette autre soirée où elle l'avait vu de près, aujourd'hui, il paraissait bien plus que ses soixante et un ans.

Après avoir adressé une phrase aimable à Agar, Napoléon III se tourna vers Sarah Bernhardt et lui dit, avec un petit sourire mélancolique.

— La dernière fois que vous êtes venue ici, c'est vous qui aviez raison, Mademoiselle. J'ai dû laisser jouer *Hernani* au Théâtre-Français. En somme, vous aviez tout simplement prévu, avant moi, qu'il me faudrait un jour autoriser les œuvres de Victor Hugo !...

\*
\* \*

A l'Odéon, le triomphe persistant du *Passant* avait valu à Sarah une petite renommée. Les étudiants, surtout, l'avaient adoptée. De toute la troupe du théâtre, elle était leur actrice favorite et maintenant, dans chacun de ses rôles, dès qu'elle entrait en scène, ils lui faisaient, de confiance, un succès personnel.

Heureuse de cette réussite, à quoi elle n'était pas encore accoutumée, Sarah, rieuse, gaie, déjà spirituelle et passant avec ravissement toutes ses journées et toutes ses soirées au théâtre, était l'enfant chérie de la maison. Des directeurs jusqu'aux machinistes, tout le monde l'adorait.

Une excellente personne, surtout, nommée Hortense et qui était la femme de confiance, la dame de compagnie et l'habilleuse d'Agar, s'était prise pour la jeune créatrice de Zanetto, d'une véritable passion, et répétait :

— Ah !... Cette voix que le Bon Dieu lui a donnée, à cette gamine !... Quand elle parle, on dirait de l'or qui coule et qui tombe, sur la tête du public !...

Quelques années plus tard, le monde entier devait célébrer la « voix d'or » de Sarah Bernhardt. C'est pendant *Le Passant* que, par cette humble camériste, fut, pour la première fois, formulée l'expression qui devait à tout jamais caractériser la grande artiste.

Un accident, qui ne fut pas grave en soi, mais qui aurait pu l'être à tel point que, longtemps, Sarah en frissonna avec une véritable terreur rétrospective, devait lui fournir l'occasion de juger que sa popularité naissante était déjà devenue plus grande qu'elle ne le supposait.

Un soir de juin 1869, un incendie qui, par suite d'une simple négligence de sa domestique, avait pris, en son absence, dans la chambre de Sarah, détruisit entièrement son appartement de la rue Auber. Le feu s'étant propagé jusqu'à l'escalier de l'immeuble avec une rapidité folle, ce n'est qu'au prix de beaucoup d'efforts que le petit Maurice et aussi la grand'mère Lisa purent être sauvés. L'enfant était endormi dans son lit. Il fallut, de l'extérieur, appliquer une échelle sous une fenêtre, dont on brisa les carreaux, pour pénétrer dans sa chambre. Puis, l'ayant enveloppé dans une couverture, les pompiers le descendirent par le même chemin et le remirent à sa jeune maman épouvantée.

Tout fut consumé. Il ne restait à Sarah ni un meuble, ni même un bijou. La plupart avaient fondu et étaient devenus des lingots informes. Mais ce qui était plus grave encore, c'est que l'immeuble tout entier était très endommagé — il fallut l'étayer pendant des mois — et que Sarah, négligente, avait toujours oublié de s'assurer contre l'incendie !... Son propriétaire et les compagnies d'assurances des autres locataires de la maison, ses voisins, lui réclamaient des sommes élevées et elle était d'autant plus incapable de les verser qu'à présent, elle ne possédait exactement plus rien. Duquesnel et quelques-uns de ses amis intervinrent, discutèrent... La plupart des procès qui la menaçaient, purent être évités. Mais, pour la remise en état de son appartement elle devait, néanmoins, payer une forte indemnité et se demandait anxieusement comment en réunir le montant.

Les deux directeurs de l'Odéon lui proposèrent alors de donner un « bénéfice » pour elle, c'est-à-dire de mettre gracieusement à sa disposition la salle de leur théâtre, pour une matinée dont elle composerait le programme à sa convenance et dont la recette lui serait intégralement versée. Elle accepta avec gratitude.

C'est en cette circonstance que se manifesta éloquemment non seulement la sympathie du public, mais celle des artistes auxquels elle demanda de venir jouer ou chanter pour elle. Tous, ou presque, acceptèrent de lui prêter leur concours bénévole, et à leur tête, Adelina Patti, la célèbre cantatrice, alors dans tout l'admirable éclat de sa gloire, de sa beauté et de sa jeunesse. Grâce, surtout, au nom magique de la Patti, la salle fut comble, la recette superbe et la pauvre « incendiée » put payer ses dettes. Au cours de la matinée à son bénéfice, elle jouait *Le Passant,* son seul petit triomphe et son entrée en scène fut saluée, non seulement par les étudiants, mais par toute l'assistance, d'une gentille ovation. Sarah devenait, à Paris, une actrice qu'un certain milieu connaissait et aimait.

Sans abri, elle demanda d'abord asile à sa mère. Mais jamais elle n'avait pu s'entendre avec Julie. Elle ne resta donc chez elle que quelques jours et bien vite, prit un appartement meublé, rue de l'Arcade. Il était noir et triste, et puis elle ne s'y sentait pas chez elle. Alors, à la fin de l'année 1869, elle déménageait à nouveau et s'installait dans un entresol, petit mais ensoleillé, 4 rue de Rome, à quelques mètres de la Gare Saint-Lazare.

Mais, trop gênée pour supporter des dépenses aussi multiples, cette fois elle ne prit pas avec elle sa grand'mère, que Julie, faisant par exception son devoir, installa à ses frais dans une maison de retraite de la banlieue de Paris.

Sarah resta près de sept ans rue de Rome, où elle se plaisait, seule entre Régina et son petit Maurice. Elle ne quitta cet appartement qu'au début de l'année 1876, pour s'installer dans son fameux hôtel de l'Avenue de Villiers.

Jusqu'à la Guerre, Sarah, maintenant réclamée par les auteurs des pièces nouvelles qu'on montait à l'Odéon, fit encore trois créations.

Le 18 octobre 1869, c'était *Le Bâtard,* un drame d'Alfred Touroude, larmoyante histoire qui n'ajouta pas à la modeste gloire de cet écrivain, mais aida pourtant à celle, naissante, de son interprète qui y trouva l'occasion d'un vif succès. Puis, dans les premiers mois de 1870, elle joua d'abord *L'Affranchi,* de Latour de Saint-Ybars, pièce obscure, restée ignorée et qui, probablement, mérite cet oubli et enfin *L'autre,* une intéressante comédie en 4 actes de George Sand. C'était la troisième pièce d'elle que jouait Sarah et cette fois, une nouveauté. Le succès de l'ouvrage ne fut pas retentissant, mais au moment où la Guerre fut déclarée, ces trois « premières », coup sur coup, avaient décidément placé Sarah Bernhardt parmi les comédiennes qu'on pouvait employer dans des personnages de premier plan.

*
* *

Quelle avait été, pendant ces quatre années d'Odéon, la vie amoureuse de Sarah Bernhardt ? Jeune, jolie, intelligente et amusante au possible, conquérant graduellement une gentille notoriété et vivant seule ou du moins, sans mari et sans amant, elle devait attirer les hommages de nombreux admirateurs. C'est certain, mais il est non moins sûr qu'à cette époque, aucun n'a retenu, sinon son attention, du moins son cœur. Très longtemps après avoir dû renoncer au Prince de Ligne, elle resta terriblement meurtrie par cette douloureuse séparation et le moindre mot d'amour, prononcé par un autre, lui faisait mal, physiquement. Elle ne supportait pas de s'entendre dire : « Je vous aime », dès l'instant que c'était une autre voix que celle du Prince Henri qui murmurait ces paroles.

Il est probable que la durable affection de Sarah pour Duquesnel, qui resta son ami et fut plus tard son associé, avait dû prendre naissance au cours de rapports plus intimes et quelques mois plus tard, il y a de grandes chances pour que n'ait pas été entièrement platonique son intimité avec Paul de Rémusat. Celui-ci, esprit brillant, distingué et qui, comme député, puis comme sénateur, joua à partir de 1871, un rôle important au Parlement, était depuis longtemps intéressé par la politique. Il fut l'enfant chéri de M. Thiers, sur lequel il a, d'ailleurs, écrit un remarquable ouvrage, Rémusat pouvait alors avoir trente-cinq à quarante ans et certainement, Sarah avait été séduite par sa haute intelligence et sa parfaite élégance morale. Mais, pas plus que Duquesnel, il n'a été ce qu'on peut appeler « aimé » par Sarah Bernhardt. Peut-être, au début de leurs relations, avait-il éveillé en elle un intérêt qu'elle croyait destiné à devenir un sentiment plus profond. Mais tout

au contraire, leurs rapports tournèrent vite à l'affectueuse camaraderie. Ce n'était pas encore celui-là qui lui ferait oublier le père
de son fils !

*

* *

Après une quinzaine de jours durant lesquels Paris, fiévreux,
surexcité par les nouvelles qui s'aggravaient sans cesse, s'attendait au pire, Napoléon III, Empereur des Français, avait, le 15
juillet 1870, déclaré la guerre à la Prusse. Du jour au lendemain,
les théâtres étaient déserts et la fermeture de l'Odéon arrêtait net
les progrès constants de Sarah Bernhardt. Elle ne devait reprendre
le cours de ses jeunes succès qu'après la Guerre et la Commune
et après l'été qui suivit, soit en septembre 1871.

D'abord, et pendant quelques semaines, Paris vécut dans un
enthousiasme délirant. La foule parcourait les rues en rangs pressés et joyeux, hurlant : « A Berlin !... » Et les premières nouvelles
des opérations militaires avaient été encourageantes. Mais bientôt,
cette frénésie générale se transformait en consternation : c'était la
désastreuse bataille de Saint-Privat, puis, le 2 septembre 1870,
l'effroyable défaite de Sedan et la capitulation de l'Empereur, que
suivaient aussitôt la proclamation de la République et la formation
du Gouvernement de Défense Nationale.

Les progrès des armées ennemies s'accentuant, en quelques
jours il devint certain que Paris serait investi, assiégé, peut-être
bombardé. Et aussitôt, Sarah Bernhardt décida de faire partir
sa famille et surtout son fils, qui avait un peu plus de cinq ans.

On était au milieu de septembre. A peine rentrés de la campagne, les Parisiens s'enfuyaient à nouveau par toutes les gares. Il
était impossible, ou presque, de trouver une place dans un wagon.
Après des heures d'attente à la Gare Saint-Lazare, Sarah parvint
tout de même, grâce à des fonctionnaires complaisants qui l'avaient
vue jouer, à obtenir, mais dans deux trains différents, les six places
qui lui étaient nécessaires et qui étaient destinées à sa mère, Julie,
sa grand'mère, ses deux sœurs Jeanne et Régina, son petit Maurice
et sa bonne. Et tous partirent pour le Havre, où Sarah avait pu,
malgré l'affluence, faire réserver des chambres à l'hôtel Frascati.
Mais elle ne partit pas. Pourquoi ? Elle l'a dit dans ses *Mémoires* :
« Pas un instant l'idée ne me vint que j'aurais pu partir
aussi. Je me croyais utile à Paris. Utile à quoi ? Cette conviction
était stupide, mais profonde. Je pensais que tous les êtres valides
devaient rester dans Paris. Et j'étais restée sans savoir ce que
j'y ferais. »

Elle le sut bientôt. De plus en plus, la bataille se rapprochait de
la capitale. Tous les jours, maintenant, de longs convois appor-

taient des blessés dans Paris. Sarah Bernhardt s'offrit comme
infirmière, mais chaque hôpital avait son personnel au complet.
Alors elle résolut d'avoir son hôpital à elle.

Grâce à quelques amis influents et surtout au Préfet de Police,
le Comte de Kératry, qu'elle connaissait un peu, cette jeune femme
de vingt-six ans obtint l'autorisation d'ouvrir, personnellement,
une ambulance dans le théâtre de l'Odéon. Bien entendu, Duquesnel et de Chilly s'étaient, par avance, déclarés d'accord. Et peu de
jours après, le Ministère de la Guerre reconnaissait officiellement
l'Odéon comme hôpital militaire auxiliaire.

Les quatre grands mois, de fin septembre 1870 à fin janvier
1871, durant lesquels Sarah Bernhardt, d'abord avec l'aide de la
seule Mme Guérard, dirigea l'hôpital de l'Odéon, lui permirent,
pour la première fois, de montrer l'extraordinaire énergie dont
elle était capable dans les grandes circonstances. En même temps
se révélaient sa science de l'organisation et son don du comman-
dement qui, plus tard, dans ses directions de théâtres ou à la tête
des compagnies d'artistes qu'elle emmena aux quatre coins du
monde, devaient s'affirmer si exceptionnels.

D'abord, seul, le foyer du public du théâtre fut transformé
en salle d'hôpital et quinze lits s'y alignaient. Puis, bien vite, le
nombre des blessés augmentant chaque jour, on dut mettre des
lits dans toutes les loges d'artistes, les bureaux, la bibliothèque et
enfin sur la scène elle-même où, pour éviter les courants d'air, on
avait élevé des cloisons, recouvertes d'un plafond bas, le tout
hâtivement construit en planches.

Vers le milieu de novembre, l'Odéon comptait plus de cent
cinquante blessés. Sarah ne rentrait plus chez elle. Elle couchait
au théâtre, dans sa loge, là où, d'ordinaire, elle se maquillait et
pour la seconder, elle avait dû s'adjoindre des amies, des camarades, notamment une vieille actrice qui jouait les duègnes à
l'Odéon, Mme Lambquin. Le chirurgien en chef de l'hôpital était
un certain docteur Duchesne, jeune encore et qui, lui non plus, ne
quittait pas le théâtre. Et très souvent, le baron Larrey, maintenant
sexagénaire, dont l'autorité de chirurgien était devenue très grande
et qui, on s'en souvient, connaissait Sarah presque depuis sa naissance, venait à l'Odéon pour des opérations particulièrement graves.

Ce n'étaient pas seulement des soldats ou des officiers blessés
au cours des combats de Champigny, puis de Buzenval, qui étaient
amenés à l'Odéon. Le drapeau de la Croix-Rouge, flottant très haut
sur le théâtre qui, lui-même, dominait de beaucoup tous les im-
meubles voisins, indiquait à la population de Paris que le Second
Théâtre-Français était devenu hôpital. Alors, souvent, des civils,
hommes ou femmes, atteints par le bombardement ou seulement

malades, venaient frapper à la porte de l'entrée des artistes du théâtre, pour se faire panser, ou même tâcher de se faire admettre pendant un ou deux jours.

Le matin de Noël, 25 décembre 1870, trois femmes vinrent ainsi demander asile à l'ambulance de Sarah Bernhardt, trois femmes du peuple qui, parmi tant d'autres, faisaient chaque jour et pendant des heures, la queue devant les boutiques — qui avaient si peu de chose à vendre — pour tâcher d'obtenir le morceau de pain, de viande, le demi-litre de lait, espérés pour leur enfant. Le froid était si terrible que l'une avait eu les pieds gelés : il fallut lui amputer deux orteils. La seconde fut emportée en quelques heures par la fièvre et la troisième mourut positivement de froid. Tous les soins et un bain bouillant n'étaient pas parvenus à la réchauffer.

Le lendemain, avec d'autres évacués du champ de bataille, le caporal Paul Parfouru, blessé sur le plateau d'Avron, était amené à l'Odéon. Parfouru était un jeune comédien qui avait été au Conservatoire en même temps que Sarah Bernhardt et qui avait commencé une brillante carrière d'acteur sous le nom de Paul Porel. Il devait, par la suite, devenir le mari de Réjane et pendant de longues années, diriger avec éclat, d'abord l'Odéon, puis le théâtre du Vaudeville.

Quelques jours plus tard, au début de janvier 1871, un tout jeune soldat, — moins de vingt ans — légèrement blessé à l'épaule, le bras en écharpe, présentait sa fiche d'hospitalisation. Il n'y avait plus un seul lit vacant. On avait même dû en ajouter quatre dans le foyer des artistes qui, à l'Odéon, n'est pourtant pas grand.

Ne pouvant véritablement pas le loger, Sarah Bernhardt allait l'adresser à un autre hôpital, et puis elle le regarda. Il était blond, mince et pâle, et ses yeux brillants la fixaient avec une extase respectueuse. Certainement, ayant dû la voir jouer, il l'avait reconnue et se sentait tout heureux d'avoir été dirigé sur son ambulance. Lorsqu'elle lui dit ses regrets de ne pouvoir l'accueillir, une telle déception se peignit sur son visage qu'elle n'eut pas le courage de le laisser remonter dans la voiture militaire qui l'avait amené. Et elle lui donna sa propre chambre, c'est-à-dire sa loge, le seul endroit où, de temps en temps, quand elle tombait de fatigue, elle pouvait monter s'étendre pendant une heure ou deux.

Est-ce parce qu'il avait été, de sa part, l'objet d'une telle faveur que Sarah prit en amitié ce petit soldat ? On s'attache aux êtres qu'on a obligés. Ou, plus simplement, parce qu'il était gentil et bien élevé ? Dès qu'elle en avait le temps, elle montait s'asseoir près de son lit et pendant un quart d'heure, une demi-heure, ils bavardaient... Timidement, il contemplait la jeune actrice, — de sept ans son aînée — qui, avec tant de souriante autorité, dévouait ses forces, ses jours et ses nuits, à soulager de son mieux les souffrances de tous ces hommes. Il lui apprit que, s'étant, de tout temps, destiné à la carrière militaire, il était élève de l'Ecole Polytechnique, mais que, dès les premiers jours de la guerre, il avait interrompu ses études pour s'engager.

Ce n'est pas au cours d'un combat qu'il avait été atteint à l'épaule par un éclat d'obus, mais à la Porte d'Orléans, alors qu'il se disposait à gagner les régions où campait l'armée de la Loire. Sa blessure, d'ailleurs, n'était pas grave. Au bout de quinze jours, il put repartir, plus résolu que jamais. Rien, cette fois, ne l'empêcherait de rejoindre son régiment.

Il n'en eut pas le temps matériel : La semaine suivante, le 28 janvier 1871, l'armée française capitulait. Puis, c'était l'armistice et puis, à Versailles, les premiers préliminaires de paix.

Avant de quitter l'Odéon, le petit Polytechnicien demanda à Sarah Bernhardt de lui donner sa photographie et, bien volontiers, elle la lui offrit. En rougissant, il la supplia alors d'y mettre une toute petite dédicace.

— Et dès la guerre finie, je viendrai vous revoir, jura-t-il. Où serez-vous ?

— Comment vous répondre ?... avait soupiré Sarah. Savons-nous, tous tant que nous sommes, ce que les événements feront de nous demain, ou dans six mois ?

Puis, au moment d'écrire, elle questionna :

— Au fait, je ne me rappelle plus votre prénom. C'est Fernand, je crois ?

— Non, Ferdinand.

— C'est vrai...

Et Sarah écrivit sur sa photographie :

« A Ferdinand Foch. Amical souvenir de Sarah Bernhardt. »

En effet, le petit engagé volontaire de dix-neuf ans et demi, timide et blond, dont Sarah fut l'infirmière en 1871, devait devenir le vainqueur de la Guerre mondiale de 1914-1918.

Le grand soldat resta toujours en relations cordiales avec la grande artiste. En février 1915, à Bordeaux, lorsque Sarah fut amputée de la jambe droite, l'une des visites qu'elle reçut, sur son lit d'hôpital, fut celle de Ferdinand Foch, alors général de division.

Et le 27 mars 1923, vers 10 heures du matin, celui qui écrit ces lignes introduisit le Maréchal Foch dans la chambre où, la veille au soir, Sarah Bernhardt avait rendu le dernier soupir. Le Généralissime des Armées Françaises fut l'un des tout premiers à venir saluer la dépouille mortelle de celle qui, cinquante-deux ans plus tôt, l'avait soigné à l'hôpital militaire auxiliaire de l'Odéon.

L'Armistice étant signé, on pensait que les Allemands allaient, au moins pour quelque temps, occuper Paris. Sarah Bernhardt se refusa à assister à ce spectacle. Toute sa vie, elle est restée d'un patriotisme farouche. Bouillante d'indignation et de chagrin, elle ressentait effroyablement l'humiliation de la défaite. Ne pouvant plus se dévouer aux blessés, puisqu'on ne se battait plus, elle décida donc de quitter Paris, pour rejoindre les siens qui, elle l'avait appris récemment, avaient quitté Le Havre, — car cette région, elle aussi, pouvait être menacée un jour — et s'étaient réfugiés en Hollande, à La Haye, chez l'une des sœurs mariées de Julie.

Par Paul de Rémusat, elle obtint de M. Thiers lui-même, un sauf-conduit qui lui permettait de sortir de la capitale. Mais, quelques kilomètres plus loin, il lui fallait franchir les lignes allemandes. On pouvait l'arrêter, la faire prisonnière. Cette équipée était d'une témérité folle. Pourtant ni conseils, ni supplications ne purent la retenir.

— Que voulez-vous qu'ils fassent à une femme?... répondait-elle. Et puis, l'Armistice est signé, les opérations sont suspendues, pourquoi les Prussiens me barreraient-ils la route?...

Et le 4 février, toute seule, elle sortait de Paris, à pied, par la porte des Ternes. Une demi-heure plus tard, elle se heurtait aux avant-postes ennemis et elle fut amenée à un général allemand, qui lui dit, en excellent français:

— Où allez-vous?

— Rejoindre ma famille, en Hollande.

Il regarda son sauf-conduit:

— C'est vous, Sarah Bernhardt?

— Oui.

— Actrice?

— Oui.

— Vous feriez mieux de rentrer dans Paris. Vous entreprenez là un voyage bien hasardeux.

— On me l'a déjà dit.

— Et vous persistez?

— Qu'est-ce qui peut m'arriver?

— Tout.

— Ça ne m'effraie pas.

— À votre aise.

Et il lui signa un autre sauf-conduit, allemand cette fois, car celui que lui avait remis M. Thiers perdait toute valeur dès que les portes de Paris avaient été franchies.

Ce que fut ce voyage est presqu'impossible à décrire. Remontant vers le Nord, par Pontoise, Creil, Compiègne et Saint-Quentin, région entièrement occupée par les forces prussiennes et où toutes communications régulières étaient interrompues, successivement, elle dut employer tous les moyens de transport imaginables : charrette, voiture, tombereau... Elle fit vingt kilomètres à cheval, plus de trente à pied et deux jours dans un fourgon de blessés, qu'on menait à une ambulance de campagne. Vingt fois, elle fut arrêtée par des patrouilles ou des bataillons allemands, campés dans un village. Elle couchait chez l'habitant, parfois dans une grange... Lorsqu'elle arriva à la frontière belge, son sauf-conduit n'était plus qu'une loque, tant il avait été déplié, examiné, visé, validé. Enfin, à Maubeuge, elle put prendre un train qui la conduisit à Bruxelles, puis enfin à La Haye. Elle avait mis dix-huit jours pour effectuer ce voyage, qu'on fait normalement en huit heures.

Vers le 25 février, elle arrivait chez sa tante Mathilde, où elle retrouvait sa mère, ses sœurs et surtout son enfant adoré, son cher petit Maurice, qu'elle n'avait pas vu depuis cinq mois et pour lequel, tant de fois, elle avait tremblé durant cet hiver terrible.

Quelques jours plus tard, toute la famille repartait pour Paris, où elle devait arriver vers le milieu de mars. Mais, quand elle atteignit Beauvais, Sarah fut informée des mouvements révolutionnaires qui commençaient et qui, déjà, ensanglantaient la capitale. La guerre terminée, la guerre civile commençait, cette affreuse Commune qui, pendant plus de deux mois, devait faire encore tant d'innocentes victimes. Réinstaller les siens chez eux eût été de la folie pure. Peut-être le péril était-il, à ce moment, plus grand encore que pendant l'hiver.

Alors, obliquant vers l'Ouest, Sarah se rendit à Saint-Germain, à proximité de Versailles, qui était le siège provisoire du gouvernement républicain. Et avec toute sa maisonnée, elle s'y installa dans une petite villa, à quelques pas du Pavillon Henri IV. De la magnifique terrasse, d'où l'on aperçoit si nettement Paris, souvent, le soir, elle voyait s'allumer d'immenses incendies qui ravageaient tantôt un quartier, tantôt un autre de la capitale : c'étaient là les exploits des Communards. Parfois, le vent apportait jusque dans son jardin des débris de papiers brûlés. D'autres fois, la fumée qui enveloppait Paris, était si épaisse qu'on ne voyait rien au-delà de Rueil, ou même de Bougival.

Ce n'est que dans le courant de mai que la paix fut signée avec le Roi de Prusse, Guillaume 1er, devenu en janvier Empereur d'Allemagne, et seulement à la fin de mai que fut enfin écrasée l'abominable Commune. Au milieu du malaise général, dans la mélancolie poignante qui étreignait toute la nation vaincue, Sarah Bernhardt rentra à Paris où, de toutes parts, de toutes les maisons, même intactes, se dégageait l'odeur âcre de la fumée. Que de ruines, de deuils et de sang inutilement versé !...

*
*  *

Et, néanmoins, la vie devait reprendre, impérieusement et, aussi, la vie théâtrale. Après quelques semaines employées à remettre en état la salle et la scène, Duquesnel et de Chilly annoncèrent la réouverture de l'Odéon et adressèrent aux artistes de leur troupe un bulletin de répétition. On était en plein mois d'août. Mais Sarah ne songeait guère à prendre des vacances. Enfin, on allait travailler à nouveau, tâcher d'oublier ces mois atroces et s'efforcer de redresser le pays, momentanément écrasé par les rudes conditions de paix des vainqueurs.

Au début de septembre, elle reprenait possession de sa loge, rendue à sa destination primitive, recommençait à jouer les rôles de son répertoire et, dès le 11 octobre, faisait une nouvelle création.

Ce n'était qu'une pièce en un acte, mais de haute valeur, *Jean-Marie*, d'André Theuriet, un petit chef-d'œuvre, où Sarah Bernhardt dans un personnage de jeune paysanne bretonne, obtint un grand succès. Dans le rôle du pêcheur Jean-Marie, son partenaire était Paul Porel. Comme elle, après avoir logé à l'Odéon hôpital, il retrouvait avec joie l'Odéon redevenu théâtre.

Deux autres « premières », l'une importante, l'autre sensationnelle, allaient suivre et assurer enfin à Sarah Bernhardt, une place prépondérante à l'Odéon. L'une fut *Mademoiselle Aïssé*, une pièce posthume de Louis Bouilhet, qui n'était peut-être pas excellente, mais à laquelle on fit un accueil chaleureux, en raison de la fin récente et prématurée de l'auteur, mort à quarante-sept ans, en 1869. Elle fut créée dans les tout premiers jours de janvier 1872 et Sarah Bernhardt, dans le rôle principal, recueillit personnellement une grande part du succès obtenu par l'ouvrage.

Et le 26 janvier 1872, avait lieu la fameuse reprise de *Ruy Blas*, cette reprise d'abord interdite par Napoléon III, puis retardée par la guerre, cette reprise tant attendue, tant réclamée et qui, non seulement rendait à Paris l'une des grandes œuvres dramatiques du siècle, mais allait lui permettre d'acclamer Victor Hugo lui-même, enfin rentré en France et qui avait dirigé personnellement les répétitions de son drame.

C'est avec émotion et une grande fierté que, vers le milieu de décembre 1871, Sarah Bernhardt avait appris que, sur les instances de Duquesnel, d'Auguste Vacquerie et de Paul Meurice, ami intime et représentant de Victor Hugo pendant son exil, le Maître l'avait désignée pour jouer, dans *Ruy Blas,* le rôle de la Reine. Il faisait ainsi pleine confiance à ses conseillers, car, loin de Paris depuis tant d'années, jamais, évidemment, il n'avait vu jouer Sarah Bernhardt.

Emue, elle l'était, et bien curieuse aussi, au jour de la première répétition, de voir enfin le grand poète dont, depuis sa plus tendre enfance et surtout depuis son entrée au Conservatoire, elle avait tant entendu parler, dont l'œuvre immense, la situation politique, la gloire littéraire et l'âge aussi — il allait avoir soixante-dix ans — commandaient si impérieusement le respect et qui, certainement, était alors en France, la plus grande figure du temps.

Victor Hugo produisit sur Sarah une impression extraordinaire. Extrêmement doux, d'une courtoisie infinie, d'une bonté et d'une simplicité d'allures qui sont restées proverbiales, encore qu'il ait eu pleine conscience de son génie, il parvint, en deux ou trois jours, à mettre à leur aise ses interprètes, tous aussi impressionnés que Sarah Bernhardt de travailler sous sa direction.

Victor Hugo disait mal les vers et ne fut jamais, d'aucune façon, un comédien. De ce fait, il ne pouvait pas être un metteur en scène comparable à d'autres dramaturges qui savent « placer » si exactement leurs pièces. Pourtant, ses moindres indications, écoutées avec déférence, étaient d'une justesse extrême. Il parlait peu, mais ce qu'il disait était toujours utile, ingénieux et clair. Il ne dédaignait pas de plaisanter quelquefois et toujours avec finesse. Un jour, alors que pour la dixième fois, il répétait à un médiocre acteur nommé Talien, chargé du rôle de Don Guritan, un conseil qu'il lui avait déjà donné à plusieurs reprises, mais que le comédien, malgré toute sa bonne volonté, ne parvenait pas à suivre, Sarah Bernhardt, négligemment, s'était assise sur un guéridon et, les jambes ballantes, attendait que la scène continuât. Alors, au milieu de la salle, Victor Hugo se leva et remarqua, à voix haute :

Une Reine d'Espagne, honnête et respectable,
Ne devrait pas ainsi s'asseoir sur une table.

Confuse de son sans-gêne en présence du Maître, Sarah sauta prestement à terre. Si elle eut toujours le caractère difficile et la répartie prompte, à cette époque, elle ne s'entêtait pas encore lorsqu'il lui fallait reconnaître qu'elle avait tort.

La première représentation de cette reprise fut une soirée triomphale, pour la pièce d'abord, qui fut accueillie avec des trépignements d'enthousiasme, mais aussi pour Sarah Bernhardt qui, en cette occasion, connut le premier retentissant succès de sa carrière.

La distribution était brillante. Dans les trois principaux rôles du drame, elle réunissait Lafontaine, Ruy Blas de haute allure, Mélingue, le célèbre créateur du rôle de Lagardère dans *Le Bossu* qui, bien qu'ayant dépassé la soixantaine, jouait avec brio Don César de Bazan et surtout Geffroy qui fut, dit-on, le meilleur de tous les interprètes de Don Salluste. Pourtant, Sarah nettement les dépassa tous et d'un bout à l'autre de son rôle, tint le public sous le charme de sa voix incomparable et de sa puissance tragique que, jusque-là, les connaisseurs avaient seulement soupçonnée et qui, enfin, se révélait complètement. Cette reprise fit une longue carrière. Jusqu'à l'été, chaque fois qu'on affichait *Ruy Blas,* la salle était archi-comble. Depuis longtemps, l'Odéon n'avait pas vu pareille affluence.

*
* *

Et ce qui, inévitablement, devait se produire, se produisit. Comme son nom de Second Théâtre National Français l'indique, l'Odéon n'est, en somme, qu'une Comédie-Française de deuxième ordre. Les deux théâtres jouent, l'un et l'autre, le répertoire classique et aussi le grand répertoire du 19ᵉ siècle, produisent leurs spectacles en alternance, ont une troupe à l'année, des soirs d'abonnement, des habitués et reçoivent, tous deux, une subvention du Gouvernement. Et pour les acteurs, à tort ou à raison, l'Odéon a toujours été considéré comme une sorte d'antichambre du Théâtre-Français. Il est convenu qu'un artiste qui se distingue de façon particulière à l'Odéon, est, presque toujours, réclamé par la Maison de Molière.

Sarah Bernhardt ne fit pas exception à cette règle et dans les premiers jours de mai 1872, elle fut, un beau matin, convoquée chez l'Administrateur Général de la Comédie-Française.

Ce n'était plus Edouard Thierry. Aussitôt après la guerre, il avait, pour des raisons de santé, demandé sa mise à la retraite et depuis juillet 1871, les Comédiens-Français étaient gouvernés par Emile Perrin, qui fut un remarquable administrateur et, durant quatorze ans, remplit ses fonctions délicates avec une compétence et une autorité exceptionnelles. Le proconsulat de Perrin a fait époque dans la Maison de Molière, où, aujourd'hui encore, on ne prononce son nom qu'avec beaucoup de considération.

Pourtant, ce n'est pas sans inquiétude que sa nomination avait été accueillie. Le nouvel administrateur arrivait avec des conceptions nouvelles qu'il ne cachait pas, le désir de rajeunir les cadres, de faire jouer les débutants, de ne pas respecter aveuglément les situations acquises. Il y avait là de quoi effrayer les anciens sociétaires, jaloux de leurs prérogatives et qui, aussitôt, prédirent qu'avec de telles idées, le nouveau directeur serait vite contraint de donner sa démission.

Mais il est à remarquer que l'Administrateur Général de la Comédie-Française est un homme dont on annonce toujours le départ et qui ne s'en va jamais. Durant ces quatre-vingt dernières

années, le Théâtre-Français n'aura connu, en tout, que six admi-
nistrateurs : Edouard Thierry de 1859 à 1871, Emile Perrin de
1871 à 1885, Jules Claretie de 1885 à 1913, Albert Carré de 1913
à 1916, Emile Fabre de 1916 à 1936 et Edouard Bourdet de 1936
à 1940.

Guettant les talents nouveaux, Emile Perrin devait être fort
intéressé par la personnalité de Sarah Bernhardt qui, d'un coup,
venait, dans *Ruy Blas* d'éclater brillamment. Mais, à son engagement, il rencontrait bien des oppositions. Parmi les acteurs de la
Maison, la jeune tragédienne avait des adversaires tenaces, d'abord
parce qu'ils craignaient que, comme à l'Odéon, elle ne prît trop
vite au Théâtre-Français une place prépondérante, ensuite parce
que beaucoup d'entre eux — Nathalie était toujours là !... — se
rappelaient la façon inconvenante dont, neuf ans plus tôt, elle les
avait quittés et ne voyaient pas sans appréhension, revenir parmi
eux cette personne mal élevée.

Pour engager une artiste dont le talent retenait son attention.
l'Administrateur Général avait-il donc à tenir compte de l'avis de
ses administrés, voire, seulement, des plus importants ? Moralement, oui. C'est qu'à la différence de l'Odéon, dont la direction engage et rétribue ses artistes à sa guise, la Comédie-Française est
une compagnie de comédiens associés, intéressés aux bénéfices et,
éventuellement, participant aux pertes de l'exploitation du théâtre.
Dès lors, ils sont là, en quelque sorte, chez eux.

La troupe de la Maison de Molière se divise en deux caté-
gories bien distinctes : les sociétaires et les pensionnaires. Les sociétaires — leur nom l'indique assez — sont ceux qui, élus par le
comité, font partie de la Société, qui la constituent et entre qui.
en sus de leurs appointements, sont répartis les profits annuels,
suivant des parts fixées, appelées « douzièmes ». Les pensionnaires
sont les comédiens qu'on engage à l'essai et parmi lesquels, après
quelques années de stage, sont choisis les sociétaires.

Pour le moment, il n'était question d'engager Sarah qu'à titre
de pensionnaire et par conséquent, Perrin aurait pu agir à sa guise.
Mais il était clair qu'elle était une sociétaire de demain. Dès lors,
par courtoisie et aussi par diplomatie, le nouvel administrateur
trouvait plus sage de convaincre d'abord le Comité que le retour
de la jeune vedette de l'Odéon serait, à tous points de vue, souhaitable et profitable. Aussi habile qu'énergique, il y parvint assez
vite et c'est ainsi qu'au cours de son entretien avec Sarah Bernhardt,
il put lui offrir ferme un engagement à douze mille francs par an.
Elle lui demanda quarante-huit heures pour réfléchir car, tout en
la flattant, sa proposition l'avait laissée perplexe.

Sarah Bernhardt, en effet, gagnait maintenant neuf mille six cents francs par an à l'Odéon. Certainement, en présence de l'offre de Perrin, elle aurait facilement obtenu de ses directeurs une nouvelle augmentation égale à deux cents francs par mois, peut-être même supérieure. Mais ce marchandage lui répugnait et lorsqu'elle résolut d'informer Duquesnel et de Chilly des sollicitations dont elle était l'objet, elle s'était juré qu'il ne serait pas question d'argent. D'ailleurs, là n'était pas ce qui la préoccupait.

Evidemment, elle était tentée de rentrer, avec éclat, dans cette Maison, dont, en 1863, elle était partie, obscure et ignorée, de se mesurer avec les grands comédiens de son époque, de jouer le merveilleux répertoire qui l'attendait chez Molière, enfin de prendre un rang élevé dans la compagnie qu'on considérait alors comme la première troupe théâtrale du monde. Par contre, elle savait les jalousies, les haines, les intrigues auxquelles elle devrait faire face, la lutte incessante qu'il lui faudrait soutenir pour conserver sa situation.

A l'Odéon, elle était tranquille, heureuse, aimée de ses directeurs et de ses camarades, dès à présent la reine incontestée du théâtre. Mais c'était la rive gauche, une sorte de voyage en seconde classe. Au Théâtre-Français, aucune sécurité, des soucis constants, mais c'était « La Maison »!...

Son hésitation persistait encore lorsqu'elle vit Duquesnel et de Chilly, ensemble, et leur dit simplement :

— Si je vous quittais pour entrer au Théâtre-Français, m'en voudriez-vous beaucoup?

Duquesnel la regarda avec une surprise attristée :

— Tu ferais cela?

— Je ne le ferai pas si tu tiens essentiellement à moi et si, d'une façon quelconque, mon départ devait mettre l'Odéon dans l'embarras. Décide.

Duquesnel allait répondre, mais c'est de Chilly qui intervint. Gros, apoplectique, il souffrait, depuis quelque temps, d'une maladie de cœur et les crises étaient de plus en plus fréquentes. Brusquement, il étouffait et ces attaques continuelles, qui l'inquiétaient fort, altéraient son humeur et le rendaient aisément irascible. Lors de cet entretien, sans doute était-il dans un mauvais jour. Dès les premiers mots de Sarah, il avait sursauté et, à ce moment, il répliqua brusquement :

— Mais on n'entre pas au Théâtre-Français comme on prend l'omnibus, ma chère. Il faudrait, d'abord, qu'on veuille de toi là-bas!...

— Et tu crois qu'ils ne seraient pas tout disposés à m'accueillir?

— J'en suis sûr.

— Explique-toi.

— Maubant, que j'ai rencontré il y a trois jours et qui sait que tu n'as pas toujours un caractère commode, m'a dit qu'il préférerait démissionner plutôt que de t'avoir jamais pour camarade.

Maubant était un sociétaire de la Comédie-Française assez important, qui jouait les pères nobles de tragédie. Jugeant, sans doute, son avis négligeable, Perrin, apparemment, ne l'avait pas compris parmi ceux qu'il avait ralliés à son idée.

Sarah, piquée, sourit ironiquement :

— Ah ?... Maubant t'a dit cela ?...

— A moi-même !...

Et, bougonnant, de Chilly ajouta :

— Ton succès dans *Ruy Blas* te grise. Sans doute veux-tu encore une augmentation d'appointements ?... Alors tu nous fais le chantage de la Comédie-Française. Mais le truc est un peu usé, mon enfant, il est devenu classique. Et nous ne serons pas assez bêtes pour nous y laisser prendre !...

Sarah resta muette d'indignation et de colère. Ainsi de Chilly, maladroitement, lui reprochait tout juste ce qu'elle avait si soigneusement évité, l'accusait d'une manœuvre dont elle était incapable, d'abord parce qu'orgueilleusement, elle la trouvait indigne d'elle. Devant une telle injustice, elle dit froidement :

— Parfait. N'en parlons plus.

Et elle sortit du bureau de ses directeurs. Le lendemain, elle signait avec Perrin, son engagement prenant date au début de la saison 1872-73. Et le soir, à l'Odéon, dans sa loge, elle montrait son contrat à Duquesnel, en lui disant :

— Tiens ! Lis cela et tu pourras dire de ma part à de Chilly qu'il est un imbécile.

Duquesnel regarda le contrat et murmura, avec tristesse :

— Tu n'aurais pas dû signer sans m'en parler, ce n'est pas bien. Tu n'as rien à me reprocher à moi !...

La remarque était juste. Sarah Bernhardt l'admit et de ce jour, elle se dit qu'elle devait au bon Duquesnel une compensation. Elle la lui donna, magnifique : douze ans plus tard, en 1884, alors qu'elle jouait à la Porte-Saint-Martin, le directeur de ce théâtre. Derembourg, ayant décidé de se retirer, elle intervint et le décida à céder son théâtre à Duquesnel qui, en 1880, avait quitté l'Odéon. Depuis lors et jusqu'en 1891, chaque fois que Sarah Bernhardt joua à Paris, ce fût, presqu'exclusivement, chez Duquesnel qui, en revanche, l'associait à la direction artistique et aux bénéfices des pièces qu'elle interprétait à la Porte-Saint-Martin.

C'est avec moins de résignation que de Chilly apprit l'engagement de sa pensionnaire à la Comédie-Française. Il entra dans une violente colère et comme le contrat de la jeune actrice avec l'Odéon ne se terminait qu'un an plus tard, il n'eut pas le geste qu'ont, en général, les directeurs du Second Théâtre-Français envers les comédiens réclamés par la Maison de Molière. Dans ce cas, la coutume est que le contrat soit résilié à l'amiable. De Chilly, au contraire, exigea le dédit de Sarah Bernhardt, qui était de six mille francs. Elle n'eut d'ailleurs pas à le payer, pour une raison imprévue et dramatique :

Le 10 juin 1872, à l'occasion de la centième représentation de la reprise de *Ruy Blas,* Victor Hugo offrait un grand souper à ses interprètes et à tout le personnel du théâtre. Au dessert, pour répondre au toast que venait de prononcer le Maître, de Chilly, au titre de l'aîné des deux directeurs, se leva, son verre en main. Mais, brusquement, avant d'avoir pu dire un mot, de pourpre qu'il était, il devint blême et d'un coup, tomba lourdement, le nez dans son assiette : il était mort !... Resté seul directeur de l'Odéon, Duquesnel tint Sarah quitte de son dédit et cette délicatesse augmenta encore sa gratitude envers lui.

Sarah Bernhardt quitta l'Odéon durant l'été, afin de prendre quelque repos avant son entrée à la Comédie-Française. Les représentations de *Ruy Blas* continuèrent quelque temps sans elle, la charmante Emilie Broisat qui jouait, d'abord, le rôle de Casilda, la remplaçant dans celui de la Reine. Mais, à son tour, Emilie Broisat était appelée par la Comédie-Française et la reprise de *Ruy Blas* cessa dans le courant d'octobre.

*
* *

Ses succès à l'Odéon avaient impérieusement appelé l'attention sur le nom de Sarah Bernhardt et sa rentrée au Théâtre-Français était attendue avec une très grande curiosité. A présent, ce n'était plus une petite débutante, fraîchement sortie du Conservatoire, qu'on affichait, mais une actrice consacrée par plusieurs réussites et un récent triomphe.

La Comédie-Française où, cette fois, Sarah allait rester huit ans, jusqu'en avril 1880 et où elle devait, très vite, prendre une place si considérable, sentait la nécessité de choisir avec soin son rôle de début et de donner à cette soirée tout l'éclat désirable.

Après bien des hésitations, Emile Perrin se décida pour *Mademoiselle de Belle-Isle,* une pièce en cinq actes d'Alexandre Dumas père, créée en 1839 et qui, autour de Sarah Bernhardt dans le rôle principal, était interprétée par Bressant, le meilleur « grand premier rôle » de la Maison et Sophie Croizette, qui fut une très grande comédienne. Croizette était alors encore fort jeune, mais, entrée depuis trois ans au Théâtre-Français et très protégée par Perrin, elle avait déjà eu le temps de s'y faire une jolie situation.

C'est dans ces conditions, qu'on pourrait croire favorables, que s'effectua la rentrée de Sarah Bernhardt à la Comédie-Française, qui eut lieu le 6 novembre 1872.

Et pourtant, de toute évidence, ce n'était pas une bonne idée de la faire débuter dans *Mademoiselle de Belle-Isle*. Si le rôle contient des scènes de force, c'est, néanmoins, une jeune fille qui a encore gardé une certaine naïveté et à vingt-huit ans, Sarah, bien que prodigieusement svelte, avait déjà acquis une autorité qui lui interdisait les ingénues, même dramatiques. D'autre part, le costume Louis XV ne l'avantageait pas. Très serrée à la taille, sa robe accentuait par trop son extrême minceur, que dissimulaient les voiles, aux larges plis, des héroïnes grecques ou romaines. Enfin, la pièce est en prose et dès cette époque, c'était son incomparable diction, son art miraculeux de dire les vers qui, tout d'abord, assurait son succès. Négliger cet « atout » était d'une rare maladresse. Vers le moment de sa rentrée au Théâtre-Français, Théodore de Banville, un des plus exquis poètes du 19e siècle, disait de Sarah Bernhardt :

« On ne peut la louer de savoir dire les vers, c'est la Muse de la poésie elle-même. L'intelligence ni l'art ne sont pour rien dans son affaire : un secret instinct la pousse. Elle récite les vers comme le rossignol chante, comme le vent soupire, comme l'eau murmure, comme Lamartine les écrivait jadis. »

Ce jugement, un peu sommaire, devait être bientôt révisé par l'opinion générale. Si Sarah, en effet, avait le don inné de faire valoir tout ce qui était poésie, il était profondément injuste de nier qu'un art très grand et qui allait maintenant s'épanouir entièrement, dirigeait cette voix si pure et cette diction exceptionnelle. Ce qui reste incontestable, c'est que le succès de son début eût été, à priori, à peu près certain dans une pièce en vers, quelle qu'elle fût, alors que, dans *Mademoiselle de Belle-Isle,* la soirée ne lui fut pas favorable. Ce fut un demi-échec. Le lendemain, dans *Le Temps* dont il était maintenant et resta, jusqu'à sa mort, en 1899, le critique omnipotent et redouté, Francisque Sarcey écrivait :

« La salle était fort brillante et ce début avait attiré tous les amateurs de théâtre. Il faut dire qu'en dehors du mérite personnel de Mlle Sarah Bernhardt, il s'est formé déjà autour de sa personne une foule de légendes qui voltigent sur son nom et piquent la curiosité du public parisien. Ce fut une déception quand elle parut. Soit que ses cheveux poudrés ne soient point faits pour son visage, soit que le trac l'eût terriblement pâlie, l'impression fut peu agréable de voir jaillir de ce long fourreau noir, cette longue figure blanche où l'éclat des yeux avait disparu et sur laquelle tranchaient, seules, des dents étincelantes. Elle dit tout le début de son rôle avec un tremblement convulsif et nous ne retrouvâmes la Sarah de *Ruy Blas* que dans deux couplets qu'elle fila de sa voix enchanteresse, avec une grâce merveilleuse, mais elle manqua tous les passages de force. Elle ne s'est guère ressaisie qu'au cinquième acte. Il était bien tard !... »

L'article n'était ni élogieux, ni encourageant. Et pourtant, il eut, par sa sévérité même, la plus salutaire influence sur Sarah qui, à la vérité, avait insuffisamment ou mal travaillé ce rôle, qu'elle n'aimait pas. Et puis, depuis *Ruy Blas,* peut-être avait-elle pris en elle-même une confiance excessive ou, tout au moins, prématurée. Elle se dit que, dans ses prochains rôles, mieux choisis, il fallait qu'elle réussît et que, cessant de la combattre, le puissant Sarcey devînt désormais pour elle, un défenseur.

Grâce à son incroyable ténacité, elle atteignit assez rapidement ce résultat. Pas aussi vite pourtant que ses succès à l'Odéon lui permettaient de le croire.

C'est qu'à cette époque — et même pour Sarah Bernhardt — il n'était pas facile de se faire une place à la Comédie-Française.

# CHAPITRE IV

# SARAH BERNHARDT À LA COMÉDIE-FRANÇAISE

Si, dès les premiers mois de l'année 1873, Francisque Sarcey, qui suivait avec soin les progrès de Sarah Bernhardt, lui devint, peu à peu, entièrement favorable et l'année suivante, déjà, lui consacrait de longues chroniques enthousiastes, il serait profondément injuste de donner à ce changement d'attitude d'autres raisons qu'une estime grandissante pour son talent, au point qu'il devinait bientôt qu'elle serait la première artiste de son temps.

Je n'ignore pas, en effet, qu'une légende ridicule a été répandue à l'époque et s'est propagée jusqu'à nos jours. On a insinué que c'est grâce à une complaisance totale que Sarah Bernhardt s'était assuré le soutien résolu et les articles élogieux de Sarcey et que, peu après sa rentrée à la Comédie-Française, elle avait eu avec lui une liaison, connue et prolongée. Entre autres nombreux documents, j'ai sous les yeux un livre de 360 pages, publié en 1924, entièrement consacré à la vie de Sarah Bernhardt et qui donne, sur cet épisode de sa carrière, les plus grandes précisions. Je ne citerai ni le titre de l'ouvrage, ni le nom de l'auteur — qui est une femme — et qui affirme que Sarah lui a avoué, à elle-même, ses bontés intéressées pour l'illustre critique, ajoutant que, bien entendu, « elle l'avait quitté dès qu'elle s'était sentie, artistiquement, assez forte pour se passer de son appui ».

Bien que cet ouvrage semble être documenté, car il contient beaucoup d'autres indications exactes, je n'hésite pas à m'élever de toutes mes forces contre une accusation aussi absurde que venimeuse et qui tend à présenter Sarah Bernhardt, à l'époque, comme une jeune actrice qui s'offrait aux critiques pour avoir une bonne presse. D'abord, en admettant qu'elle en eût été capable, l'aurait-elle reconnu avec ce cynisme? C'était par là-même confesser que son succès n'était pas dû uniquement à son talent. Et Sarah Bernhardt était bien trop fière pour jamais consentir à un pareil aveu. Mais sa dignité devait, avant tout, la détourner d'aussi dégradantes compromissions et la femme qu'elle était ne pouvait même pas en avoir l'idée. Sa vie toute entière est là pour le prouver. Si Sarah Bernhardt a eu de nombreux amants — il serait vain de le nier — jamais elle n'en a choisi aucun par intérêt, financier ou professionnel. Au contraire. Dès sa jeunesse, elle aimait protéger ceux auxquels elle s'intéressait et faire pour eux plus qu'aucun n'aurait pu faire pour elle. Là encore, était-elle poussée par l'orgueil ou par un désir inné de domination ? Peut-être l'un et l'autre. En tout cas, ayant l'invincible horreur de subir la moindre contrainte, jamais elle n'aurait accepté d'être l'obligée de qui que ce fût.

Une autre raison péremptoire pour ceux qui ont bien connu Sarah Bernhardt, rend parfaitement inepte la fable de ses bontés calculées pour Sarcey. C'était un homme éminent, remarquablement fin et spirituel, d'une érudition éblouissante, mais physiquement, inenvisageable. Sarcey était petit, très ventru, avec une barbe courte et drue, déjà presque chauve à quarante-cinq ans — l'âge qu'il avait en 1872 — et certainement, Sarah aurait poussé un immense éclat de rire à la seule idée de partager le lit de ce brave bourgeois bedonnant.

Toujours elle eut la phobie de la laideur et le culte éperdu de la beauté. Elle ressentait une fierté immense de l'allure étonnante de son fils Maurice. Et sans exception aucune, tous les hommes qu'elle aima étaient, physiquement, impeccables.

La beauté et aussi le talent, telles étaient les deux qualités qu'avant de distinguer un homme, il lui fallait, d'abord, découvrir chez lui.

C'est ainsi que, dès sa rentrée à la Comédie-Française, elle eut avec Mounet-Sully, une liaison, indiscutable celle-là, mais qu'elle pouvait avouer avec fierté. Cette aventure, du reste, confirme assez plaisamment que, pour être l'objet des faveurs de Sarah Bernhardt, il ne suffisait pas à un homme d'être bien de sa personne, il lui fallait encore avoir fourni des preuves de sa valeur personnelle, il lui fallait être quelqu'un.

De trois ans plus âgé que Sarah Bernhardt, Mounet-Sully était sorti du Conservatoire avec un prix de tragédie et avait été engagé à l'Odéon où, pendant deux ans, de 1868 à 1870, il fut le camarade de Sarah et joua presque chaque jour avec elle, notamment dans *Le Roi Lear* (où il tenait le petit rôle de Cornouailles), *Le Bâtard*, *L'Affranchi* et vingt autres pièces.

Jamais elle ne l'avait même regardé.

C'est que, par un de ces phénomènes inexplicables, comme il s'en produit au début de la carrière de certains grands acteurs Mounet-Sully était, à cette époque, non pas mauvais, mais absolument insignifiant. Quand la guerre fut déclarée, il quitta l'Odéon sans s'être jamais fait remarquer de personne. La paix revenue, il erra longtemps, en quête d'engagement, lorsqu'Emile Perrin qui, on le sait, cherchait des jeunes, entendit parler de lui par son professeur, Bressant, mais dans quels termes !...

— Ma foi, j'ai bien eu, dans ma classe, un garçon bizarre, à qui ses camarades avaient donné le sobriquet de « Midi à quatorze heures » parce qu'en effet, il était possédé de je ne sais quel goût du singulier, qui allait jusqu'à l'extravagance. Il y avait quelque chose dans cette cervelle à l'envers. C'était peut-être bien un tempérament d'artiste.

Sur cette recommandation peu rassurante, Perrin, néanmoins, convoqua et engagea Mounet-Sully qui débuta à la Comédie-Française dans le rôle d'Oreste, d'*Andromaque,* en juillet 1872. Il y remporta un triomphe d'autant plus ahurissant que, jusqu'à ce soir-là, son nom était absolument inconnu. Depuis, — avec, encore, durant les premières années, quelques tâtonnements, — sa situation grandit constamment. Et lorsqu'il mourut, en 1916, Doyen de la Comédie-Française, qu'il n'avait jamais quittée, il était, depuis bien longtemps, et à juste titre, universellement considéré comme le plus grand, le plus merveilleux tragédien de son temps.

Retrouvant en pleine vogue au Théâtre-Français, son obscur camarade de l'Odéon, Sarah Bernhardt, seulement alors, le regarda avec attention et, stupéfaite, lui dit :

— Non, ce n'est pas possible !... C'est toi, Mounet ?

Mounet-Sully, un peu surpris, confessa :

— C'est moi.

— Mais qu'est-ce qui t'est arrivé ?

— Que veux-tu dire ?

— Mais tu es très beau !...

— On me l'a déjà dit, répondit naïvement Mounet.

— Enfin, je ne suis pas folle, tu n'étais pas beau comme ça, à l'Odéon ?

Il réfléchit un instant :

— Je crois que si.

Elle haussa les épaules, incrédule :

— Allons !... Je m'en serais aperçue !...

— C'est peut-être que tu n'avais pas eu le temps de me contempler, suggéra timidement Mounet. Dans toutes les pièces que je jouais, on me voyait si peu !...

— C'est possible, admit Sarah. Puis, après un silence : Tu joues ce soir ?

— Oui.

— J'irai te voir dans la salle.

Elle y alla et resta confondue et rêveuse... Mounet-Sully, en effet, était à cette époque d'une beauté prodigieuse, ces mots ne sont pas excessifs. Lorsque, dans une tragédie, il entrait en scène, grand, admirablement découplé, les bras nus, des bras superbes, qu'on eût dit taillés dans un bloc de marbre antique, ses cheveux

longs auréolant un visage d'une pureté incroyable, que terminait
une fine barbe blonde, un frisson d'admiration parcourait le public.
Sarah s'en rendit compte, avant tout, parce que le même frisson
l'envahit toute entière... La semaine suivante, on ne parlait, dans
le théâtre, que du coup de foudre, subit et réciproque, qui avait
frappé les deux jeunes tragédiens.

Ceux-ci, d'ailleurs, ne songeaient même pas à dissimuler leur
ivresse. Et pourquoi, au fait, l'auraient-ils cachée? Merveilleusement assortis, Mounet-Sully et Sarah Bernhardt formaient alors
un couple unique, véritablement sensationnel. Et Emile Perrin,
bon administrateur, les faisait jouer ensemble le plus souvent possible. D'abord parce que Paris connaissait leurs amours et que,
lorsqu'il les voyait en scène, dans les bras l'un de l'autre, le public
avait un peu le sentiment de regarder derrière le mur de leur vie
privée, ensuite parce que leurs deux talents, l'un et l'autre passionnés jusqu'à la violence, s'harmonisaient admirablement.

*
* *

C'est dès son second rôle à la Comédie-Française que Sarah
Bernhardt eût Mounet-Sully comme partenaire, dans *Britannicus,*
de Racine, où il jouait Néron et où elle joua Junie, pour la première fois, le 14 décembre 1872.

Le personnage n'est pas de premier plan et elle ne pouvait pas
y remporter un très grand succès. Néanmoins, elle y prit une revanche incontestable de son échec dans *Mademoiselle de Belle-Isle.*
Junie était un rôle qui lui convenait entièrement et qu'elle ne pouvait jouer que de façon parfaite.

Quelques jours plus tard, les deux jeunes artistes se retrouvaient dans Rodrigue et Chimène, du *Cid,* de Corneille, — avec,
dans Don Diègue, Maubant qui n'avait pas démissionné!... — et
tous deux y étaient vivement applaudis par une salle que ravissait,
littéralement, ce couple si harmonieux et d'une si rare beauté.

Mais il semble qu'Emile Perrin, qui, en général, savait si bien
utiliser les talents qui lui étaient confiés, dût faire souvent fausse
route avec Sarah Bernhardt. Pourtant, il était visible qu'elle était
une tragédienne et avant tout, une lyrique. Dans le répertoire,
toujours elle réussirait lorsqu'elle interpréterait Racine ou Victor
Hugo, alors que dans la comédie classique ou moderne, son succès, à cette époque, était subordonné au rôle.

Pourquoi, dès lors, Perrin se hasarda-t-il à lui faire jouer, le
30 janvier 1873, Chérubin, dans *Le Mariage de Figaro,* de Beaumarchais? On peut se le demander. Sarah Bernhardt, qui n'aimait
pas Perrin et qui, longtemps après sa mort, n'avait pas oublié ses

nombreux et bruyants différends avec lui, prétendait que, ne cherchant qu'à faire briller Croizette qui, dans *Le Mariage de Figaro,* jouait Suzanne, un rôle qu'on eût dit écrit pour elle, il avait fait exprès de lui donner Chérubin qui ne lui convenait en aucune façon pour que, non seulement elle y échouât, mais aussi pour que, par comparaison, le succès de Croizette parût encore plus vif !... Informé des doléances de sa jeune pensionnaire, Perrin haussa doucement les épaules : « Elle avait triomphé, à l'Odéon, dans Zanetto, un petit page italien. J'avais le droit d'espérer qu'elle réussirait mieux encore dans Chérubin, un petit page français !...»

Oui, mais *Le Passant* était un poème lyrique.

Deux mois plus tard, le 28 mars 1873, le même fait se reproduisait à l'occasion d'une reprise de *Dalila,* une comédie dramatique d'Octave Feuillet, créée au Vaudeville en 1857 et qui, en mars 1870, était entrée au répertoire du Théâtre-Français.

La pièce comporte deux rôles de femmes, à peu près également importants qui, trois ans plus tôt, étaient tenus par Maria Favart et Sophie Croizette. Celle-ci, dans le personnage de Marthe, avait obtenu un vif succès personnel. Elle était certaine de le retrouver, d'autant plus qu'ayant déjà joué le rôle, elle en était pleinement maîtresse, tandis que, succédant à Maria Favart, Sarah s'essayait pour la première fois dans le difficile personnage de la princesse Léonora (Dalila). Cette fois encore Croizette, seule, recueillit tous les applaudissements et la rancune de Sarah Bernhardt grandit à l'égard de Perrin qui, elle en était de plus en plus convaincue, ne s'appliquait, décidément, qu'à faire valoir sa belle protégée.

La même année, pourtant, il lui confia deux petites créations, oh ! toutes petites !... C'est que, faisant alterner succès et demiéchecs, Sarah Bernhardt ne s'était pas encore suffisamment imposée, à la Comédie-Française, pour que les grands auteurs de la Maison pussent, en toute sécurité, la demander pour une pièce nouvelle importante.

Elle créa donc *L'Absent,* un joli acte en vers d'Eugène Manuel et le 23 juillet, *Chez l'Avocat,* un acte de Paul Ferrier, en vers également, mais très gai et qu'elle jouait avec Coquelin aîné, le futur grand Coquelin qui, lui aussi, était alors à l'aurore de sa renommée. *Chez l'Avocat* est une sorte de vaudeville rimé, une discussion bouffe entre un mari et sa femme qui voulaient divorcer et se réconcilient chez leur avocat. Le rôle de l'épouse semble avoir été écrit pour Cassive, ou tout au moins pour Jeanne Granier et, lorsqu'on lit cette piècette, on est tout surpris de trouver, à la page de la distribution, le nom de Sarah Bernhardt. Néanmoins, elle s'y montra étourdissante, la digne partenaire du merveilleux comique qui interprétait le personnage masculin.

Mais tout cela n'était encore que gentils résultats, essais plus ou moins remarqués et qui décevaient les admirateurs de Sarah Bernhardt. Il lui fallut attendre jusqu'à l'été pour remporter son premier grand succès à la Comédie-Française.

Elle l'obtint dans le rôle d'*Andromaque,* de la tragédie de Racine, qu'elle joua pour la première fois le 22 août 1873 avec Mounet-Sully dans Oreste.

Et quatre semaines plus tard, le 17 septembre, elle jouait Aricie dans *Phèdre* de Racine, Mounet-Sully jouant Hippolyte. Coup sur coup, ce furent là, pour Sarah Bernhardt, deux splendides réussites. Cette fois, véritablement, elle s'était imposée. Dans Andromaque, avec une dignité, une grâce douloureuse et poignante, elle avait, dès le premier soir, égalé ses plus illustres devancières et dans Aricie, rôle secondaire, elle avait éclipsé tous ses partenaires et réellement obtenu le succès de la soirée.

C'est l'année 1874, l'année de ses trente ans, qui devait définitivement consolider sa situation au Théâtre-Français, où déjà, en quelques mois, elle avait déchaîné de fervents enthousiasmes et des haines solides, non pas seulement parmi les artistes et les amis de la maison, mais aussi dans le public.

— Enfin, rendez-vous donc compte, s'écriaient ses défenseurs, il y a là une nature exceptionnelle, unique. Depuis Rachel, jamais on n'a vu pareille tragédienne. Et cette voix !... cette grâce !... cette sereine majesté dans le maintien et dans les gestes !...

— D'accord, répondaient ses ennemis, elle est bien dans les princesses de tragédie, mais il ne faut pas qu'elle sorte de ces rôles. Elle y est vouée à perpétuité et sera incapable de jamais jouer autre chose !...

Souvent, à l'entr'acte, dans les couloirs de la Comédie-Française, ces discussions retentissaient avec éclat, s'exaspéraient jusqu'à la violence : « Réussira !... Réussira pas !... » Les paris étaient ouverts ! Cette agitation était la meilleure preuve de l'incontestable talent de la jeune actrice. Tant de gens, dont la plupart ne lui avaient jamais parlé, ne se seraient pas passionnés à ce point pour une personnalité douteuse, et qui n'aurait pas mérité cet intérêt.

Toutefois, par un étrange phénomène, il est incontestable qu'à cette époque, la renommée de Sarah Bernhardt avait précédé sa réussite, au lieu d'en être la conséquence logique. A la fin de 1873, le bruit fait autour d'elle dépassait, de beaucoup, les preuves qu'elle avait données de sa valeur véritable. Elle se devait à elle-même de justifier au plus tôt cette popularité, si j'ose dire, préconçue.

*
*  *

C'est un rôle parfaitement secondaire, presque effacé, qui permit à Sarah Bernhardt de remporter le succès que ses fidèles attendaient d'elle et dans une pièce qui, redoutable concurrence, comportait un autre personnage de jeune femme, beaucoup plus important, très à effet, qui mourait, au dernier acte, dans une scène puissamment pathétique.

La pièce s'appelait *Le Sphinx* et était d'Octave Feuillet. Elle fut créée à la Comédie-Française le 23 mars 1874.

Lorsque l'auteur avait apporté son œuvre à l'administrateur général, tous deux s'étaient trouvés aussitôt d'accord pour distribuer à Sophie Croizette le personnage principal, Blanche de Chelles, une magnifique figure, à la fois honnête et passionnée, franche et impénétrable. Au 1er acte, lord Astley, l'un des personnages du drame, dit d'elle :

— Toute femme est une énigme et celle-ci, plus que toute autre, a le droit de prendre le sphinx pour symbole.

Un beau rôle qui, par surcroît, s'enveloppait de mystère, quelle aubaine pour une actrice !... Et, pour le second rôle de femme, Berthe de Savigny, c'est Perrin qui, sur-le-champ, avait suggéré Sarah Bernhardt, tenant, fort intelligemment, ce raisonnement :

— Ses bruyants partisans me reprochent de la cantonner dans le répertoire classique et réclament pour elle une création. En voici une. Et si ce sont ses contempteurs qui ont raison, s'il est vrai qu'elle ne saurait réussir dans une pièce moderne, son rôle est trop peu important pour qu'elle puisse compromettre le succès de celle-ci.

Sarah Bernhardt écouta avec attention la lecture aux artistes de la comédie de Feuillet et elle se rendit aussitôt compte à quel point son rôle était éclipsé par celui de Croizette. Elle eut d'abord envie de le refuser et puis elle se ravisa. N'avait-elle pas eu le succès de la soirée dans Aricie, qui est, au personnage de *Phèdre,* à peu près ce qu'était Berthe, dans *Le Sphinx,* par rapport à Blanche ? D'autre part, son rôle contenait tout de même deux ou trois scènes qui lui permettaient, comme on dit dans le langage des coulisses, « de se défendre ». Enfin, faisant preuve d'une rare clairvoyance, elle jugeait qu'évidemment le rôle de Blanche était superbe, mais qu'en somme, il ne convenait pas tellement bien aux qualités de Croizette.

Celle-ci était, avant tout, une « jeune coquette ». Elle avait réussi, ou devait bientôt réussir, dans Antoinette du *Gendre de M. Poirier,* Camille de *On ne badine pas avec l'Amour,* Suzanne du *Demi-Monde,* Célimène du *Misanthrope* et son plus grand succès, à l'époque, était Adrienne de *L'Eté de la Saint-Martin,* un acte de Meilhac et Halévy, qu'elle avait créé en juillet 1873. C'est une pièce adorable, mais souriante, légère et dans laquelle son rôle était uniquement de charme et de séduction. Aurait-elle la puissance dramatique qu'exigeait la grande jeune première du *Sphinx* et si elle l'avait, saurait-elle en trouver le ton exact et surtout, y garder la réserve indispensable ?

En effet, si, dès ses débuts à l'Odéon, Sarah Bernhardt avait pris pour devise : « Quand même !... », ces deux mots magnifiques qui expriment à merveille son indomptable énergie, sa vaillance, son acharnement à vaincre ennemis et obstacles, le papier à lettres de Croizette portait cet en-tête : « A outrance », qui caractérisait fort exactement la belle et brillante Sophie, dont le talent, comme l'existence, prouvaient qu'elle n'était guère de celles qui savent ce que c'est que la mesure. Sarah spécula donc à la fois sur le parti qu'elle sentait pouvoir tirer de son propre rôle et sur la façon dont elle devinait que Croizette jouerait le sien.

La représentation de la pièce lui donna raison. Parfaite dans les scènes de charme du début, Croizette manqua complètement son dernier acte ou plus exactement, le joua avec une exagération, un réalisme vulgaire, qui enchantèrent une certaine partie du public, mais choquèrent vivement les habitués du Théâtre-Français. Sarcev écrit dans son ouvrage *Comédiens et Comédiennes,* publié en 1877 :

« Quelle ne fut pas notre surprise quand arriva le dénouement !... Mlle Croizette buvait une fiole de poison et tombait mourante sur un fauteuil. Nous vîmes alors un spectacle vraiment hideux. L'artiste, à l'aide de certains artifices, dont le secret fut plus tard révélé dans les journaux, se faisait brusquement un visage verdâtre, affreux, décomposé, se recroquevillant en contractions effroyables ; les yeux, noyés et hagards, roulaient dans leurs orbites, les mains et les jambes étaient agitées de mouvements convulsifs, la tête secouée de soubresauts tétaniques. Ces horribles spasmes ne durèrent que quelques secondes. mais qui nous parurent bien longues. Il y eut, dans toute la salle, un tressaillement de révolte et quelques femmes poussèrent des cris d'horreur. Un coup de sifflet partit de l'orchestre.

« Dans le rôle, qui cessait d'être secondaire, de Berthe de Savigny, Mlle Sarah Bernhardt emporta le suffrage des connaisseurs. Elle joua avec une grâce noble et discrète, qui fut d'autant plus remarquée que sa rivale s'était laissée emporter par son tempérament. Elle n'avait que peu de choses à dire dans les premiers actes et elle trouva le moyen d'y soulever, avec quelques mots, avec un geste de la main tendue, de longs applaudissements. Au dernier acte où elle est l'épouse outragée qui pardonne, elle déploya une intensité de passion, à la fois digne et véhémente, qui arracha de véritables cris d'admiration. Chacun de ces mots : « Tu veux savoir

si j'ai tes lettres?... » s'échappait, net et coupant, de ses lèvres fré-
missantes, comme des flèches qui sifflent, en fendant l'air. »
    Voilà qui pouvait s'appeler un succès personnel!... Les par-
tisans de Sarah triomphèrent, cependant que les admirateurs de
Croizette, prenant énergiquement sa défense, clamaient que son suicide, au dernier acte du *Sphinx*, était, non seulement un chef-
d'œuvre de l'art, mais une merveille d'exactitude. D'illustres médecins furent conviés au Théâtre-Français et priés de donner leur
avis. Les uns conclurent que Sophie Croizette reproduisait scrupu-
leusement toutes les phases de la mort par empoisonnement, les
autres crièrent à l'invraisemblance et, comme on dirait aujourd'hui,
« au chiqué ». Deux clans s'étaient formés dans Paris, les Croi-
zettistes et les Bernhardtistes. Dans ses *Mémoires,* Sarah définit
assez exactement ces deux partis adverses, en disant :
    — Croizette avait pour elle tous les banquiers et tous les
congestionnés ; j'avais pour moi tous les artistes, les étudiants, les
mourants et les ratés.
    Bien entendu, la pièce d'Octave Feuillet profitait de toute
cette agitation et fournit une longue carrière.
    Six ans plus tard, lorsque Sarah Bernhardt partit pour sa
première tournée d'Amérique, parmi les huit pièces qui composaient son répertoire, figurait *Le Sphinx,* mais elle jouait alors le
rôle principal, et montrant à Croizette ce qu'elle aurait dû faire,
réalisait la mort de Blanche de Chelles avec un art parfait. La
scène était tout aussi saisissante, mais cette fois, l'effet était obtenu
sans l'ombre d'un procédé facile ou grossier.
    Au cours de sa carrière, d'ailleurs, Sarah Bernhardt se fit,
par la suite, presqu'une spécialité des scènes de mort, dans lesquelles, avec une diversité prodigieuse, elle se montrait toujours
incomparable. Peut-être ses auteurs habituels abusèrent-ils même
un peu de sa « maîtrise de l'agonie », en faisant, presqu'inéluncta-
blement, mourir Sarah au dernier acte de leurs pièces. Je crois
qu'à partir de 1882, date où commença, à Paris, sa grande carrière, Sarah mourait au moins dans la proportion de trois pièces
sur quatre.
    On me fera peut-être observer que je suis mal placé pour for-
muler cette remarque, alors que *Daniel,* comme *Régine Armand,*
les deux pièces de moi qu'elle créa, en 1920 et 1922, se terminaient,
elles aussi, par la mort de son personnage. J'en conviens. Comme
mes plus illustres devanciers, je m'étais laissé tenter par un dénouement qui, joué par elle, était toujours d'un effet certain.

*
*   *

Peu après *Le Sphinx*, Sarah Bernhardt créa une jolie pièce en un acte d'un jeune auteur encore inconnu, Louis Denayrousse, intitulée *La Belle Paule*. Puis, le 6 août 1874, elle remportait un nouveau et immense succès dans une brillante reprise de la tragédie de Voltaire, *Zaïre*, qui, on s'en souvient, avait été son rôle de concours au Conservatoire, en 1861 et dans lequel elle avait obtenu son second prix de tragédie. Elle était entourée par Mounet-Sully, splendide Orosmane et Laroche, un acteur estimable, excellent dans Nérestan.

Les Bernhardtistes exultaient. Après Junie, Chimène, Andromaque et Aricie, c'était la cinquième tragédie où la réussite de leur idole était éclatante, incontestable. Elle s'affirmait presque sans rivale dans l'art le plus noble et le plus élevé.

Forcé d'en convenir, Perrin résolut alors de frapper un grand coup et sans plus attendre, de lui confier le rôle le plus redoutable du répertoire tragique, le plus beau, certes, mais le plus difficile et qui, en général, réclame de son interprète une plus longue expérience de la scène que n'en pouvait alors avoir Sarah Bernhardt. Il s'agissait du rôle de *Phèdre,* de la tragédie de Racine. Et pour attirer l'attention sur son premier essai dans ce personnage, au lieu de le lui faire jouer un soir quelconque, il l'afficha pour l'anniversaire de Racine qui, chaque année à la Comédie-Française, est une petite solennité.

C'est donc le 21 décembre 1874 que Sarah Bernhardt parut pour la première fois dans le rôle de *Phèdre,* qu'elle devait jouer, pendant quarante ans, dans le monde entier et qui fut, de tous ses rôles sans exception, celui qu'elle marqua le plus fortement de sa personnalité, dans lequel elle déploya le plus largement son génie.

Chacun des grands artistes français de cette époque a eu, ainsi, « son rôle », dans lequel il se surpassait lui-même, auquel son nom est resté attaché. dans lequel ses fidèles voulaient constamment le revoir, de préférence à tous autres personnages. Pour Mounet-Sully, ce fut *Oedipe roi,* de Sophocle ; pour Coquelin aîné, *Cyrano de Bergerac,* de Rostand ; pour de Féraudy, *Les Affaires sont les Affaires,* d'Octave Mirbeau ; pour Le Bargy, *Le Marquis de Priola,* de Lavedan ; pour Lucien Guitry, *Samson,* d'Henry Bernstein ; pour Bartet, *Bérénice,* de Racine ; pour Réjane, *Madame Sans-Gêne,* de Sardou ; pour Silvain, *Le Père Lebonnard,* de Jean Aicard. Dans le répertoire considérable de Sarah Bernhardt, deux rôles dominaient tous les autres : la foule la réclamait dans *La Dame aux Camélias,* mais les connaisseurs la préféraient dans *Phèdre.*

Ce n'est que peu à peu, en deux ou trois ans, qu'elle acquit la maîtrise étonnante qu'elle déploya, par la suite, dans ce rôle que nulle actrice au monde n'a jamais pu, d'emblée, jouer parfaitement. La soirée du 21 décembre 1874 resta pourtant parmi les plus sensationnelles de la carrière de Sarah Bernhardt. C'est que, non seulement elle s'attaquait à un personnage hérissé de périls, mais encore elle y succédait à Rachel, la célèbre tragédienne du début du 19ᵉ siècle, morte à 37 ans, en 1858 et que beaucoup d'habitués du Théâtre-Français avaient pu voir, seize ans plus tôt, dans ce même rôle de *Phèdre* qui, précisément, avait été, pour elle aussi, l'occasion d'un triomphe retentissant.

Un seul critique, Paul de Saint-Victor, très intime avec Dinah Félix, la plus jeune sœur de Rachel qui, à la Comédie-Française, jouait les soubrettes de Molière et de Marivaux, tenta, par l'évocation de la grande artiste disparue, de « châtier l'impertinente outrecuidance de Mlle Bernhardt » qui osait se mesurer avec un pareil souvenir, encore si récent. Tous les autres, Sarcey en tête, reconnurent qu'au 2ᵉ acte au moins, elle avait déjà égalé Rachel, et prédirent qu'aux prochaines représentations, certainement, elle parviendrait à la surpasser d'un bout à l'autre de la pièce.

*Phèdre* mit le sceau à la réputation de Sarah Bernhardt qui, de ce moment, connut ses premiers jours de véritable gloire. Les Bernhardtistes devenaient maintenant innombrables. A leur petit clan avait, peu à peu, adhéré tout Paris.

\*
\* \*

Il faut ajouter que, durant ces deux dernières années surtout, la personnalité de Sarah Bernhardt s'était imposée d'une façon complète, c'est-à-dire aussi en dehors du théâtre.

On se rappelle que, durant son séjour à l'Odéon, elle jouait constamment les rôles les plus nombreux et les plus divers, répétant presque chaque jour. Au Théâtre-Français, tout avait changé. La troupe était nombreuse, comprenant environ vingt sociétaires et trente-cinq pensionnaires et parmi ces cinquante-cinq comédiens, une quinzaine au moins étaient de tout premier plan et se partageaient les rôles. De ce fait, Sarah se trouva, du jour au lendemain, condamnée à une semi-inaction qui n'était guère dans son tempérament.

De novembre 1872 à décembre 1874, en effet, soit en vingt-cinq mois, les pages qui précèdent n'ont énuméré qu'une douzaine de rôles, joués à la Comédie-Française par Sarah Bernhardt. Pour une comédienne du boulevard, ce serait beaucoup. Six pièces par an constitueraient presqu'un record. Au Théâtre-Français, il en va tout autrement. Il n'est pas rare que, chez Molière, un artiste joue vingt et même trente rôles dans son année. Mais en raison de l'alternance, combien de fois paraît-il dans chaque pièce?

Si une « nouveauté », qui est un grand succès, peut faire exceptionnellement jusqu'à cent représentations en un an, par contre
les œuvres du répertoire telles qu'*Andromaque, Le Cid* ou *Britannicus*, ne sont guère données plus de cinq ou six fois au cours d'une
année, et encore !... Dès lors, en dehors du *Sphinx*, pièce nouvelle
qui, pendant des mois, fut affichée trois fois par semaine, Sarah
Bernhardt n'avait peut-être pas donné, au total, plus de soixante
à quatre-vingt représentations en deux ans, c'est-à-dire qu'au cours
d'une semaine, elle se reposait, en moyenne, cinq soirs sur sept.

Exaspérée par ce désœuvrement, elle allait parfois trouver
Perrin et lui réclamait d'autres rôles. Mais celui-ci était réservé
à Madeleine Brohan, celui-là promis à Maria Favart, cet autre
à Suzanne Reichemberg et naturellement, un ou deux autres à
Sophie Croizette !...

Alors, pour s'occuper, un beau jour, Sarah se mit à faire de
la sculpture. Elle prit une quinzaine de leçons et voilà qu'au bout
de quelques semaines, elle étonnait son professeur lui-même !...
Excellente pianiste, peintre à ses heures, cette jeune femme avait,
décidément, tous les dons !... Encouragée, elle se consacra à ce
nouvel art avec la passion qu'elle mettait en toutes choses. Son
appartement de la rue de Rome étant trop exigu pour qu'elle y
pût travailler à l'aise, elle loua un grand atelier. 11 boulevard de
Clichy et à partir de 1873, chaque matin, vers dix heures, elle s'y
rendait et si elle ne répétait pas, y restait toute la journée.
Jusqu'au milieu de l'après-midi, l'ébauchoir en main, elle modelait
la terre glaise, puis, à l'heure du thé, ses amis venaient la voir.

Son atelier devint bientôt l'un des rendez-vous des célébrités
commençantes de l'époque. On parlait théâtre, politique, litttéra-
ture... Autour de Sarah Bernhardt se retrouvaient entre autres,
François Coppée, Pierre Berton, le peintre Alfred Stevens, Marie
Lloyd, une jeune actrice de la Comédie-Française, Louise Abbéma,
qui devint par la suite un peintre célèbre et resta, pendant cinquante ans, la meilleure amie de Sarah Bernhardt, les deux sœurs
Rose et Blanche Baretta, — la seconde, une adorable comédienne,
allait bientôt devenir la femme de Worms, l'éminent artiste du
Théâtre-Français, — Arthur Meyer, le futur directeur du *Gaulois,*
qui débutait alors dans le journalisme, Sophie Croizette, car les
deux rivales étaient, néanmoins, restées d'excellentes amies,
l'architecte Félix Escalier et le plus fidèle de tous, le peintre Georges
Clairin qui, amoureux d'abord exaucé, devint ensuite le portraitiste
ordinaire et extraordinaire et aussi l'ami dévoué et quotidien de
Sarah, dans l'ombre de laquelle il passa, heureux, son existence
toute entière, sans presque la quitter pendant quarante-cinq ans.

Sarah, sculpteur, fit, à cette époque, successivement le buste de plusieurs de ses intimes et notamment, celui de sa plus jeune sœur Régina, alors bien malade et qui mourut, poitrinaire, à l'automne de 1874.

Son enterrement donna lieu à un incident tragi-comique, dont la presse s'empara et qui contribua à accroître la réputation d'originalité de Sarah Bernhardt.

J'ai indiqué que, dès ses débuts à l'Odéon, sa santé semblait des plus précaires et, pendant des années, causa à son entourage de constantes inquiétudes. Souvent, à la fin d'une représentation où elle avait fourni un effort particulièrement intense, elle tombait, haletante, sur un fauteuil et était prise de vomissements de sang terribles. Sans oser trop le dire, on en concluait, avec une apparence de raison, que, comme Régina, elle avait les poumons atteints et qu'elle aussi mourrait jeune.

Paisiblement, Sarah s'était faite à cette idée et, s'attendant, d'une semaine à l'autre, à être emportée par une crise plus violente, elle avait, par avance, fait faire le cercueil dans lequel elle désirait être ensevelie, un joli cercueil de bois de rose, intérieurement tendu de satin blanc et qui était rangé dans un coin de son appartement.

Lorsque, durant ses derniers jours, Régina fut malade au point de ne plus pouvoir se lever, Sarah ne la laissa pas dans sa chambre, qui était sur la cour. Pour tâcher de la distraire un peu, elle lui donna sa propre chambre, qui donnait sur la rue et son propre lit, d'où — l'appartement étant à l'entresol — elle pouvait suivre le mouvement des voitures et des passants. Et pour veiller Régina, dont la fin pouvait survenir à tout moment, Sarah, pendant environ une semaine, coucha dans son cercueil, qu'elle avait fait apporter dans sa chambre, auprès de son lit.

Le matin de l'enterrement de Régina, lorsque les employés des pompes funèbres se présentèrent rue de Rome pour enlever la morte, ils se trouvèrent, dans la chambre, en face de deux cercueils. Perdant la tête, le maître de cérémonies envoya, en toute hâte, chercher un second corbillard, qui arriva, peu après, au grand trot de ses deux chevaux. On le fit repartir aussi vite qu'il était venu, mais les journaux narrèrent l'anecdote, et de ce jour, tout Paris sut que Sarah Bernhardt couchait dans son cercueil !

*
* *

Souffrant déjà de la maladie de cœur qui devait, à son tour, l'emporter deux ans plus tard, Julie Van Hard ressentit, de la disparition prématurée de sa troisième fille, un chagrin plus profond qu'on aurait pu le croire. Il faut ajouter qu'après tant de brillantes années, sa vie, aux abords de la cinquantaine, était devenue bien mélancolique. Très occupée par son théâtre, sa sculpture et ses amis, Sarah la voyait peu. D'ailleurs, depuis qu'elle avait quitté la maison maternelle, leurs relations avaient toujours été affectueuses, mais distantes. D'autre part, se sentant souvent indisposée, Julie ne recevait presque plus et peu à peu, le cercle de ses admirateurs de jadis avait déserté le bel appartement de la rue Saint-Honoré. Mais, surtout, ce qui avait été pour elle un véritable désespoir, c'est que, peu après la guerre, sa bien-aimée Jeanne l'avait quittée, elle aussi. Elle avait eu vingt ans en 1871 et raffolant du théâtre, où sa grande sœur Sarah se faisait une si belle place, elle avait résolu de devenir, également, comédienne.

Elle débuta en 1872, jouant, de-ci, de-là, de petits rôles dans des théâtres de genre. Et pour tâcher de se faire connaître plus vite, elle avait obtenu de Sarah la permission de s'appeler Bernhardt, un nom auquel elle n'avait aucun droit, mais qui, surtout depuis *Ruy Blas,* était déjà populaire.

Jeanne qui, n'ayant jamais été reconnue par son père — dont l'identité était, d'ailleurs, douteuse — s'appelait, jusqu'alors, Mlle Van Hard, devint, de ce moment, Jeanne Bernhardt, abandonnant à la fois le nom et le domicile de sa mère, pour essayer, à son tour, de faire sa vie. Elle n'y réussit que mal. Actrice plus que médiocre, elle ne se voyait confier que des silhouettes et ne joua de véritables rôles que lorsque, à partir de 1880, Sarah l'emmena avec elle dans ses tournées. D'autre part, frivole et légère d'esprit, elle ne sut jamais inspirer un sentiment durable, courut d'aventure en aventure et mourut en 1884, à trente-trois ans, toujours jolie, encore qu'alcoolique, morphinomane et dépravée.

Le buste de Régina, par Sarah Bernhardt, fut exposé au Salon de 1875, quelques mois après la mort de la jeune fille. Il fut très remarqué. Mais c'est surtout l'année suivante, au Salon de 1876, que Sarah obtint un gros succès — et une « mention honorable » — avec un groupe, resté célèbre, qu'elle intitula *Après la tempête,* et qui représente une paysanne bretonne tenant sur ses genoux, le corps de son fils, que la mer vient de rejeter sur le rivage. Ce groupe est vraiment une très belle chose, que ne désavouerait pas un professionnel illustre.

Par la suite, n'ayant pas les mêmes loisirs que lorsqu'elle était au Théâtre-Français, elle s'adonna moins régulièrement à la sculpture. Pourtant, elle ne l'abandonna jamais complètement, achevant plusieurs œuvres d'une valeur indéniable, notamment une « Médée » altière et magnifique, et un buste de Victorien Sardou, d'une étonnante ressemblance.

Bien que la distance ne fût pas très grande, de la rue de Rome au boulevard Clichy, Sarah, néanmoins se lassa bientôt de se partager ainsi entre deux domiciles. Ses amis ne savaient jamais où la trouver. Ils allaient la voir à son atelier : elle venait de rentrer chez elle. Ils se présentaient rue de Rome : elle était, tout justement, montée boulevard de Clichy. D'autre part, elle se sentait à l'étroit dans ce minuscule appartement et le bruit des voitures, si nombreuses autour de la Gare Saint-Lazare, l'empêchait souvent de dormir. Bref, elle résolut de déménager. Mais, cette fois, elle souhaitait s'installer définitivement, dans un quartier silencieux, à l'ouest de Paris, et chez elle, c'est-à-dire dans un hôtel particulier, assez grand pour qu'elle pût y avoir son atelier et qu'elle ferait construire à son idée, sur des plans qu'elle aurait élaborés elle-même.

C'était là une grosse dépense, et à la Comédie-Française, ses appointements de pensionnaire n'étaient encore que de quinze mille francs par an. Heureusement, à la suite de son succès triomphal dans *Phèdre,* ses camarades et l'Administrateur, quelques jours plus tard, avaient le geste qui s'imposait, et, le 30 janvier 1875, nommaient Sarah sociétaire, en même temps que son camarade Laroche.

Dès lors, voyant son avenir, financièrement, plus assuré et d'autre part, ayant hérité, d'une de ses tantes de Hollande, une centaine de mille francs, elle acheta un beau terrain d'angle, situé au coin de l'avenue de Villiers et de la rue Fortuny et les travaux de construction de son hôtel commencèrent aussitôt. Elle s'y installa l'année suivante et ce fut, à Paris, son avant-dernier domicile.

Vingt-deux ans plus tard seulement, elle quittait l'avenue de Villiers, pour prendre un hôtel plus vaste, 56, boulevard Péreire, où elle passa les vingt-cinq dernières années de sa vie et où elle mourut.

Bien que la décoration intérieure eût été exécutée entièrement par Clairin et quelques-uns de ses camarades, l'hôtel de l'Avenue de Villiers, terrain et construction, lui revint pourtant à plus de cinq cent mille francs. Pour l'époque, — en francs-or — c'était une très grosse somme, encore que le Crédit Foncier lui eût consenti un prêt. Et d'autre part, les entrepreneurs lui accordaient de longs délais pour les payer. Ils furent, néanmoins, insuffisants et Sarah mit des années à régler entièrement cette première folie, — qui devait être suivie de tant d'autres !... — et qui, à tout jamais, l'enferma dans la « vie à crédit », dont elle ne devait, pour ainsi dire, plus jamais s'évader.

Jusque-là, menant une existence raisonnable, dans un appartement exigu, ses revenus équilibraient à peu près ses dépenses.

Dès qu'elle fut installée avenue de Villiers et surtout à partir de
1881, après son retour d'Amérique, elle vécut sur un pied royal,
supportant un train de maison inouï, ayant huit ou dix domestiques,
deux voitures, plusieurs chevaux et donnant constamment des
réceptions fastueuses.

De ce fait, pendant plus de cinquante ans, jamais Sarah ne put
conserver les gains d'une pièce ou d'une tournée. Toujours et
quelqu'en fût le montant, les bénéfices d'une affaire qu'elle entreprenait, étaient, par avance, attribués à un règlement quelconque,
servaient à payer une ou plusieurs dettes urgentes.

C'est ainsi que, souvent, lorsqu'une ou deux pièces de suite
ne réussissaient pas, elle s'est trouvée dans des situations inextri-
cables et ses intimes se demandaient comment, accablée de soucis
d'argent, elle pouvait garder une entière maîtrise d'elle-même et
jouer, tous les soirs, le plus paisiblement du monde. On est pris
de vertige lorsqu'on pense aux sommes fabuleuses que Sarah
Bernhardt gagna, au cours de son existence, si l'on se rappelle,
en même temps, que jamais, à quelque époque que ce fût, elle ne
réussit à mettre cinquante mille francs de côté !...

*
* *

De 1875 à 1880, la popularité de Sarah allait constamment et
rapidement grandir. De plus en plus, son genre d'existence, ses
talents si divers, sa façon étrange de s'habiller, son mépris de la
mode, ses fantaisies un peu tapageuses et sa silhouette si particulière
défrayaient les conversations. A cette époque, en effet, Sarah
Bernhardt était d'une minceur extraordinaire. Ce n'est que vers
1884, à quarante ans qu'elle engraissa un peu, et que sa ligne,
toujours fine, devint pourtant normale. Durant ses années de
Théâtre-Français, sa sveltesse était légendaire. C'est Aurélien
Scholl qui écrivit un jour :
— Une voiture vide s'arrête. Sarah Bernhardt en descend !...

Mais son originalité, seule n'eût pas suffi à alimenter la
chronique et surtout, à emplir la salle du Théâtre-Français, lorsqu'elle était affichée. Ce qui, avant tout, consolida définitivement
sa renommée, c'est qu'à partir de *Phèdre*, Sarah, à la Comédie-
Française, ne connut plus que des succès, qui, d'année en année,
prenaient des proportions plus considérables.

Le 15 février 1875, elle créait, avec Mounet-Sully, Berthe, le
seul rôle féminin de *La fille de Roland,* un drame en vers d'Henri
de Bornier. La pièce, plus vengeresse que littéraire, était pourtant
bien faite et surtout, animée d'un grand souffle patriotique. Comme
le titre l'indique, l'action se passait sous le règne de Charlemagne,

qui apparaissait, dans la pièce incarné par Maubant. Pourtant le public, très chauvin, y vit de constantes allusions aux événements contemporains et à la revanche prochaine, que tout le monde souhaitait, de la défaite de 1871. Cela aida certainement beaucoup au succès de l'ouvrage, qui fut très vif.

Le rôle de Sarah Bernhardt contenait, entre autres, une scène très difficile à jouer : au 3e acte, debout à la fenêtre d'une salle du Château d'Aix-la-Chapelle, elle suit, de loin, avec angoisse, un duel qui a lieu dans la prairie voisine et qui met aux prises son fiancé Gérald et le Sarrazin Noethold. Le public ne voit rien de ce combat, dont il n'apprend les péripéties que par un récit, d'une vingtaine de vers, — obligatoirement coupé de longs silences — que fait Berthe à l'Empereur, qui est auprès d'elle.

Décrivant ce qu'elle voit, tour à tour elle tremble, s'émeut, reprend espoir, s'effondre et finalement, clame joyeusement la victoire de Gérald. Ce monologue, expliquant aux spectateurs une lutte, qu'ils doivent imaginer uniquement par ce que l'actrice leur en dit, risquait de provoquer quelque impatience dans la salle, peut-être même des sourires. Mais Sarah Bernhardt y sut mettre une telle intensité que la scène fut acclamée. Depuis, on a repris bien souvent la pièce et quelle que soit l'interprète du rôle de Berthe, la scène de la fenêtre passe généralement inaperçue.

Le 27 avril, Perrin commettait, à l'égard de Sarah Bernhardt, sa dernière erreur, en lui faisant reprendre, avec Coquelin aîné, *Gabrielle,* une pièce en vers d'Emile Augier, créée en 1849. Augier était alors l'un des grands auteurs de la Comédie-Française, à laquelle il avait apporté d'immenses succès, dont beaucoup furent durables. De nos jours encore, deux de ses pièces, *L'Aventurière,* qui date de 1848 et *Le Gendre de M. Poirier,* créée en 1854, font toujours salle comble, chaque fois qu'on les affiche.

Mais le théâtre d'Emile Augier comprend deux sortes de comédies : celles en prose, presque toutes réussies et celles en vers, toutes très inférieures, à la seule exception de *L'Aventurière.* Ceci provient d'abord de ce qu'Augier n'avait rien d'un poète et que ses vers sont les plus plats du monde, ensuite de ce qu'il traitait en alexandrins des sujets de comédie bourgeoise, mettant en scène de braves gens, types quotidiens, bien dessinés et parfois mêlés à une action intéressante, mais aussi peu faits pour s'exprimer en vers que ne seraient fondés à le faire, aujourd'hui, les personnages de *Topaze* ou du *Sexe Faible.*

De ce fait, il y a, dans le théâtre en vers d'Augier, une telle discohérence entre les choses familières dont s'entretiennent ses héros et le rythme noble sur lequel ils s'expriment, qu'à présent,

ces pièces nous apparaissent légèrement ridicules. Je crois que c'est
Tristan Bernard qui disait :

« J'ai une grande admiration pour Emile Augier, mais je ne
sais pas si elle résisterait à une première lecture. »

Voici douze vers du 1er acte de *Gabrielle* :

CAMILLE, (douze ans), entrant

Maman, la blanchisseuse est là.

GABRIELLE (Sarah Bernhardt)<br>Dis à la bonne

De recevoir le linge.

JULIEN (Coquelin aîné)<br>Eh! Reçois-le en personne,

Que diable! Daigne, au moins, gouverner ta maison.
Ce n'est pas exiger beaucoup de ta raison.

GABRIELLE, se levant

Bien, j'y vais.

JULIEN
A propos, notre tante Adrienne

Ne passe-t-elle pas ce jour à Louvecienne ?
Veille aux provisions, car l'oncle Tamponet
Malgré sa poésie, est gourmand et gourmet.
Fais-lui faire, tu sais ? ce machin au fromage...

GABRIELLE, agacée.

Ne vous mêlez donc pas des choses du ménage.

JULIEN

J'imite l'Empereur.

GABRIELLE
En quoi, mon pauvre ami ?

JULIEN

Je prends la faction du soldat endormi.

(Touchée par le reproche, Gabrielle baisse la tête et sort.)

Et toute la pièce est écrite dans ce style !... Aujourd'hui, cela
a presque l'air d'une parodie. En 1875, la vogue d'Augier étant
immense, on remarquait moins à quel point son souffle poétique
est contestable, et *Gabrielle* avait toujours fait de belles recettes.
Il était donc logique que Perrin eût voulu reprendre la pièce une fois
de plus, mais ce qui constituait une folie, c'était de faire jouer ce
rôle de bourgeoise par Sarah Bernhardt, créature essentiellement
lyrique, destinée avant tout aux princesses de tragédie ou aux
héroïnes de légendes. Elle fut détestable dans *Gabrielle* ; le contraire eut été surprenant.

Elle prenait sa revanche en « s'installant » dans le rôle de
*Phèdre,* qu'elle joua une dizaine de fois au cours de l'année.

Le 19 septembre, après le 2ᵉ acte de la tragédie de Racine, elle perdait connaissance et ne pouvait pas terminer la pièce. Le « semainier » fit alors une annonce au public pour indiquer qu'en remplacement des trois derniers actes de *Phèdre,* on allait donner *Le Dépit amoureux,* 2 actes de Molière, avec Got, le doyen de la Comédie-Française et l'illustre « jeune premier » de la Maison, Delaunay.

Mais la plupart des spectateurs n'acceptèrent pas la substitution. Ils étaient venus pour voir Sarah Bernhardt. Et, malgré la notoriété des deux grands artistes qui, au pied levé, sauvaient la soirée, la moitié de la salle se leva et sortit.

Le 22 octobre 1875, le maréchal de Mac-Mahon, Président de la République Française, accompagné de la Maréchale, assistait à la 75ᵉ représentation de *La Fille de Roland.* Plus que jamais, les tirades enflammées de Bornier étaient couvertes d'applaudissements.

Sur le mot de Charlemagne : « La France a besoin d'un bras !... » toute la salle se tourna vers l'avant-scène présidentielle et acclama le chef de l'Etat. A la fin du spectacle, lorsqu'il se leva, une nouvelle ovation salua le grand soldat qui jeta, sur la scène, une gerbe de fleurs à Sarah Bernhardt. Quelques cris s'élevèrent du parterre : « Vive Sarah !... » S'inclinant vers Mac-Mahon, Sarah, ses fleurs dans les bras, répondit : « Vive la France !... »

Un quart d'heure plus tard, à la sortie des artistes du Théâtre-Français, trois cents spectateurs l'attendaient pour l'acclamer encore : c'est que ce soir, officiellement, le Maréchal, adoré des Parisiens, était venu, à son tour, reconnaître le génie naissant de la grande actrice.

Le 14 février 1876, au milieu d'une distribution éblouissante, qui réunissait Got, Coquelin, Thiron, Mounet-Sully, Febvre et Madeleine Brohan, les deux jeunes « étoiles » de la Comédie-Française, Sarah Bernhardt et Sophie Croizette créaient les deux principaux rôles de *L'Etrangère,* une pièce nouvelle, très attendue, d'Alexandre Dumas fils, qui allait être un triomphe.

Deux ans après *Le Sphinx,* Perrin, habilement, réunissait à nouveau les deux rivales et comme dans la pièce de Feuillet, c'est Croizette qui jouait le rôle le plus important, la Duchesse de Septmonts. Mais bien que moins long, le personnage de Mrs. Clarkson, que jouait Sarah, était néanmoins digne d'elle, et avec Coquelin et Febvre, c'est elle qui remporta le gros succès de la soirée. Lorsqu'elle joua la pièce en Amérique, Sarah, dans *L'Etrangère,* conserva le rôle qu'elle avait créé.

Le 1ᵉʳ avril, on affichait la « représentation de retraite » de Mme Nathalie, la plantureuse sociétaire que, treize ans plus tôt,

Sarah avait giflée dans les circonstances qu'on se rappelle et qui
avaient provoqué son premier départ du Théâtre-Français.
Lorsqu'un sociétaire donne sa représentation de retraite, la
salle lui est offerte gracieusement, toute la recette est pour lui, et il
compose entièrement à sa guise le spectacle, au cours duquel
peuvent paraître, non seulement des artistes de la Maison, mais
aussi des chanteurs, des artistes du boulevard, voire de music-hall,
ou même de cirque. Evidemment, le bénéficiaire tâche toujours de
réunir, sur son affiche, les vedettes les plus illustres, afin de
réaliser la plus grosse recette possible.
Parmi ses camarades du Théâtre-Français, la première que
demanda Nathalie fut Sarah Bernhardt !... Depuis longtemps, elle
lui avait pardonné, et puis elle savait combien son nom avait déjà
d'importance, au bureau de location. En cette occasion, Sarah joua
*La Nuit de Mai* d'Alfred de Musset, avec Mounet-Sully.

*
*   *

Au début de mai 1876, Julie Van Hard mourait, rue Saint-
Honoré, après dix jours d'atroces souffrances. Sarah l'avait veillée
toutes les nuits. Le 24 mai, ses forces la trahissaient, elle devait
s'aliter et abandonner pour quelques semaines son rôle de
*L'Etrangère* à sa camarade et amie Marie Lloyd. Peu important
en soi, cet incident montra combien, à cette époque, était déjà
grande la vogue de Sarah Bernhardt.
Pendant une semaine, ce fut un véritable défilé de notabilités à
l'hôtel de l'avenue de Villiers, où elle venait de s'installer quelques
jours plus tôt. Un registre, déposé dans l'antichambre, et auprès
duquel se tenait son intendant, se couvrit de centaines de signatures
connues : paroles de condoléances pour la mort de sa mère, mais,
surtout vœux de rétablissement. Chaque jour, les journaux publiaient un « Bulletin de santé de Sarah Bernhardt », de longs
articles sur ses projets, ses rôles futurs, déploraient le long congé
de convalescence qu'elle allait devoir prendre...
Cependant que les critiques d'art, rendant compte du Salon de
1876, s'attardaient, plus longuement qu'à toutes autres œuvres, sur
deux grands portraits de Sarah Bernhardt, exposés concurremment, l'un par Louise Abbéma, l'autre par Georges Clairin. Ayant
hâtivement décrit et apprécié les tableaux, ils parlaient surtout du
modèle, car ils savaient que leurs lecteurs dévoraient tout ce qui
pouvait la concerner. C'était la grande popularité, et Sarah Bernhardt n'avait pas encore trente-deux ans !...
Le 27 septembre, elle créait, avec Mounet-Sully, *Rome vaincue,*
un drame en vers d'Alexandre Parodi. Dans cette pièce, Perrin lui

avait d'abord distribué le personnage de la jeune vestale Opimia, mais elle avait maintenant conquis assez d'autorité dans la Maison pour exprimer son avis. Elle refusa donc le rôle et réclama celui de la vieille romaine Posthumia, septuagénaire et aveugle, qui lui semblait beaucoup plus à effet. D'abord interloqué, Perrin céda à son désir. Prudemment, il ne discutait plus !... Et Sarah fit, de ce personnage, une création absolument sensationnelle.

Vingt ans plus tard, en 1896, à la Renaissance, lorsqu'eut lieu, en son honneur, cette grandiose manifestation qui s'appela « La Journée Sarah Bernhardt », parmi tout son immense répertoire, elle avait choisi, pour paraître en scène à cette occasion, uniquement le 2e acte de *Phèdre* et le 4e acte de *Rome vaincue*.

L'année 1877, durant laquelle elle joua ses rôles habituels, ne fut marquée, pour Sarah, que par une seule grande première, mais qui dépassa, en éclat, toutes celles qui l'avaient précédée. Elle eut lieu le 19 novembre. Ce soir-là, elle joua, pour la première fois, *Hernani* de Victor Hugo.

Le mot de « première » est impropre, car depuis la création de la p'èce, en 1830, c'était à vrai dire sa quatrième reprise. On l'avait jouée à nouveau en 1838, avec Firmin et Marie Dorval ; en 1841, avec Beauvallet et Emilie Guyon ; puis, après la longue interdiction dont Napoléon III avait frappé les œuvres de Victor Hugo, avait eu lieu la reprise de 1867.

Celle de 1877 réunissait une distribution entièrement nouvelle, avec Mounet-Sully dans Hernani, Worms dans Don Carlos, Maubant dans Ruy Gomez et Sarah Bernhardt dans Dona Sol. A la réflexion, on peut dire en effet qu'avec une semblable interprétation, cette reprise était une véritable première.

En 1872, *Ruy Blas* à l'Odéon, avait été un triomphe. Sarah Bernhardt affirmait qu'il fut modeste en comparaison de celui d'*Hernani* au Théâtre-Français, en 1877.

Ayant définitivement renoncé aux originalités qu'on lui avait si longtemps reprochées, Mounet, qui avait alors 36 ans, était dans tout l'éclat de sa puissance et déjà son génie se révélait par instants. Les vieux abonnés ravis proclamaient que c'était le meilleur de tous les interprètes du rôle, qu'il joua, d'ailleurs à la Comédie-Française, pendant trente-cinq ans. Je l'ai vu dans *Hernani* en 1910, et toujours, j'en garderai le souvenir.

Le lendemain, Sarah Bernhardt recevait cette lettre :

Madame,

Vous avez été grande et charmante. Vous m'avez ému, moi le vieux combattant et, à un certain moment, pendant que le public attendri et enchanté vous applaudissait, j'ai pleuré. Cette larme, que vous avez fait couler, est à vous. Permettez-moi de vous l'offrir.

VICTOR HUGO.

A la lettre était joint un écrin, contenant une petite chaîne d'or à laquelle pendait un diamant en forme de goutte. Jusqu'à sa mort, Sarah Bernhardt a gardé ce bijou. Quarante-cinq ans plus tard, en 1922, au 3e acte de *Régine Armand,* elle portait encore, à son cou, la larme de Victor Hugo!...

La reprise d'*Hernani* fournit cent seize représentations entre le 19 novembre 1877 et le 31 décembre 1878. Pour l'époque, c'était énorme.

Le 27 février 1878, Bressant donnait sa représentation de retraite. Et, comme l'avait fait Nathalie, il demandait le concours de Mounet-Sully et de Sarah Bernhardt, qui faisaient alors courir Paris. Ils jouèrent un acte d'*Othello* de Shakespeare, dans une adaptation nouvelle de Jean Aicard, que celui-ci venait d'apporter à la Comédie-Française pour « le couple », et qui devait être montée intégralement la saison suivante.

Elle y fut jouée, en effet, mais seulement en 1899. Pendant vingt ans, Mounet-Sully, ne voyant, à la Comédie-Française qu'avait quittée Sarah Bernhardt, aucune artiste digne de lui succéder dans Desdémone refusa de jouer la pièce. De guerre lasse, il finit par accepter Lara, qui y fut médiocre. Et l'*Othello* d'Aicard n'eut pas grand succès.

Si, avec une régularité remarquable, Emile Perrin s'appliquait à afficher le plus souvent possible « le couple », recherchant les pièces qui pouvaient réunir les deux artistes, en fait, leur liaison avait, depuis longtemps et très amicalement, pris fin.

Cela n'avait rien de surprenant. A ce moment, Sarah était surtout passionnée de sculpture, et aussi de peinture. Pendant les représentations d'*Hernani,* elle fit, entre autres, un grand tableau, de deux mètres de haut, *La jeune fille et la Mort,* qu'elle exposa au Salon de 1879. Il était normal qu'un comédien l'intéressât moins et que, parmi tant d'amoureux empressés à lui plaire, ce fût un peintre qu'elle eût choisi.

Et ç'avait été Georges Clairin, dont l'heure sonna en 1877 et qui, pendant un an ou deux, succéda à Mounet-Sully dans l'intimité de Sarah Bernhardt.

A peine d'un an plus âgé qu'elle, grand, robuste, énergique, du moins d'aspect, la barbe en pointe bien taillée, portraitiste à succès et déjà médaillé du Salon, Clairin l'avait touchée par sa dévotion totale, son admiration sans bornes, sa docilité à tous ses caprices, et aussi ses conseils éclairés en peinture. Mais toutes ces qualités étaient plutôt celles d'un ami que d'un amant. Aussi leur liaison ne fut-elle ni passionnée ni durable. Dès avant son départ pour l'Amérique, Sarah, insensiblement, de son « Georges chéri », avait fait « ce bon Geogeotte », le nom qui lui resta jusqu'à sa mort et

sous lequel, lorsqu'il fut devenu l'ami de la maison, toute la famille
de Sarah Bernhardt l'a toujours désigné.

Le 2 avril 1878, Sarah jouait pour la première fois Alcmène
dans *Amphytrion* de Molière, et Perrin, homme de tradition, ne
manquait pas de faire jouer Jupiter à Mounet-Sully. Mais cette fois,
le rôle n'était pas du tout de son emploi, car Mounet n'eut jamais
ni légèreté, ni ironie, ni comique, et il n'y fut pas bon. Mais cela
était sans importance. Sarah et Mounet sur l'affiche, cela suffisait
pour faire recette. Et elle fut adorable dans Alcmène, y montrant
un esprit, une grâce tout à la fois noble, alanguie, et souriante, où
se révélait une nouvelle face de son talent.

*
* *

Trois mois plus tard, un incident qui fit beaucoup de bruit à
l'époque, donnait à sa liaison avec Georges Clairin une publicité
inattendue. Ce fut la fugue en ballon de Sarah Bernhardt.

Parmi tant d'autres attractions, l'Exposition Universelle de
1878 comptait surtout le ballon captif de l'aéronaute Pierre Giffard,
qui était installé dans le jardin des Tuileries, face au musée du
Louvre. Moyennant une somme modique, les visiteurs de la foire
internationale pouvaient, à raison de quatre ou cinq personnes par
voyage, s'élever dans les airs durant une demi-heure, et étaient
ensuite ramenés au sol par la corde qui reliait l'aéronef à la terre
ferme. C'était à ce moment, une étonnante innovation, une attraction sensationnelle.

Passionnée de tout ce qui était inédit et original, Sarah
Bernhardt avait fait plusieurs ascensions de ce genre, mais son rêve
était de monter en ballon libre. A des conditions raisonnables, que
lui valait sa célébrité, elle obtint de Pierre Giffard qu'il équipât un
ballon pour elle et mît un pilote à sa disposition.

Et, par un beau samedi de juillet, sans l'ombre de vent, vers
six heures du soir, elle se lança, seule avec Clairin, dans cette
équipée, bien hardie pour l'époque. Ils comptaient faire « un petit
tour » de deux ou trois heures et redescendre, vers la tombée de la
nuit, après avoir, de deux mille mètres de hauteur, contemplé la
capitale illuminée.

Aujourd'hui, au siècle des avions, tout ceci a l'air d'une
puérile amusette, mais qu'on veuille bien se représenter que cette
anecdote se place en 1878, après l'invention, mais bien avant l'uti-
lisation régulière des premiers dirigeables, et alors que le ballon
sphérique n'était lui aussi, nullement un moyen de transport, mais
un appareil d'expériences jalousement réservé aux seuls professionnels.

Et voilà que, vers huit heures, le vent se leva soudain, et le ballon fut emporté, à une grande vitesse, vers le sud-ouest. Jusqu'où les voyageurs allaient-ils être entraînés ? Il était impossible de le prévoir. D'autre part, des nuages s'amoncelaient et le thermomètre, dans la nacelle, insensiblement descendu, marquait maintenant dix degrés au-dessous de zéro. Sarah Bernhardt grelottait et puis, inaccoutumée à une telle altitude, ses oreilles bourdonnaient, le sang coulait de son nez... Bref, très mal à l'aise, elle demanda à redescendre. Le pilote ouvrit la soupape, mais en raison du vent, la descente était devenue beaucoup plus délicate et devait surtout être exécutée très lentement. Ce n'est qu'autour de minuit qu'ils purent atterrir au milieu d'un champ, près d'un village appelé Emerainville, en Seine-et-Oise, à une cinquantaine de kilomètres de Paris. Il fallut coucher là, dans la salle d'attente de la gare, le seul lieu où Sarah et Clairin purent trouver asile, tout le village étant endormi depuis longtemps.

Le lendemain, en matinée, à une heure et demie, à la Comédie-Française, Sarah jouait *Zaïre,* qu'on venait de reprendre pour le centième anniversaire de la mort de Voltaire. Les trains étaient, à l'époque, moins fréquents et moins rapides. Elle n'arriva au théâtre que vers une heure, morte de fatigue et assez mal en point. Il lui fallut demander qu'on retardât un peu l'heure du lever du rideau, sans avoir d'ailleurs, à fournir d'explications : tous les journaux du matin avaient déjà relaté sa fugue, et qu'elle avait passé la nuit dans les airs avec Clairin !...

Autoritaire et choqué, Emile Perrin, le soir même, infligeait à Sarah Bernhardt une amende de mille francs, pour avoir voyagé sans l'autorisation du Théâtre-Français. L'interdiction de quitter Paris sans permission spéciale était, en effet, une clause des contrats que signaient les artistes de la Comédie.

Une controverse s'éleva : « Quitter Paris ?... » S'il n'y avait pas eu de vent, Sarah serait redescendue à l'endroit exact d'où elle s'était envolée. Pouvait-on la rendre responsable des caprices des éléments ? La presse s'empara du cas et le discuta longuement. Sur l'intervention du Ministre des Beaux-Arts, Edmond Turquet, l'amende fut levée, mais, une fois de plus, les journaux n'étaient pleins que de Sarah Bernhardt.

J'ai retrouvé un long article du chroniqueur Albert Millaud, paru dans *Le Figaro* au début d'août 1878, et dont je crois devoir citer quelques fragments, car il constitue un exemple assez typique de ce qu'on écrivait à l'époque, de ce qu'était le ton de la presse à l'égard de Sarah.

« Il n'est bruit, dans Paris et dans tous les cercles à la mode, que des faits et gestes de Mlle Sarah Bernhardt. La question de la

Bosnie, elle-même, se trouve reléguée au second plan. Les principaux rédacteurs des journaux parisiens oublient tout pour ne s'occuper que de Mlle Sarah Bernhardt, et de sa récente ascension dans le ballon de M. Giffard. C'est que Mlle Sarah Bernhardt n'est pas une femme ordinaire. Elle tient de la déesse, elle a quelque chose d'aérien, d'idéal dans la forme. Sa maigreur n'est que le résultat du dégagement de la matière. Elle est aussi peu corporelle que possible, elle est tout rêve, toute vapeur, tout esprit. A ce titre, elle aspire au nuage, au bleu, à l'azur. N'ayant pas d'ailes pour se transporter, elle s'adresse à M. Giffard et ce n'est, dit-on, qu'au-dessus des tours de Notre-Dame qu'elle commence à respirer.

« Je crois, pour moi, que Mlle Sarah Bernhardt est entourée d'amis maladroits qui, par leur réclame incessante, et les histoires qu'ils colportent, finissent par faire du tort à leur artiste préférée. Personne, plus que moi, n'apprécie le talent, la grâce, le charme de la jeune comédienne. Partout, on vante son esprit, son instruction, ses nobles aspirations artistiques. Pourquoi quelques courtisans s'en viennent-ils gâter tout cela, en lui faisant une réputation de bizarrerie et d'excentricité, à laquelle je veux espérer qu'elle ne tient pas le moins du monde ? On raconte qu'elle couche dans un cercueil, qu'elle dissèque des chiens et des chats, qu'elle s'habille en croque-mort, qu'elle fait, à la fois, des tableaux et des statues, qu'elle se teint en blonde parce qu'elle a les joues trop fraîches pour demeurer brune... De pareilles niaiseries ne peuvent que faire du tort à Mlle Sarah Bernhardt. Cela l'encourage à continuer le système de ses extravagances puériles. Un jour viendra où, pour continuer à alimenter les cancans des journaux, elle se mettra à ramoner elle-même ses cheminées, ou à faire sa propre cuisine. Et alors, ses amis s'écrieront avec admiration : « Ce n'est rien de la voir dans *Phèdre*. Il faut l'admirer quand elle épluche des oignons : c'est là qu'elle fait pleurer !... Et qu'elle est sublime, quand elle sort de sa cheminée, couverte de suie, en déclamant, de sa voix argentine : « Et là aussi, je passe !... ».

« On finira par faire ressembler Mlle Sarah Bernhardt à l'Arlequin de la Comédie italienne, sur lequel on avait fait un si grand nombre de pièces. Nous aurons *Sarah Bernhardt en ballon, Sarah Bernhardt fermière, Sarah Bernhardt sculpteur, Sarah Bernhardt Dupuytren, Sarah Bernhardt et ses onze pères, Sarah Bernhardt fumiste, etc...* Toutes ces Sarah Bernhardt ne valent pas celle que j'ai applaudie dans *La Fille de Roland* et acclamée dans *Hernani*. Et, pour moi, je préfère m'en tenir à celle-là. »

Sarah n'avait pas beaucoup aimé cet article. Elle en dédaignait des centaines, haussant les épaules. En raison de la personnalité d'Albert Millaud, elle répondit par une lettre, que publia *Le Figaro* et dont j'extrais ces quelques lignes.

« Votre bienveillance pour l'artiste m'engage à défendre la femme. Ce ne sont pas des amis maladroits, mais des ennemis adroits qui me lancent ainsi à la tête du public. Et je suis exaspérée de ne pouvoir rien faire sans qu'on m'accuse de bizarrerie. Je trouvais un grand plaisir à monter en ballon. Je n'ose plus le faire. Je vous assure que je n'ai jamais écorché de chiens, ni brûlé de chats. Et je regrette de ne pouvoir prouver que je suis naturellement blonde. Ma maigreur est excentrique, dit-on. Qu'y puis-je faire ? Je préférerais de beaucoup être délicieusement « à point ». Mes maladies sont tapageuses ? Le mal vient sans crier gare et me jette, inanimée, là où je me trouve. On ne saurait me demander, avant de me sentir incommodée, de faire d'abord sortir ceux qui peuvent se trouver là. On me reproche de vouloir tout faire en dehors du théâtre : sculpture, peinture, piano... Et qui cela gêne-t-il, si mon service au Théâtre-Français ne s'en est jamais ressenti ?... »

*
* *

Après une reprise du *Sphinx*, qui eut lieu le 28 octobre 1878, Sarah jouait pour la première fois, le 7 février 1879, le rôle de Monime dans *Mithridate* de Racine, avec Maubant dans Mithridate et Mounet-Sully dans Xipharès.

Puis, le 4 avril de la même année, après sa création à la Renaissance, en 1838, ses reprises à la Porte-Saint-Martin et à l'Odéon, c'était l'entrée au répertoire de la Comédie-Française de *Ruy Blas,* où elle reprenait le rôle de la Reine Maria de Neubourg, avec Mounet-Sully dans Ruy Blas, Coquelin aîné dans Don César de Bazan et Frédéric Febvre dans Don Salluste.

La pièce retrouva le même éclatant succès qu'à l'Odéon, plus grand peut-être encore, car la distribution masculine était bien meilleure. Si Febvre était loin d'égaler Geffroy, l'admirable Don Salluste de 1872, par contre Coquelin aîné était un étourdissant Don César, supérieur à Mélingue, dont l'autorité était immense, mais dont le comique datait un peu, et surtout, Mounet-Sully, merveilleusement romantique, dépassait de dix coudées son prédécesseur Lafontaine.

En outre, Coquelin cadet, qui avait quitté le Théâtre-Français sur un coup de tête, au début de 1875, et qui y était revenu repentant, en décembre 1876, après une regrettable fugue au Théâtre des Variétés, déployait, dans le petit rôle du laquais du 4e acte, une verve étourdissante qui, en cinq minutes de scène, lui valut un extraordinaire succès personnel.

Cette reprise, dont les représentations devaient se poursuivre pendant un an, acheva de faire de Sarah Bernhardt, la grande favorite du public de la Comédie-Française.

Bien que la compagnie de la Maison de Molière fût alors exceptionnellement brillante et comptât une bonne vingtaine d'artistes de tout premier plan, indiscutablement, Sarah les surpassait tous par la personnalité, la réputation et d'abord, par le talent.

Et ce qu'il y a de plus miraculeux, c'est que, très discutée et encore médiocre au moment de sa rentrée à la Comédie-Française, elle avait conquis de haute lutte cette situation absolument prépondérante, presqu'uniquement grâce au répertoire, c'est-à-dire par son interprétation de rôles déjà joués, avant elle, par nombre d'autres comédiennes, dont quelques-unes souvent très remarquables.

En effet, en huit ans de Théâtre-Français, Sarah Bernhardt, — si l'on néglige trois pièces en un acte — ne créa, en tout et pour tout, que quatre pièces nouvelles : *Le Sphinx, La Fille de Roland, L'Etrangère*, et *Rome vaincue.*

D'octobre 1876 à avril 1880, elle ne fit aucune création. Durant ces trois ans et demi, sa réputation ne s'est maintenue que par ses représentations d'*Hernani* (reprise,) de *Ruy Blas* (reprise) et par ses rôles classiques, et, avant tout, *Phèdre* et *Andromaque.*

*<br>* *

D'importants travaux devant être effectués dans la salle et sur la scène, il avait été annoncé que pendant les mois de juin et juillet 1879, le Théâtre-Français, exceptionnellement, fermerait ses portes. Les mots « clôture annuelle » sont inconnus à la Comédie-Française, qui joue 365 jours par an.

Aussitôt, des offres avaient été faites à l'Administrateur général par Hollingshead et Mayer, directeurs du Gaiety Theatre de Londres et un contrat avait été signé, aux termes duquel la troupe du Théâtre-Français, au complet, irait donner à Londres, du 2 juin au 12 juillet, une série de 42 représentations des principales pièces de son répertoire.

C'est alors que se produisit un incident tout à fait significatif. Emile Perrin avait passé de longs jours à établir, avec un soin méticuleux, le programme de la saison de Londres, s'appliquant à mettre chaque artiste en valeur, suivant son rang et ses mérites, à faire paraître tous les principaux sociétaires à peu près autant les uns que les autres et dans leurs meilleurs rôles. Ceci fait, il avait envoyé aux directeurs anglais la liste des pièces choisies, avec leurs distributions.

Le programme de la soirée d'ouverture comprenait *Le Misan-thrope* et *Les Précieuses Ridicules*. Sarah Bernhardt ne jouait dans aucune de ces deux pièces. Par retour du courrier, l'Administrateur général recevait de Hollingshead et Mayer, une lettre le priant de changer ce premier spectacle : une bonne moitié de la location s'était faite sur le seul nom de Sarah Bernhardt. Il fallait absolument qu'elle parût le premier soir.

Perrin se trouva fort embarrassé. Dans l'intervalle, le programme de Londres avait été communiqué aux sociétaires. Changer le spectacle d'ouverture, c'était en rayer un ou plusieurs d'entre eux, auxquels on avait déjà indiqué qu'ils en feraient partie. D'où protestations certaines, cris, discussions et, peut-être, quelques refus de la dernière heure de partir pour l'Angleterre. A quelques jours des débuts à Londres, il fallait à tout prix éviter le moindre éclat.

Alors, après de longues réflexions et un volumineux échange de télégrammes avec les directeurs anglais, on prit le parti de maintenir le programme de la première soirée, tel qu'il avait été établi, mais en intercalant, pour Sarah, le second acte de *Phèdre* entre les deux pièces de Molière. Ce qui fut fait.

Ceci constituait une véritable révolution dans les usages du Théâtre-Français. Représenter un seul acte d'une tragédie en cinq actes, uniquement pour y faire paraître une artiste, c'était attirer l'attention sur elle au détriment de tous les autres, c'était en faire une vedette, alors que depuis trois cents ans, jamais il n'y eut de vedettes à la Comédie-Française.

Sur l'affiche, les noms des artistes sont immuablement imprimés en une colonne, les uns au-dessous des autres, en mêmes caractères minuscules et par ordre d'ancienneté dans la Maison. C'est-à-dire qu'il peut parfaitement arriver que le comédien placé le premier, joue un rôle insignifiant et que l'interprète du rôle principal soit le dernier.

Or, par rang d'ancienneté, Sarah Bernhardt était, en 1879, la dixième sociétaire femme. On faisait là, pour elle, une exception dont, dans toute l'histoire de la Maison de Molière, on ne trouverait probablement pas d'autre exemple. Mais, s'ils tenaient à leurs prérogatives, ses camarades tenaient aussi à la réussite de leur expédition à Londres et, sachant l'importance capitale que le public anglais attachait à la présence de Sarah parmi eux, aucun ne protesta.

Et le 2 juin 1879, pour l'inauguration des spectacles officiels de la Comédie-Française au Gaiety Theatre, Sarah qui faisait partie de la troupe, joua, en somme, « en représentations » !

L'ensemble des spectacles produits eut un gros succès. Au lendemain de la dernière soirée le *Times* se livra à un referendum et demanda à ceux de ses lecteurs qui avaient suivi les représentations de la Comédie-Française, de lui adresser une sorte de palmarès, c'est-à-dire une liste des principaux artistes établie dans l'ordre de leurs préférences.

En additionnant les voix obtenues par chaque comédien et en lui donnant, d'après les totaux, une note sur vingt, le résultat publié fut le suivant : Sarah Bernhardt : 19. — Got : 14. — Coquelin aîné : 14. — Sophie Croizette : 12. — Emilie Broisat : 10. — Febvre : 10. — Delaunay : 10. — Worms : 10. — Coquelin cadet : 9. — Jeanne Samary : 8. — Thiron : 8. — Mounet-Sully : 8. — Maria Favart : 7. — Madeleine Brohan : 6. — Blanche Baretta : 6.

C'était la première fois que jouait, hors de France, Sarah Bernhardt qui, à dater de l'année suivante, allait désormais, sa vie durant, partager son activité artistique entre Paris et l'étranger.

Durant les six semaines qu'elle passa à Londres, elle fit la connaissance d'un homme qui devait avoir, par la suite, sur l'orientation de sa carrière, une influence décisive et qui lui fit alors sa première visite. C'était l'impresario américain Edward Jarrett.

Il faisait, par hasard, un séjour en Angleterre pendant que la Comédie-Française y donnait ses spectacles, et se rendit vite compte que Sarah, à elle seule, valait, comme « attraction », tous les autres sociétaires réunis. Il alla donc trouver la triomphatrice d'*Hernani* et de *Phèdre* et lui dit :

— Voulez-vous gagner une fortune ?

— Certainement, répondit Sarah, de quelle manière ?

— En partant pour l'Amérique.

Elle resta d'abord interloquée :

— Pourquoi faire ?...

— Pour y donner des représentations, évidemment. Je vous propose de faire une grande tournée aux Etats-Unis et au Canada. Vos dates seront les miennes.

— Mais je ne parle pas un mot d'anglais.

— Je vous servirai d'interprète.

— Ce n'est pas ce que je veux dire, sourit Sarah. Je suppose qu'il faut jouer en anglais, là-bas ?

— Pas vous. Vous avez une telle personnalité et puis, j'ai de quoi faire, sur vous, une telle réclame !... Vous jouerez dans votre langue. Presque personne ne vous comprendra et je vous garantis tout de même un triomphe.

Sarah resta pensive : son succès à Londre lui avait, tout à coup, donné le goût des représentations à l'étranger.

— Combien de temps durerait cette tournée? questionna-t-elle.

— Six mois, au moins.

— Jamais le Théâtre-Français ne m'accordera le congé nécessaire.

— Sait-on jamais?... Et puis, quand on a votre situation, Mademoiselle, on ne demande pas, on exige. Voici mes trois adresses, à New-York, à Londres et à Paris, où je viens quelquefois. Le jour où vous serez décidée, appelez-moi.

Et, l'ayant saluée, Jarrett, qui était un grand gentleman à barbe blanche, froid, infiniment correct et qui ne souriait jamais, se retira, laissant Sarah perplexe.

On lui avait souvent raconté qu'en 1855, Rachel avait fait, aux Etats-Unis, une tournée restée fameuse : d'énormes recettes, des bénéfices fabuleux, mais aucun succès. Les Américains n'avaient pas compris l'art noble, mais sévère, de l'illustre tragédienne. Et cet échec qui lui avait été très sensible, avait certainement contribué à abréger sa vie.

D'autre part, Sarah constatait que, devant le public anglais, elle remportait un succès au moins aussi grand qu'à Paris. Mais en serait-il de même en Amérique? La proposition, en tout cas, valait d'être étudiée. Les mois qui suivirent, elle devait y penser bien souvent...

En partant pour l'Angleterre, Sarah, qui avait toujours besoin d'argent, s'était dit que, peut-être, elle pourrait profiter de sa vogue à Londres pour vendre, là-bas, quelques-unes de ses œuvres. Et, dans ses bagages, elle avait emporté une dizaine de tableaux dont elle était l'auteur, et autant de bustes ou de statues. Elle en fit une exposition dans une salle de Piccadilly et, pour le « vernissage », envoya cinq cents invitations. La haute société de Londres s'y pressa en foule. Parmi les visiteurs, on remarquait le Prince de Galles — le futur roi Edouard VII — et le premier ministre Gladstone qui, l'un et l'autre, étaient assidus aux soirées du Gaiety. Et Sarah vendit presque toutes ses œuvres, notamment une reproduction en bronze de son groupe *Après la Tempête,* qui lui fût payée dix mille francs.

Rentrée à Paris, la Comédie-Française rouvrit ses portes le 2 août.

Quelques jours avant qu'elle quittât l'Angleterre, on avait signalé à Sarah, à Liverpool, une ménagerie fameuse, tenue par un nommé Cross, et où l'on pouvait acheter tous les animaux de la création. Elle s'y était rendue, un jour où elle ne jouait pas et se rembarqua, à Douvres, avec un léopard, un singe et sept caméléons. Plusieurs de ses camarades poussèrent des cris de terreur à l'apparition du léopard sur la passerelle du bateau. Le retour en

France de cette ménagerie et son installation dans l'hôtel de l'avenue de Villiers, où l'attendaient déjà trois chiens, deux tortues et un perroquet, ne contribuèrent pas à diminuer la réputation d'excentricité de leur propriétaire.

*
* *

Les derniers mois de l'année 1879, et les premières semaines de 1880 virent se poursuivre l'immense succès de *Ruy Blas*. Et le 25 février 1880, on fêtait avec éclat le cinquantenaire d'*Hernani*, dont la création à la Comédie-Française avait eu lieu le 25 février 1830. Toujours vaillant, malgré ses 78 ans, Victor Hugo venait assister à la représentation anniversaire qui consacrait le triomphe persistant de son œuvre et après le spectacle, sur la scène, devant toute la compagnie, venue pour offrir ses respects au Maître, il embrassait affectueusement sa merveilleuse Dona Sol. Ce fut la dernière grande soirée de Sarah Bernhardt au Théâtre-Français.

En mars, Perrin lui avait proposé de reprendre l'*Aventurière* d'Emile Augier et elle y avait consenti, Coquelin aîné jouant Annibal, Frédéric Febvre, Fabrice, et Martel, Monte-Prade. La première représentation de cette reprise était affichée pour le 17 avril. Ayant été quelques jours souffrante, Sarah Bernhardt n'avait pas pu prendre part à toutes les répétitions et la veille, ne se sentant pas prête, elle avait supplié Perrin de remettre la pièce. Mais la location était forte, la reprise très attendue... Il n'y consentit pas.

Sarah parut donc à la date convenue, dans Dona Clorinde de *L'Aventurière* et, elle l'a reconnu souvent elle-même, y fut mauvaise. En termes plus ou moins courtois, toute la presse, le lendemain, constatait son échec et le critique du *Figaro*, Auguste Vitu, terminait son article par ces mots :

« ...Enfin la nouvelle Clorinde a eu, surtout pendant les deux derniers actes, des mouvements canailles du corps et des bras, qui nous ont abasourdis. Nous avions le sentiment de voir non plus *L'Aventurière* d'Augier, mais la grande Virginie de *L'Assommoir*, de M. Zola, qui se serait, par surprise, introduite sur les nobles tréteaux de la Comédie-Française. »

Cet article mit Sarah dans une violente colère. En effet, le seul défaut qu'en conscience, nul n'a jamais pu lui reprocher, est la vulgarité. Elle vit, dans cette levée de boucliers, une manœuvre de ses ennemis, une offensive concertée de tous ceux qui la jalousaient et qui profitaient d'un échec isolé pour l'accabler sous des articles, à la vérité beaucoup trop sévères. Sa susceptibilité n'accepta pas ces critiques. Et le 18 avril, à six heures du soir, elle

rompait avec la Comédie-Française, en faisant porter à Emile Perrin
une lettre qui se terminait par ces lignes :
« Vous m'avez forcée à jouer alors que je n'étais pas prête. Ce
que je prévoyais est arrivé. *L'Aventurière* est mon premier échec
à la Comédie-Française. Ce sera le dernier. Quand vous recevrez
cette lettre, j'aurai quitté Paris. Veuillez, Monsieur l'Administrateur, recevoir ma démission et agréer l'assurance de mes sentiments
distingués. »

Et pour éviter les interventions qui ne manqueraient pas de
se produire, pour mettre l'irréparable entre elle et la Maison de
Molière, elle envoya, avec prière d'insérer, une copie de sa lettre aux
journaux et partit pour Le Havre, à l'Hôtel Frascati, où elle arriva
voilée et où elle s'inscrivit sous un faux nom. Pendant quelques
jours au moins, elle voulait que personne ne pût la joindre, qu'on
ne sût même pas où elle se trouvait.

Sa résolution était donc irrévocable et pour quelques mauvais
articles, c'était peut-être pousser bien loin les choses que rompre
ainsi, du jour au lendemain, avec une Compagnie dont elle était
sociétaire, avec un théâtre où elle était assurée de faire, sa vie
durant, une carrière éblouissante et où, enfant gâtée du public,
elle occupait une place, non pas seulement privilégiée, mais
exceptionnelle. D'autre part, au moment de son élection au socié-
tariat, en 1875, elle avait signé un contrat de vingt ans et elle
ne pouvait le rompre sans s'exposer à un procès, que le Théâtre-
Français lui ferait sans aucun doute et qui, pour elle, était perdu
d'avance.

Mais il n'est pas interdit de supposer que, durant l'hiver 1879-
80, Sarah Bernhardt avait dû recevoir de fréquentes nouvelles de
Jarrett, peut-être même le revoir... que les propositions qu'il lui
avait faites à Londres s'étaient précisées par des chiffres et que,
dès lors, elle avait la certitude que les sommes qu'elle rapporterait
de sa tournée d'Amérique, lui permettraient, sans presque s'en
apercevoir, de payer à la Comédie-Française le dédit auquel elle
serait certainement condamnée.

Une autre considération l'avait, peu à peu, conduite à ce geste
décisif : au Théâtre-Français, quels que fussent ses succès, elle
resterait toujours l'une des sociétaires de la Maison, soumise aux
décisions de l'Administrateur général. Or, durant son séjour à
Londres, elle avait été, par la presse et par le public, véritablement
traitée en étoile. Elle s'était rendu compte qu'à elle seule, elle
pouvait faire recette et, plaçant son nom en tête de l'affiche, devenir
désormais l'unique vedette des pièces qu'elle interpréterait. Au
besoin, elle pouvait les monter elle-même, devenant ainsi sa propre
directrice. Et cette façon de concevoir son avenir théâtral convenait

certainement beaucoup mieux à son caractère entier, autoritaire et
aussi essentiellement entreprenant.

Une indication assez précise que sa démission du Théâtre-
Français avait été, sinon préméditée, du moins depuis longtemps
envisagée, se trouve dans le fait que, moins de quatre jours après
qu'elle fût annoncée dans les journaux, Sarah signa avec Jarrett
qui, par extraordinaire, se trouvait justement à Paris. Moyennant dix pour cent de toutes les sommes qu'elle toucherait, il lui
garantissait un contrat avec Henry Abbey, l'un des plus importants
managers de New-York.

Celui-ci, sur un câble de Jarrett, prenait aussitôt le bateau,
arrivait à Paris deux semaines plus tard et le contrat, qui engageait
Sarah Bernhardt pour sa première grande tournée aux Etats-Unis
et au Canada, était établi aux conditions suivantes :

Mille dollars (soit, à l'époque, cinq mille francs français)
par représentation, plus cinquante pour cent sur toute la partie de
la recette dépassant quatre mille dollars. C'est-à-dire qu'en cas
de recette de cinq mille dollars, par exemple, son cachet serait de
mille cinq cents dollars, soit sept mille cinq cents francs.

Elle touchait, en outre, deux cents dollars par semaine pour ses
frais d'hôtel. Pour tous ses voyages sur le continent américain, elle
aurait un wagon spécial, contenant un salon, une salle à manger,
une chambre pour elle, une chambre voisine pour Mme Guérard,
deux cabines, de deux lits chacune, pour son personnel et une
cuisine. Le traité lui garantissait cent représentations en quatre
mois, prolongeables d'un commun accord. En outre, Abbey prenait,
bien entendu, à sa charge tous les frais de la troupe, dont les
artistes seraient choisis par elle. Le répertoire devait comprendre
huit pièces.

Ce contrat entre Sarah Bernhardt et Henry Abbey fut signé
au début de mai. Cependant, la saison étant alors trop avancée,
il fut convenu que la tournée commencerait seulement au mois
d'octobre suivant.

Ces conditions mirifiques, absolument extraordinaires, pour
l'époque, permettaient maintenant à Sarah Bernhardt d'envisager
avec une parfaite sérénité la perte de son procès avec la Comédie-
Française. Le 9 juin 1880, elle était condamnée à payer à la Maison
de Molière cent mille francs de dommages-intérêts, perdant en
outre, quarante-trois mille francs de « fonds sociaux », c'est-à-dire
cinquante pour cent de sa part des bénéfices de 1875 à 1879.

Chaque année, en effet, un sociétaire touche la moitié seulement de ses bénéfices et laisse l'autre moitié en dépôt au théâtre.
Les sommes ainsi accumulées lui sont versées en bloc, au moment

de son départ — à condition que ce départ ait lieu d'accord avec l'Administrateur et non pas contre son gré.

Dès le 1er mai, Julia Bartet, nouvelle venue à la Comédie-Française, avait repris le rôle de la Reine dans *Ruy Blas* et le 8 mai, Sophie Croizette reprenait Dona Clorinde dans *l'Aventurière*.

*<br>*  *

C'est à Londres que Sarah Bernhardt apprit qu'elle avait perdu son procès et les attendus du jugement.

Dès qu'ils avaient connu sa démission du Théâtre-Français, les directeurs du Gaiety Theatre, Hollingshead et Mayer, ceux-là même qui, l'année précédente, avaient fait venir la Comédie-Française à Londres, étaient accourus à Paris et avaient engagé Sarah pour une saison immédiate d'un mois, dont cette fois elle serait l'unique vedette. Elle avait accepté et traité, aux appointements de cent cinquante livres par représentation, plus la moitié des bénéfices.

Les représentations de Sarah Bernhardt à Londres eurent lieu du 24 mai au 27 juin 1880. Elle y joua six des huit pièces prévues pour sa future tournée d'Amérique, ce qui lui permettait de s'installer, par avance, dans les rôles qu'elle n'avait pas encore interprétés.

Ces six pièces étaient *Hernani, Phèdre, Le Sphinx,* et *L'Etrangère,* qui lui étaient familières et deux pièces qu'elle jouait pour la première fois : *Froufrou,* l'admirable comédie dramatique de Meilhac et Halévy, créée par Aimée Desclée au Gymnase en 1859, et *Adrienne Lecouvreur,* de Scribe, que Rachel avait créée au Théâtre-Français en 1849.

Ces deux pièces, les seules qu'elle n'eût pas déjà jouées à Londres avec la Comédie-Française, en 1879, sont celles qui réussirent le mieux. Mais toute la série de ses représentations fut triomphale. Le public anglais lui faisait quotidiennement d'interminables ovations.

C'est par cette saison à Londres que commença la longue série des tournées de Sarah Bernhardt, qui ne devait cesser qu'à sa mort, et c'est la première fois qu'elle joua seule, en étoile, accompagnée d'une compagnie qu'elle avait formée elle-même. Pour reparaître devant la société anglaise qui l'avait vue, l'année précédente, avec tous ses illustres camarades du Théâtre-Français, elle s'était, d'ailleurs, entourée avec soin. Sa troupe comprenait notamment Pierre Berton, Dieudonné, Talbot, Train, Mary Jullien, Marie Kalb et sa sœur Jeanne Bernhardt qui, entre autres rôles, jouait dans *Le Sphinx* celui de Berthe, qu'avait créé Sarah, celle-ci prenant possession du rôle de Blanche.

Encouragée par cette réussite qui, véritablement, fut considérable, Sarah, rentrant à Paris, n'y restait que quelques jours et presqu'aussitôt, repartait pour Bruxelles, puis pour Copenhague, où elle joua, durant juillet et août, *Adrienne Lecouvreur* et *Froufrou*. Puis, comme elle ne s'embarquait pour l'Amérique que dans le courant d'octobre, elle accepta, pour tout le mois de septembre, une série de représentations dans les principales villes de France, avec les deux mêmes pièces. C'est Félix Duquesnel, qui venait de quitter six mois plus tôt la direction de l'Odéon, qui organisa cette tournée. Ce fut la première « affaire » qu'il fit en association avec Sarah Bernhardt, avec laquelle il devait, par la suite, collaborer encore pendant tant d'années.

Sur le point de quitter la France pour des mois et d'entreprendre un voyage lointain et fatigant, Sarah, néanmoins, ne prenait pas un jour de vacances. A peine avait-elle quitté la Comédie-Française, que l'exploitation, intensive et ininterrompue, de son talent et de sa renommée commençait.

*  
* *

Fin juin, au moment où elle avait traversé Paris, Perrin et aussi le Ministre des Beaux-Arts lui avaient officieusement délégué plusieurs de ses camarades, pour tâcher de la décider à rentrer au Théâtre-Français. La presse, Francisque Sarcey en tête, réclamait son retour au bercail. Et puis, on avait su l'accueil qui lui avait été fait à Londres et on déplorait que l'Administrateur général de la Maison eût laissé partir une pareille valeur artistique aussi bien que commerciale.

C'étaient Got, le doyen, puis Delaunay, puis Coquelin aîné, puis Mounet-Sully, qui, employant les arguments divers que leur suggéraient leurs natures respectives, s'étaient succédé avenue de Villiers. Aux affectueuses supplications de l'un, aux sages conseils de l'autre, au troisième qui la mettait en garde contre les risques de cette nouvelle et aventureuse existence, comparée à la douce quiétude du Théâtre-Français, elle opposa les mêmes refus. Elle était butée. Pour rien au monde, à présent, elle ne rentrerait à la Comédie-Française. Entêtement bien compréhensible : Ne venait-elle pas de faire seule, à Londres, des recettes supérieures à celles qu'avait réalisées, l'année précédente, la Maison de Molière au grand complet ? De toute évidence, c'est la Comédie-Française qui avait besoin d'elle, alors qu'elle n'avait nul besoin de la Comédie-Française.

Les premiers jours d'octobre 1880 furent employés par Sarah Bernhardt à répéter son répertoire, avec la troupe qui allait l'accompagner en Amérique et à mettre au point les deux rôles qui, avec ceux qu'elle avait déjà joués à Londres, complétaient le total de huit pièces stipulées à son contrat avec Abbey.

L'une des pièces choisies était *Antony,* l'un des plus anciens drames d'Alexandre Dumas père, créé en 1831 et qu'elle ne joua d'ailleurs pas. La pièce fut annoncée, mais au cours de son voyage aux Etats-Unis, elle la jugea par trop démodée et la remplaça, au dernier moment, par *La Princesse Georges,* d'Alexandre Dumas fils, qui ne datait que de 1871 et qui avait été, au Gymnase, l'un des grands succès d'Aimée Desclée.

L'autre pièce était *La Dame aux Camélias* qui, de ce jour, devait être au répertoire de toutes ses tournées, qu'elle devait reprendre à Paris, presque chaque année jusqu'en 1914, et qu'elle joua, au total, plus de trois mille fois.

Si extraordinaire que cela puisse paraître, Sarah ne connaissait pas *La Dame aux Camélias.* Evidemment, elle en avait entendu parler, car, depuis sa création qui, avec Mme Doche et Fechter, avait eu lieu au Vaudeville, le 2 février 1852, on avait repris la pièce plusieurs fois, mais jamais avec un éclat qui l'eût signalée à son attention. En 1872, au Gymnase, Blanche Pierson, qui était pourtant une excellente comédienne, s'y était montrée agréable, sans plus.

C'est l'acteur Pierre Berton qui conseilla à Sarah Bernhardt *La Dame aux Camélias,* alors que cherchant, depuis des semaines, la huitième pièce de son répertoire, elle se demandait sur laquelle fixer définitivement son choix. Sarah fit d'abord la moue :

— N'est-ce pas un rôle de courtisane ?

— C'est un rôle magnifique.

— Pourtant, toutes celles qui l'ont joué jusqu'à présent, n'y ont pas tellement bien réussi.

— Toi, tu y aurais un triomphe.

Sarah resta incrédule, puis, pour faire plaisir à Berton :

— Il faut que je la lise. Sois gentil, fais-moi envoyer une brochure.

Le soir même, Berton, qui ne l'accompagnait pas en Amérique et dont, par conséquent, le conseil était bien désintéressé, lui faisait parvenir le texte de *La Dame aux Camélias.* Elle lut la pièce dans la nuit. Et Marguerite Gautier lui plut. Elle sentait que, joué par elle, le dernier acte produirait une impression profonde. Le sacrifice du troisième acte lui semblait pathétique. Et puis cette femme qui adore un homme et qui le quitte pourtant, sur l'intervention de sa famille et sans pouvoir lui dire les véritables raisons de sa fuite, cela éveillait en elle un souvenir personnel, un souvenir qui ne s'était pas encore complètement effacé !...

Elle mit donc la pièce au répertoire de sa tournée d'Amérique, mais sans conviction particulière. Comment serait accueillie cette œuvre, alors peu connue, et dont la création remontait déjà à vingt-huit ans? Evidemment, elle pensait bien y faire de l'effet, mais jamais elle n'aurait supposé que, pendant toute sa vie, le succès de *La Dame aux Camélias* allait éclipser, et de loin, celui de toutes ses autres pièces.

Comme suite à une observation faite précédemment, on remarquera que sur les huit pièces qui composaient le répertoire de Sarah Bernhardt, il y en avait tout d'abord sept dans lesquelles elle mourait à la fin. Seule, Mrs. Clarkson de *L'Etrangère* demeurait en vie au dernier acte. Lorsqu'elle substitua *La Princesse Georges* à *Antony,* il restait encore six pièces dont le dénouement était la mort de son personnage.

Et c'est le 15 octobre 1880 que, sur le paquebot français *L'Amérique,* Sarah Bernhardt, alors âgée tout juste de trente-six ans, accompagnée de toute sa compagnie et de son impresario Jarrett, s'embarqua au Havre, à destination de New-York, où allait commencer sa première conquête du Nouveau Monde.

# CHAPITRE V

## L'AMÉRIQUE, RETOUR, JACQUES DAMALA

Durant les quelques jours qui avaient précédé le départ de Sarah Bernhardt, les journaux de Paris avaient abondamment commenté l'événement. Et tous n'étaient pas entièrement favorables. Si, en raison des succès qu'elle avait déjà remportés en Angleterre, en Belgique, au Danemark et dans les provinces françaises, un grand nombre de quotidiens lui prédisaient et souvent lui souhaitaient un triomphe, beaucoup d'autres, par contre, réservés, perplexes, évoquant la malheureuse tournée de Rachel aux Etats-Unis, n'auguraient, de ce lointain voyage, rien qui vaille pour la renommée, le prestige et même pour la qualité du talent de celle qui allait l'entreprendre.

Arsène Houssaye, qui avait été administrateur général de la Comédie-Française au début du Second Empire et qui avait acquis, depuis lors, une grosse autorité de chroniqueur, écrivait :

« Ayant dépensé 500,000 francs pour son hôtel de l'avenue de Villiers, Mlle Sarah Bernhardt a besoin d'argent, et alors, elle part pour l'Amérique. Prenez garde, Mademoiselle, le grand art n'aime pas ces pérégrinations lointaines et souffre des habitudes déplorables que donne cette existence de roman comique. vécue à la diable, entre l'hôtel qu'on quitte et le nouveau théâtre qu'on retrouve. Qu'est-ce qu'un public d'occasion qui ne comprend rien ni à votre langue, ni à votre génie ? L'éléphant, marchant sur des bouteilles, du cirque de l'Impératrice, ferait bien mieux son affaire. La vraie fortune pour une actrice française, ce sont les battements de mains des Français. Pareille aux conquérants, cette grande turbulente s'imagine qu'elle n'a qu'à paraître pour vaincre, pour planter, au bout du monde, le drapeau de l'Art français. Je crains que, bien vite, elle ne doive renoncer à ses illusions. C'est en vain qu'elle jettera feu et flamme pour un public qui, n'étant pas initié à nos chefs-d'œuvre, ne vient la voir que pour pouvoir dire : « J'y suis allé. »

Les plus nombreux étaient ceux qui ne lui pardonnaient pas d'avoir quitté la Comédie-Française. On avait d'abord cru à un coup de tête, à un caprice momentané, au désir d'aller, en seule vedette, donner quelques représentations à Londres. Lorsque, sur les instances de Sarcey et de quelques-uns de ses confrères, tant de démarches, presqu'officielles et qui en tout cas furent connues, avaient été faites auprès de Sarah, la suppliant de reprendre sa place au Théâtre-Français, on ne doutait pas qu'elle cèderait vite à ces flatteuses sollicitations. Et puis on avait constaté que, loin de les prendre en considération, elle haussait tranquillement les épaules et continuait ses expéditions, d'abord en Europe, puis en Amérique. Alors, une sorte de dépit s'était emparé d'une partie de la presse et de ses fidèles. On se sentait vexé de la désinvolture avec laquelle Sarah abandonnait le premier théâtre du monde, un public assidu qui la fêtait bruyamment chaque fois qu'elle y paraissait, Et lorsque, décidément, elle eût, pour de longs mois, quitté la France, lorsque sa rupture avec la Comédie-Française fût définitive, irrémédiable, le ton pincé des journaux tourna, peu à peu, à l'amertume, à l'ironie et bientôt à l'hostilité. A Paris, au début de l'année 1881, alors qu'elle était trop loin pour répliquer, pour se défendre comme elle savait si bien le faire, ses ennemis déchaînés, s'en donnant à cœur-joie, avaient réussi à dresser l'opinion presque toute entière contre elle.

*
* *

Ce n'était pas encore le cas lorsqu'à la gare Saint-Lazare, elle avait pris le train pour Le Havre. Des dizaines d'amis, des centaines de curieux l'y avaient accompagnée et une ovation l'avait saluée quand elle disparut à la portière de son wagon.

Le lendemain, au Havre, au départ du steamer, nouvelle affectueuse manifestation : ses intimes étaient venus de Paris, afin de rester auprès d'elle jusqu'au moment où L'Amérique lèverait l'ancre. Il y avait là, Clairin, Louise Abbéma, Duquesnel, William Busnach — l'auteur des pièces tirées des romans de Zola — et naturellement Maurice Bernhardt qui avait maintenant un peu plus de quinze ans, et que, pendant son absence, Sarah confiait à sa tante Henriette et à son oncle Faure, sa seule famille désormais. Sa grand'mère Lisa venait de mourir, suivant dans la tombe sa petite-fille Régina et sa fille Julie. Et Rosine, la frivole sœur de Julie, avait quitté la France, sans doute avec quelque amoureux. On n'a jamais su ce qu'elle était devenue.

Jeanne Bernhardt devait faire partie de la troupe et s'embarquer avec Sarah. Mais, quelques jours avant le départ de la tournée, elle était tombée malade, souffrant d'une crise violente due aux stupéfiants, ces horribles poisons à l'abus desquels elle devait succomber quatre ans plus tard. Alors elle avait dû rester à Paris, dans une maison de santé où elle faisait une cure de désintoxication, étant convenu qu'elle rejoindrait la tournée aux Etats-Unis, dès qu'elle serait rétablie.

Pour remplacer sa sœur, Sarah, à la dernière minute, avait engagé une actrice du boulevard, alors assez en vogue, Marie Colombier. Si le nom de celle-ci est connu aujourd'hui encore, ce n'est pas en raison de ses succès de comédienne qui furent toujours modestes, mais uniquement parce que, après le retour de cette tournée, elle se fâcha avec Sarah et publia sur elle un livre venimeux, plein d'anecdotes perfides et parfois graveleuses, intitulé *Sarah Barnum*. Le titre du volume dévoile déjà ses intentions : en transformant le nom de Bernhardt en celui du manager du fameux cirque, il prévient le lecteur qu'il y trouvera dénoncés les secrets et les procédés de la réclame tapageuse que ses ennemis reprochaient tant à Sarah Bernhardt. Méchant, mais assez spirituel, le livre eut du succès. Il était d'ailleurs bien documenté, car, non seulement Marie Colombier n'avait pas quitté Sarah durant cette longue tournée, mais encore elle était, depuis des années, son amie et la connaissait bien.

Le reste de la troupe qui allait entourer Sarah Bernhardt en Amérique, était assez médiocre. Elle ne comptait vraiment qu'un seul bon comédien, Angelo, qui jouait tous les grands premiers rôles : *Hernani*, Maurice de Saxe dans *Adrienne Lecouvreur*, Armand Duval dans *La Dame aux Camélias*, etc...

*
* *

La traversée fut mauvaise. *L'Amérique* n'était pas un bien grand bateau. Le roulis et le tangage gardèrent Sarah étendue dans sa cabine pendant presque tout le voyage. Le 23 octobre, Mme Guérard, venant lui souhaiter son anniversaire, la trouva malade « comme elle ne s'imaginait pas qu'il fut possible de l'être !... ». Quand allait-on arriver ?... Quand allait s'achever ce supplice ?... Il s'acheva le 27 octobre. Du Havre à New-York, à cette époque, les bateaux mettaient douze jours.

Depuis trois mois, une publicité formidable avait été faite à New-York et dans tous les Etats-Unis, sur Sarah Bernhardt, « la plus grande actrice française ». Outre les articles de journaux, innombrables, les immenses affiches, les gigantesques panneaux sur les murs, une brochure d'une centaine de pages, illustrée de nombreux portraits, relatant en détails sa vie et sa carrière, avait été imprimée à des dizaines de milliers d'exemplaires et répandue à profusion dans tous les milieux américains. Cet effort colossal et inusité avait porté ses fruits : depuis des semaines, les places, pour ses représentations qui allaient commencer dans dix jours au Booth Theatre, avaient été vendues à vingt, trente et quarante dollars, puis, devant l'affluence, aux enchères !...

Il était à peine huit heures du matin, quand *L'Amérique* entra dans le port. Pourtant, une foule immense attendait, depuis long-temps déjà, l'arrivée du bateau, sur lequel une centaine de privi-légiés avaient pu obtenir de monter, pour souhaiter la bienvenue à la grande artiste. Henry Abbey, le manager de la tournée de Sarah, les conduisait. Compliments, fleurs, speeches en anglais... Réponse de Sarah en français... Fanfare... *Marseillaise... Star Spangled Banner...* Une reine n'aurait pas été accueillie en plus grande pompe.

Ayant fait la traversée sur le même bateau, une dame âgée, vêtue de noir, rentrait aux Etats-Unis, après avoir passé l'été en Europe. Elle attendit patiemment, dans la salle à manger du bateau, que la foule se fût écoulée, puis descendit discrètement à terre, inconnue, ignorée : c'était la veuve d'Abraham Lincoln, dont le mari avait été assassiné, quinze ans plus tôt, par le frère du fameux comédien Booth, celui-là même qui avait donné son nom au théâtre où Sarah allait jouer à New-York.

La voiture à deux chevaux qui attendait Sarah au débarcadère, passa entre deux haies ininterrompues de curieux, montés, pour la voir, sur les épaules les uns des autres, et la conduisit à l'Albemarle Hotel, où elle allait résider pendant un mois. Cinquante reporters l'attendaient déjà. Mais, très fatiguée par le voyage, par cette réception bruyante et surtout si matinale, elle supplia qu'on la laissât d'abord dormir une heure. Jarrett s'étonna : son appartement était à l'entresol. Ce n'était pas encore l'époque des gratte-ciel. En se haussant sur la pointe des pieds, un homme, du trottoir, pouvait presque toucher du bout des doigts le bas du balcon sur lequel s'ouvraient ses fenêtres. Le bruit de la rue, où la foule, par petits groupes, commentait son arrivée, joint au bruit des conversations des journalistes dans le salon voisin, l'empêcherait certainement de fermer les yeux. Mais, s'étendant sur son lit, Sarah, dans l'instant, lui démontra le contraire.

Comme Napoléon 1er, elle avait, en effet — et posséda toute sa vie — le don merveilleux de dormir quand elle voulait, où qu'elle se trouvât, quelque bruit qu'on fit autour d'elle et pour la durée qu'elle avait fixée par avance. C'était purement extraordinaire. Combien de fois, dans sa loge au Théâtre Sarah Bernhardt, ou en tournée, l'ai-je entendue dire : « Il est six heures. On dînera à sept heures. Je vais dormir trois quarts d'heure. » Perdant aussitôt la notion de ce qui se passait autour d'elle, elle s'endormait profon-dément et, sans qu'on eût besoin de la réveiller, rouvrait les yeux ponctuellement trois quarts d'heure plus tard, comme elle l'avait annoncé. C'est certainement cette étonnante faculté qui lui permit, jusque dans sa vieillesse, de fournir des efforts aussi constants, de supporter des fatigues, véritablement surhumaines et auxquelles aucune autre n'aurait pu résister.

Les questions des reporters américains remplirent Sarah d'ahurissement. Elle était depuis longtemps habituée aux fantaisies de la presse à son égard. Pourtant, elle crut vraiment à une plaisanterie, lorsqu'elle s'entendit demander très sérieusement de dix côtés à la fois : — Qu'est-ce que vous mangez à votre réveil ?... — Entre les actes d'une pièce, qu'est-ce que vous buvez ?... — Etes-vous protestante, catholique, juive, mahométane, athée, orthodoxe ou bouddhiste ?... — Quelles sont vos superstitions ?... — Quelle est la valeur exacte de vos bijoux ?... La pointure de vos chaussures ?... — Quel est votre poids, habillée et non habillée ?... — Est-il vrai que vous ne puissiez apprendre vos rôles qu'en prenant un bain de pieds bouillant ?... — Quand pourrez-vous recevoir notre dessinateur, qui souhaiterait faire votre portrait, couchée dans votre cercueil ?... etc...

Impatientée, abasourdie, elle aurait bien voulu envoyer au diable tous ces indiscrets, mais Jarrett, impassible, veillait et doucement, murmurait dans sa barbe blanche : « Ne décourageons pas la réclame !... », cette phrase que, pendant toute sa tournée et chaque fois qu'il la sentait nerveuse, il allait devoir lui répéter si souvent !...

Le surlendemain, Henry Abbey, encore plus au fait de la publicité que Jarrett, trouvait, avant ses représentations, un moyen ingénieux de faire prendre à Sarah, contact avec le public américain. Abbey dirigeait un autre théâtre à New-York, le Park, où jouait alors une très célèbre actrice américaine, nommée Clara Morriss. Elle y interprétait tout justement une pièce française, *La Comtesse de Sommerive* de Théodore Barrière, adaptée en anglais sous le titre d'*Alix*.

Abbey fit annoncer dans la presse qu'avant de paraître elle-même sur une scène new-yorkaise, Sarah Bernhardt avait tenu à applaudir tout d'abord sa grande camarade américaine et irait rendre hommage au talent de l'interprète d'*Alix*. Le soir, la salle du Park était comble : Clara Morriss sur la scène et Sarah Bernhardt parmi l'auditoire !... Spectacle unique !...

Soigneusement, Abbey et Jarrett, accompagnant Sarah, ne la firent arriver qu'au milieu du 1er acte. Quand elle pénétra dans son avant-scène, les acteurs, prévenus par la direction, cessèrent de jouer et l'orchestre attaqua *La Marseillaise*. Sensation. La représentation ayant repris, deux minutes après, Clara Morriss, très applaudie, faisait son entrée. Au lieu de dire les premières répliques de son rôle, elle s'avançait jusqu'à la rampe et jetait un bouquet dans l'avant-scène de Sarah, puis, de ses deux mains, lui envoyait un baiser. Sarah prenait les fleurs, les serrait sur son cœur et à son tour, lançait sur la scène une gerbe que lui passait Jarrett et qu'entourait un flot de rubans aux couleurs américaines... Sensation prolongée. La salle entière acclamait les deux artistes. Plus que jamais, l'ouverture de la « Saison Sarah Bernhardt » promettait d'être un événement.

Elle en fut un, en effet. Sa première représentation à New-York eut lieu le lundi 8 novembre 1880. Après le succès qu'elle avait déjà remporté en Europe dans cette pièce, elle avait choisi, pour débuter, *Adrienne Lecouvreur*. Son personnage ne paraît pas au premier acte. Mécontents, certains spectateurs parlaient déjà de se faire rembourser ! Mais, dès le 2ᵉ acte, son entrée, très étudiée et saluée par d'interminables applaudissements — payés, ce soir-là, par Abbey — produisait une profonde impression. Au 3ᵉ acte, la grande scène entre Adrienne et la Princesse de Bouillon fut acclamée. Au 4ᵉ, la fameuse tirade de haine désespérée, que Sarah détaillait avec une intensité admirable laissa le public haletant. Et au 5ᵉ acte, la mort d'Adrienne mit l'enthousiasme à son comble. On compta vingt-sept rappels. La recette était de 5,634 dollars, soit 28,170 francs.

Rentrée à l'hôtel, Sarah, pendant son souper, était encore l'objet d'ovations de la foule massée sous ses fenêtres et qui hurlait son nom, tout en essayant de chanter quelques mesures de la *Marseillaise*. S'enveloppant d'un manteau, elle dut plusieurs fois répondre aux vivats. Ce n'est pas par hasard que Jarrett avait choisi pour elle cet appartement, pourvu d'un balcon dont, malgré l'hiver, l'utilité se révélait soudain.

Le lendemain, quelques journaux croyaient de bon ton de se montrer réticents, mais l'ensemble de la presse était enthousiaste. Résumant l'opinion générale, le *Commercial Advertiser* écrivait :

« La réception de Sarah Bernhardt fut grandiose. Certains critiques, regardant du haut de leur grandeur celle qui a ébloui l'Europe, la jugeaient une artiste de qualité médiocre. Mais tous les vrais connaisseurs trouveront en elle un génie dramatique de l'ordre le plus élevé qui soit. »

Si l'actrice était adoptée, la pièce, par contre, provoquait des réserves presque unanimes. Non qu'on contestât son intérêt dramatique, mais du point de vue moral on la jugeait inadmissible. A l'époque, cette sévérité était normale. *Adrienne Lecouvreur* en effet est la maîtresse de Maurice de Saxe, lequel est en outre l'amant de la Princesse de Bouillon, femme mariée, le Prince, son époux, paraissant dans la pièce. Et le drame se termine par l'assassinat de l'actrice, empoisonnée par la grande dame, sa rivale. Il y avait là de quoi révolter le puritanisme de certains milieux, qui, il y a soixante ans, était incroyable, et fait, aujourd'hui, sourire leurs propres descendants.

Et lorsqu'on apprit que les autres pièces du répertoire de Sarah contenaient, à peu près toutes, des situations aussi risquées, ce fut, dans la presse, une véritable explosion d'indignation, que vinrent renforcer les discours en chaire des prédicateurs new-yorkais.

Ceux-ci dénoncèrent à leurs fidèles la « Parisienne pervertie » et les sommèrent, au nom de la religion, de s'abstenir d'assister à ses représentations. Les mêmes sermons furent, d'ailleurs, prononcés dans presque toutes les villes des Etats-Unis et aussi du Canada. L'évêque de Montréal se montra parmi les plus violents.

Le tapage, quel qu'il soit, profite toujours à une entreprise théâtrale. Mais, celui-ci, tout particulièrement, eut le résultat auquel ses instigateurs auraient dû s'attendre : plus que jamais, la foule se rua aux spectacles de Sarah Bernhardt. Non seulement les journaux clamaient son immense talent, mais voilà encore qu'ils constataient l'affolante immoralité des œuvres qu'elle interprétait !... Qui aurait manqué cette double attraction ?... Seules, certaines familles de la Société, particulièrement rigides, refusaient avec obstination de paraître au Booth Theatre. Un club de femmes s'émut et par la plume d'un certain Dr. Crosby, lança une protestation contre « la courtisane européenne, venue pour ruiner les mœurs du peuple yankee ».

*
*  *

Lorsqu'un mouvement d'opinion se dessine, non seulement il est difficile de l'arrêter, mais presque toujours, il entraîne à sa suite des exagérations. Tant de gens font profession d'être mieux renseignés que le voisin !... Puisque, par une certaine presse, Sarah était désormais présentée comme une femme « sans pudeur et sans morale », d'autres journaux renchérirent et, inventant à qui mieux mieux, publièrent sur elle les « informations » les plus stupéfiantes et les plus fantaisistes. En outre, dans les rues de New-York, circulaient bientôt des charrettes, sur lesquelles d'énormes panneaux de toile peinte annonçaient, en grosses lettres :

« *Les amours de Sarah Bernhardt,* le volume : 25 cents. »

Il s'agissait d'une brochure, qu'on vendait dans toutes les librairies et que, même, des crieurs offraient aux passants sur le trottoir et qui contenait un invraisemblable fouillis d'histoires, toutes plus saugrenues les unes que les autres. L'auteur donnait sur les débuts de Sarah, sur sa famille, ses habitudes, ses caprices, des détails inouïs. Il affirmait notamment que, bien que n'ayant jamais

été mariée, « la Bernhardt » avait quatre enfants, dont les noms
et les âges étaient indiqués avec la plus grande précision. Quant
au père de Sarah, — que sa mère n'avait, d'ailleurs, connu qu'au
cours d'une seule furtive rencontre, — on ne pouvait indiquer si
c'était l'Empereur Napoléon III ou le Pape Pie IX, mais certainement l'un ou l'autre !...

Indignée, Sarah parlait de faire un procès en diffamation, de
repartir sur-le-champ pour l'Europe... mais, placidement, Jarrett
la calmait, de sa même phrase, immuable : « Ne décourageons pas
la réclame !... »

Un reporter étant venu demander à Sarah ce qu'elle pensait
des histoires colportées sur son compte, Jarrett lui souffla cette
réponse :

— On me reproche d'avoir quatre enfants et pas de mari.
C'est faux, mais cela vaudrait mieux que d'avoir, comme certaines
femmes de ce pays, quatre maris et pas d'enfants !

Quelques jours après, comme on lui demandait ce qu'elle
pensait du sermon fait en chaire, à son sujet, par le Révérend
pasteur X..., elle répondit :

— Tout le monde sait que, n'ayant aucune conviction religieuse cet homme est un comédien. Dès lors, je trouve qu'il se
conduit envers moi comme un mauvais camarade !...

Ces mots, publiés le lendemain et reproduits dans tous les
journaux des Etats-Unis, faisaient fortune et conciliaient à Sarah
Bernhardt, les sympathies hésitantes de beaucoup de gens.

Le bruit fait autour de l'actrice française ne s'arrêtait pas
là. On parlait tellement de Sarah Bernhardt que, bien vite, la
publicité commerciale aussi, utilisa son nom. Un marchand de
liqueurs inonda New-York d'affiches représentant, l'une près de
l'autre, deux Sarah Bernhardt, l'une outrageusement maigre, maladive, l'œil éteint, l'autre plantureuse et resplendissante de santé.
Et la légende était celle-ci :

« Après six mois d'usage de notre bitter. »

On vendait partout des cigares Sarah Bernhardt. Un parfu-
meur lança le savon et la poudre de riz Sarah Bernhardt... Il y avait
les gants Sarah Bernhardt, les mouchoirs, les bas, voire les
lunettes Sarah Bernhardt qui, à cette époque, était encore loin d'en
porter.

Une publicité aussi intense, aussi acharnée, ne pouvait manquer de porter ses fruits, d'autant que dans ses autres rôles, Sarah,
du point de vue strictement artistique, avait remporté un succès
grandissant. *Froufrou* lui avait valu des ovations, la pièce étant
accueillie mieux encore qu'*Adrienne Lecouvreur*. *Phèdre*, et *Hernani* n'avaient, peut-être pas aussi bien réussi, non que l'actrice

y fût moins appréciée, mais ces deux œuvres, plus sévères, déroutaient un peu le grand public américain.

*Le Sphinx,* également, fut très applaudi, mais pas l'*Etrangère.* Ne pouvant pas comprendre que Sarah ne jouât pas le personnage principal, un journal imprima, avec assurance, que la grande artiste, s'étant sentie fatiguée, avait cédé son rôle, la Duchesse de Septmonts, à l'une des actrices de sa troupe et jouait celui de Mrs. Clarkson « pour se reposer ». L'avertissement fut salutaire pour Abbey et Jarrett : *L'Etrangère,* où l'on ne voyait pas assez la vedette, fut, de ce jour, presque complètement supprimée du répertoire.

Mais le triomphe de Sarah, ce fut *La Dame aux Camélias,* qu'elle joua, pour la première fois de sa vie, à New-York, le 16 novembre 1880. La pièce produisit un tel effet, fut redemandée avec une telle insistance, que le programme de toute la tournée dans les autres villes des Etats-Unis, fut modifié par télégramme : Il avait été prévu que, dans celles où Sarah ne ferait qu'un jour, elle jouerait *Froufrou,* et que, dans celles où elle donnerait deux représentations, ce serait avec *Froufrou* et *Adrienne Lecouvreur.* En raison de l'accueil respectivement obtenu à New-York par chacune des pièces, ce fut *La Dame aux Camélias* qu'elle joua, partout où elle ne donnait qu'une seule représentation, et, dans les villes où il fallait deux spectacles, ce furent *La Dame aux Camélias* et *Froufrou.*

La saison de Sarah Bernhardt à New-York se termina le samedi 4 décembre, sur une septième soirée de *La Dame aux Camélias.* Elle avait donné 27 représentations. La moyenne des recettes était de 4.327 dollars soit 21.635 francs par représentation. Et elle avait joué sept pièces. *La Princesse Georges* était gardée en réserve, comme nouveauté, pour les trois ou quatre villes — dont New-York — où elle devait faire un deuxième séjour, avant de se rembarquer pour la France et après avoir parcouru tous les Etats-Unis.

Le dimanche 5 décembre, avant de se rendre à Boston où elle débutait le lendemain, Sarah, avec deux ou trois artistes de sa troupe, rendit visite à Thomas Edison, à Menlo-Park. C'est Abbey, pensant aux compte-rendus qu'en donnerait la presse, qui avait organisé cette rencontre entre la grande artiste et l'illustre savant qui était alors, avec le Général Grant, la plus considérable personnalité des Etats-Unis. Thomas Edison avait accepté, avec grand plaisir, de recevoir la célèbre comédienne française dont tout le pays s'entretenait, regrettant courtoisement que ses travaux, qui le

retenaient nuit et jour à Menlo-Park, l'eussent empêché d'aller
l'applaudir à New-York.

Après bien d'autres découvertes miraculeuses, Edison, qui
n'était alors âgé que de trente-trois ans, venait d'inventer le
téléphone, le phonographe et surtout, avait tout récemment mis
au point l'emploi courant et universel de la lumière électrique. En
1880, même en Amérique, les appartements et les théâtres étaient
encore éclairés au gaz. Il fit à Sarah Bernhardt les honneurs de ses
dernières inventions, puis enregistra sa voix dans son phonographe.
Elle récita devant l'appareil quelques vers de *Phèdre*. Et, quelques
instants plus tard, le rouleau de cire, — car on employait alors des
rouleaux et non des disques — les répétait, d'une voix un peu
nasillarde, à la petite assemblée stupéfaite et confondue d'admiration. Quel est l'heureux collectionneur qui possède, aujourd'hui,
le premier rouleau de phonographe, enregistré en 1880 chez Edison, par Sarah Bernhardt ?

*
* *

Les deux semaines durant lesquelles Sarah joua à Boston,
virent la répétition du triomphe qu'elle avait remporté à New-
York. Elle débuta au Globe Theatre, le 6 décembre, dans *Hernani*.
Rivalisant d'enthousiasme, les critiques locaux se montrèrent plus
dithyrambiques encore que leurs confrères new-yorkais. Après
qu'elle eût joué *La Dame aux Camélias,* le *Boston Herald* écrivait :
« Devant une telle perfection l'analyse est impossible. »

Rétablie et ayant quitté Le Havre quinze jours plus tôt,
Jeanne Bernhardt rejoignait la troupe de sa sœur vers la fin de son
séjour à Boston et partageait, désormais, avec Marie Colombier.
les rôles de son emploi.

Le jour où elle arriva à Boston, elle fut accostée par un
étrange individu qui l'arrêta dans le hall de l'Hôtel Vendôme, où
habitait Sarah Bernhardt. C'était un petit homme trapu, carré,
très poli, un bonnet de fourrure à la main et qui, depuis trois jours,
tentait vainement d'approcher la grande artiste. Abbey, Jarrett
et leurs secrétaires, indulgents à tout ce qui était reporters et journalistes, lui épargnaient jalousement, par contre, la fatigue inutile
de recevoir les importuns. Renonçant à voir Sarah Bernhardt
elle-même et ayant entendu dire, au bureau de l'hôtel que sa sœur
allait arriver, le petit homme s'était posté là, pour l'attendre et
lui présenter sa requête.

Bien qu'il parlât à peine le français, Jeanne réussit pourtant
à le comprendre : il s'appelait Henri Smith, il était propriétaire de
bateaux qui pêchaient la morue le long des côtes de l'Atlantique

et l'un deux avait, la semaine précédente, harponné une baleine
qu'on avait pu ramener à terre vivante et qui était dans un bassin
du port de Boston. Depuis lors, il n'avait qu'un rêve : montrer orgueilleusement sa capture à la grande artiste française. Une visite,
une simple petite visite de Sarah à la baleine. La prise d'une de ces
bêtes gigantesques était une chose si rare !... Il tenait à offrir ce
spectacle sensationnel à celle que tous les Etats-Unis admiraient
et qu'il admirait, à lui seul, plus que tous les autres citoyens des
Etats-Unis réunis.

Jeune, rieuse, écervelée et ravie de son voyage qui lui faisait
découvrir tant de choses nouvelles, Jeanne lui promit son appui
et, après les premières effusions avec Sarah, lui transmit la demande
de son protégé inconnu. Quant à elle, cela l'amusait beaucoup d'aller
voir cette baleine. Elle n'en avait jamais vu, et se promettait bien
d'accompagner Sarah dans cette expédition.

Heureuse de voir arriver sa sœur en bonne santé et qui lui
apportait des nouvelles et des lettres de Maurice et de ses amis,
Sarah, sans difficulté, accepta cette promenade. Et le lendemain,
avec Jeanne et Jarrett, qui ne laissait pas Sarah faire un pas seule,
elle se rendait, dans le port de Boston, jusqu'au bassin où était installée la baleine, dont la complète immobilité permettait de douter
qu'elle fût aussi vivante que l'affirmait Henri Smith.

Celui-ci, enchanté, et qui, fiévreusement, attendait Sarah depuis le matin, descendit avec elle un petit escalier qui conduisait
jusqu'à la baleine et supplia la grande artiste de monter sur son dos.
« Cela lui porterait bonheur », affirmait-il. Pour avoir la paix, Sarah
y consentit et, cramponnée au bras de Jarrett, manquant, à chaque
instant, de tomber, elle fit quelques pas sur le dos glissant du pauvre
cétacé, sans remarquer qu'à quelques mètres de là, deux ou trois
dessinateurs, installés, croquaient hâtivement la scène.

Ayant satisfait le caprice de sa sœur et achevant cette visite,
qui ne l'avait pas beaucoup amusée, elle rentrait à l'hôtel. Et, après
une magnifique soirée d'adieu à Boston, dans *La Dame aux Camélias,* elle partait pour New-Haven, puis pour Hartford, avant de
passer la frontière pour entrer au Canada.

Et voilà qu'en arrivant à l'hôtel, à New-Haven, Sarah, dans le
hall, retrouvait Henri Smith, son bonnet de fourrure à la main. Elle
s'étonna :

— L'homme à la baleine !... Mais que me veut-il encore ?...
Elle le sut bientôt. Un tapage infernal de tambours et de
trompettes attirait chacun aux fenêtres. Elle regarda, elle aussi, et,
avec ahurissement, vit une immense voiture sur laquelle dansaient
et chantaient une dizaine de nègres, vêtus en minstrels. La voiture
était encadrée de larges panneaux, grossièrement peints, représen-

tant Sarah Bernhardt, debout sur une baleine qui se défendait, et lui arrachant un fanon. Des hommes-sandwiches suivaient, dont les affiches étaient ainsi rédigées :

« Venez voir l'énorme cétacé que Sarah Bernhardt a tué, en lui arrachant elle-même ses fanons, pour servir de baleines à ses corsets, lesquels sont faits, en exclusivité, par Mme Lily Noé, la fameuse corsetière de la rue X..., à New-York. Pour les commandes s'adresser à Mr. Henri Smith, représentant exclusif de Mme Lily Noé dans tous les Etats-Unis. »

D'autres placards décrivaient la baleine, son poids, sa taille, l'énorme quantité de sel dont on l'avait emplie pour assurer sa conservation pendant le voyage, etc...

Sarah Bernhardt entra dans une colère indescriptible. Et comme Henri Smith était là, ravi, béat, attendant peut-être des félicitations, elle lui envoya, à toute volée, une magistrale paire de gifles. Sans broncher, le petit homme salua jusqu'à terre et s'éloigna. Quelques instants plus tard, en pénétrant dans sa chambre, à l'hôtel, Sarah Bernhardt y trouvait une superbe corbeille de fleurs, avec la carte de Henri Smith « et ses reconnaissants hommages ».

Furieuse, elle fit enlever les fleurs. Mais elle allait devoir en faire enlever bien d'autres, car, durant tout son itinéraire, elle devait retrouver, dans chaque chambre d'hôtel, un bouquet d'Henri Smith et dans chaque ville, la baleine qui, en même temps que Sarah, fit presque toute sa tournée !... Voyant l'immense célébrité de l'actrice française, le petit homme avait aussitôt pensé à utiliser son nom pour « corser » l'exhibition, à travers tout le pays, de l'animal qu'il avait capturé. Et voilà ce qu'il avait trouvé !... De fait, son idée se révéla excellente : partout, grâce aux salles combles que faisait Sarah Bernhardt, la baleine, elle aussi, fit d'excellentes affaires.

*
* *

Après Hartford, Sarah donna à Montréal quatre représentations, qui se terminaient le jour de Noël. Elle y joua, dans l'ordre, *Adrienne Lecouvreur, Froufrou, La Dame aux Camélias,* et *Hernani.* Trouvant là un public presqu'exclusivement français, elle y remporta un succès inimaginable.

Pour protester contre le mandement de l'évêque qui, au lendemain de sa première représentation, avait lancé l'anathème contre elle et réclamé son excommunication, ainsi que celle de l'auteur de la pièce, Scribe, — mort depuis dix-neuf ans ! — la foule fit à Sarah des ovations sans fin. Le dernier soir, on détela les chevaux de son traîneau, que les notables de la ville se disputèrent l'honneur de tirer eux-mêmes pour la ramener triomphalement à son hôtel.

Après une représentation de *La Dame aux Camélias* à Springfield (Massachussets), elle donnait cinq soirées à Baltimore, où elle fêtait, avec toute sa troupe, le 1er janvier 1881. C'était ensuite une semaine à Philadelphie, puis Chicago où elle resta deux semaines.

A Chicago, l'évêque, par la violence de ses sermons, avait fait à l'actrice française une telle réclame, que le manager de Sarah lui adressa cette lettre :

> Monseigneur,
>
> J'ai l'habitude, quand je viens dans votre ville, de dépenser cinq cents dollars pour la publicité. Mais, comme vous l'avez faite pour moi, permettez-moi de vous envoyer deux cent cinquante dollars pour vos pauvres.
>
> HENRY ABBEY.

La lettre fut publiée dans quelques journaux et contribua encore à attirer la foule. Après New-York, la tournée, dans toutes les autres villes des Etats-Unis, s'annonçait décidément superbe. Et Sarah eut été complètement satisfaite si seulement cet abominable Smith, sa baleine et son assourdissante réclame ne l'avaient pas éternellement poursuivie, comme un cauchemar dont elle pensait ne plus jamais s'éveiller.

A Saint-Louis où elle joua une semaine, du 24 au 31 janvier, Sarah eut la surprise de retrouver là comme une sorte de Montréal du sud : tout le monde parlait français. C'est que cette ville avait été la capitale de la Louisiane qui, comme le Canada, était jadis une possession française. Enfin, un public qui comprenait ce qu'on jouait devant lui et ne se bornait pas à applaudir de confiance !... Elle serait volontiers restée à Saint-Louis durant les trois mois qui la séparaient encore de la fin de sa tournée. Mais il fallait repartir : c'était Cincinnati, pour trois jours, et puis la Nouvelle-Orléans, où elle devait donner huit représentations.

A la fin du long trajet entre ces deux villes, — deux jours et deux nuits — se produisit un incident dramatique, un véritable épisode de film. On pourra le trouver relaté dans les journaux américains du 7 février 1881.

Les pluies, incessantes depuis quelques jours, avaient, dans toute la région, grossi les fleuves et les lacs, à tel point que le pont qui traversait la baie de Saint-Louis, à l'est du lac Pontchartrain, et sur lequel devait passer le train spécial de Sarah Bernhardt pour arriver, deux heures plus tard, à la Nouvelle-Orléans, avait été signalé comme risquant, à tout moment, de s'écrouler sous la poussée furieuse des eaux. Et le mécanicien hésitait à passer.

Il avait stoppé le convoi dans une petite gare, quelques milles avant d'arriver à la baie de Saint-Louis et suggérait de revenir en arrière : en faisant un long détour, on pouvait éviter le pont dangereux, mais on ne serait à la Nouvelle-Orléans que le lendemain. C'était manquer la recette du soir qui, d'après les télégrammes, s'annonçait superbe et décaler tous les spectacles prévus pour cette ville. Abbey était rentré à New-York, confiant la direction de la tournée à Jarrett. Celui-ci en référa à Sarah qui, avec son impétuosité coutumière, fut aussitôt d'avis de passer « quand même ». Jarrett, lui, n'avait pas d'opinion. Paisiblement, il se rangea à celle de son étoile.

Des pourparlers s'engagèrent alors entre l'impresario et le mécanicien qui consentit à tenter le passage, mais à une condition : il venait de se marier et exigeait, avant de risquer l'aventure, une somme de deux mille cinq cents dollars, que sur-le-champ, il allait envoyer par télégramme à sa femme qui habitait Oklahoma. S'il arrivait à la Nouvelle-Orléans sain et sauf, il rendrait l'argent. Sinon, il resterait acquis à sa veuve.

Enthousiasmée par son courage, Sarah lui remit aussitôt la somme. Et, un quart d'heure plus tard, tout doucement d'abord, son train se remettait en route. Il ne se composait que de trois wagons et de la machine. La troupe était dans l'ignorance de ce qui se passait. Seules, Mme Guérard et Jeanne Bernhardt, qui voyageait dans le wagon de sa sœur, étaient au courant. Insensiblement, le train prit de la vitesse, puis à une allure vertigineuse, s'engagea sur le pont qui oscilla sous le poids du convoi.

A ce moment seulement, Sarah se rendit compte que, sans les consulter, elle venait, de sa propre autorité, de risquer la vie de trente-deux personnes : tous ses acteurs, son personnel et les employés d'Abbey. Mais il était trop tard pour reculer. Deux minutes plus tard, qui lui semblèrent un siècle, le train, bondissant littéralement sur les rails, atteignait l'autre rive... Presqu'au même instant, un fracas effroyable se faisait entendre, une immense colonne d'eau retombait en gerbe : le pont s'était écroulé !...

Plus morte que vive, Sarah respirait enfin et laissa au brave mécanicien ses douze mille cinq cents francs qu'il avait bien mérités. Mais pendant longtemps elle garda de terribles remords de ce qu'elle avait osé. Quand un acteur de sa compagnie lui parlait de son enfant, de sa femme ou de sa mère, qu'il serait si heureux de retrouver au retour en France, elle se sentait pâlir, prise d'une affreuse angoisse rétrospective : et si le train n'avait pas passé ?...

La semaine durant laquelle elle joua à la Nouvelle-Orléans fut moins brillante, parce qu'en même temps que Sarah, l'illustre cantatrice Emilie Ambre y donnait aussi une série de représentations. Et le soir même où Sarah jouait *La Dame aux Camélias,* elle chantait *La Traviata,* dont le livret est tiré de la pièce de Dumas fils. La concurrence qu'elles se faisaient réciproquement gêna le succès financier des spectacles de l'une et de l'autre étoiles.

Le lendemain, à Mobile, une seule représentation de *La Dame aux Camélias* commençait devant une belle salle, mais ne s'achevait pas. La scène du théâtre de cette ville était tellement petite que, la table du souper du 1er acte une fois apportée à l'intérieur du décor, les acteurs n'avaient plus la place de s'asseoir autour !... Et il y avait encore quatre actes à jouer dans ces conditions, dont le 4e acte, au cercle, qui comporte de nombreux personnages. Au moindre geste, ils allaient se heurter, se bousculer. Cette représentation menaçait de sombrer dans le ridicule. Sarah le sentit et, déjà nerveuse, n'eut pas le courage de s'exhiber. toute une soirée, sur ces tréteaux minuscules. Alors, elle prit le parti de simuler en scène un évanouissement. Il fallut baisser le rideau et rendre la recette. Jarrett n'était pas content, mais pour une fois, Sarah put se coucher de bonne heure.

C'est que l'existence devenait de plus en plus fatigante pour elle. La tournée qui, jusqu'alors, ne s'était pas sensiblement écartée de la ligne des grandes villes, commençait maintenant la série des villes de seconde, voire de troisième importance, où l'on ne restait qu'un jour, ou plus exactement, que quelques heures.

Partie dans la nuit, après le spectacle, Sarah, après dix ou douze heures de train, parfois davantage, arrivait dans la ville suivante entre midi et six heures du soir, jouait de huit heures à onze heures et demie et repartait dans la nuit !...

De temps à autre, le départ avait lieu seulement le lendemain matin, mais c'était rare : il fallait être prudent, et compter avec les retards que subit obligatoirement un train spécial qui, souvent, doit attendre sur une voie de garage que soient passés les convois réguliers. Cet horaire quotidien était dur pour la troupe, moins confortablement installée que sa directrice, mais, à part Angelo, chaque artiste ne jouait, en somme, que des rôles secondaires et ne paraissait pas dans toutes les pièces. Tandis que Sarah portait toujours le poids et la responsabilité du spectacle. En outre, elle avait dû commencer, dans le train, les études de *La Princesse Georges* qu'elle répétait, de temps en temps, sur une scène ou sur une autre, avant le spectacle du soir, lorsque, par hasard, on n'arrivait pas trop tard dans l'après-midi.

Elle joua ainsi successivement à Atlanta, Nashville, Memphis où elle était le 18 février, Louisville, Colombus, Dayton, Indianapolis, Saint-Joseph du Missouri, Leavenworth, Quincy, Springfield (Illinois), Milwaukee, Detroit, Cleveland, Pittsburg, Bradford où elle jouait le 17 mars, Toledo, Erié où elle prit le temps de visiter les chutes du Niagara, Toronto, Buffalo, Rochester, Utica, Syracuse, Albany, Troy et enfin Boston où, interrompant un moment cette course folle, elle revenait, quatre mois après son premier passage, donner, à partir du 28 mars, une nouvelle série de six représentations. Celle-ci se terminait par *La Princesse Georges,* qui était donnée pour la première fois, et qui était accueillie avec l'enthousiasme désormais de règle pour tout ce que jouait Sarah Bernhardt.

Puis c'était encore Worcester, Providence, Newark et Washington où, les 9 et 10 avril, elle jouait une fois *Froufrou* et une fois *La Dame aux Camélias.*

Enfin, après une seconde visite à Baltimore et à Philadelphie, Sarah rentrait à New-York, où avait lieu sa courte série de représentations d'adieu. Commençant par la « nouveauté » *La Princesse Georges,* elle s'achevait sur une ultime soirée de *La Dame aux Camélias* qui eut lieu le 3 mai 1881 et à l'issue de laquelle Sarah, ovationnée, couverte de fleurs, prenait congé du public américain, qui lui criait sans fin : « Revenez !... A bientôt !... »

Le lendemain, la presse enregistrait, en s'y associant, ces vœux unanimes. Elle devait, avec plaisir, les exaucer et revenir en effet bien souvent, puisqu'elle fit encore huit autres tournées en Amérique. La suivante eut lieu en 1886-1887 et la dernière pendant la Guerre, en 1916-17-18.

Durant ce premier voyage aux Etats-Unis et au Canada, Sarah Bernhardt avait donné, en six mois et demi de séjour sur le sol américain, cent cinquante-six représentations, dans cinquante et une villes. Elle avait joué *La Dame aux Camélias* soixante-cinq fois, *Froufrou* quarante et une fois, *Adrienne Lecouvreur* dix-sept fois, *Hernani* treize fois, *Le Sphinx* sept fois, *Phèdre* six fois, *La Princesse Georges* quatre fois et *L'Etrangère* trois fois.

La moyenne des recettes, d'un bout à l'autre de la tournée, avait été de 3,876 dollars par représentation, soit 19,380 francs. Personnellement, elle avait gagné net 194,000 dollars, soit 970,000 francs.

Le 5 mai, conduite jusqu'au port par des centaines de personnes qui criaient : « Vive Sarah !... Bon voyage !... » elle se rembarquait pour la France sur le paquebot qui l'avait amenée en octobre, *L'Amérique,* et arrivait au Havre le 17 mai. Le lendemain, elle était à Paris, où elle croyait reparaître sur un théâtre dès le début de la saison suivante, mais où, tout au contraire, elle ne recommença à jouer que dix-neuf mois plus tard, en décembre 1882.

C'est qu'en son absence, il s'était passé bien des choses qu'elle allait apprendre avec stupéfaction et il devait encore s'en passer bien d'autres, qui eurent, sur son existence et sur sa carrière, des répercussions inattendues.

*　*

Au Havre, auprès de Maurice, très grandi et qu'elle avait embrassé avec transport, elle avait retrouvé ses intimes, que conduisaient, comme de coutume, Georges Clairin et Louise Abbéma. Mais à Paris, bien que les journaux eussent, — assez discrètement, d'ailleurs — annoncé son retour, les quais de la gare Saint-Lazare, à l'arrivée de son train, apparurent déserts. Où était la foule enthousiaste qui, à la même gare, l'avait conduite jusqu'à son wagon sept mois plus tôt? Elle avait donc pris fin, l'agitation constante que son seul nom entretenait dans les milieux de théâtre? Paris ne connaissait donc plus ces discussions, parfois si passionnées, qui avaient lieu, à son sujet, et où la violence de ses adversaires était dépassée par la ferveur ardente de ses fidèles?

En effet, tout cela était loin. Sarah, officiellement du moins, n'avait même plus d'ennemis. Ceux-ci, insensiblement, avaient transformé leur haine en commisération et, affectant de plaindre Sarah du métier de saltimbanque auquel ses perpétuels soucis d'argent la contraignaient, avaient donné de sa tournée d'Amérique des comptes-rendus non pas désobligeants, mais apitoyés. Son voyage était relaté comme un long désastre, artistique et financier. C'est ainsi qu'ils avaient réussi à désintéresser d'elle l'opinion publique. On ne la critiquait plus. Elle n'exaspérait plus. Elle était devenue indifférente.

En février 1881, J. J. Weiss, un polémiste acerbe, mais très lu, avait écrit dans Le Figaro:

« Pauvre Sarah Bernhardt!... Pauvre amante passionnée de la renommée!... Si elle a péché pour trop aimer le tapage, elle est bien punie, là-bas. Quand elle joue Phèdre, pour rendre le spectacle tolérable aux Américains, l'orchestre, pendant les entr'actes, exécute les quadrilles de La Belle Hélène. Mlle Sarah Bernhardt arrivait aux Etats-Unis pour tout enlever: les cœurs, les applaudissements, les bouquets et surtout beaucoup d'argent. Elle comptait que les salons de New-York et de Washington se disputeraient l'honneur de la recevoir. Mais en Amérique, ils n'en sont point encore, en fait de fusion sociale, au point où nous sommes parvenus à Paris. Et Mlle Sarah Bernhardt, humiliée et rageuse, a dû renoncer aux succès des salons comme à ceux du théâtre, où ses représentations, bruyamment annoncées, se déroulent devant l'incompréhension de salles clairsemées. Et c'est pour ce piteux résultat qu'elle a jeté au nez de M. Perrin, son titre de sociétaire de la Comédie-Française!... Pauvre Sarah Bernhardt!... »

Telle était l'adroite perfidie de ces chroniques. C'était dire aux Parisiens : les Américains, que Sarah vous a préférés, ne sont pas aussi naïfs que vous. Ils ont bien vite reconnu la médiocrité de cette actrice. A présent qu'elle vous revient, réexpédiée en France par le dédain des Yankees, j'espère que vous allez l'accueillir avec la froideur que méritent son âpreté au gain et son ingratitude. Le public de Paris ne va tout de même pas se montrer plus bête que celui des Etats-Unis.

Rappeler aux Français combien ils sont intelligents est le plus sûr moyen de leur faire faire ce qu'on désire. Habilement sermonné, son public, jadis idolâtre, avait facilement admis de ne plus se soucier de Sarah Bernhardt. D'ailleurs, elle n'avait pas joué à Paris depuis plus d'un an. Et on oublie si vite les absents !... Ses succès dans *Phèdre, Hernani, Ruy Blas* s'effaçaient déjà des mémoires et lorsqu'on parlait d'elle. il était de bon ton de répondre, d'un air supérieur : « Ah, non !... Fini !... On ne nous y prendra plus !... »

Il ne fallut que quelques jours à Sarah, pour se rendre compte de la profonde transformation qui s'était produite dans l'opinion et elle en aperçut aussitôt la gravité. Plus une actrice est célèbre et moins elle peut se permettre de négliger la faveur des foules. Il fallait au plus vite qu'elle trouvât l'occasion de la conquérir à nouveau.

Avant son départ pour les Etats-Unis, elle avait reçu, un jour, la visite de Raymond Deslandes, l'un des auteurs de *Un Mari qui lance sa Femme,* la pièce dans laquelle elle avait joué au Gymnase, en 1864, et qu'elle avait abandonnée avec désinvolture, à la seconde représentation. Deslandes, depuis lors, était devenu directeur du Théâtre du Vaudeville. Il avait, bien entendu, pardonné à la grande actrice la fugue de la débutante et lui avait offert, à son retour d'Amérique, d'effectuer sa rentrée au Vaudeville, dans une pièce nouvelle de Victorien Sardou, dont celui-ci avait l'idée et qu'il se proposait d'écrire spécialement pour elle, pendant son absence.

A l'époque, Sarah Bernhardt connaissait très peu Sardou, qui était son aîné de treize ans et qui, ayant eu ses premiers succès tout jeune, était déjà un auteur très arrivé, alors qu'elle n'était même pas encore entrée à l'Odéon.

Toute sa vie d'ailleurs, et même après les triomphes qu'ils remportèrent ensemble, Sarah garda pour Sardou une déférence complète. Jamais elle ne l'a appelé autrement que « Maître chéri ». Elle avait, pour son talent de dramaturge autant que pour sa science de metteur en scène, une admiration sans bornes.

Peu de temps avant qu'elle démissionnât, en février 1880, Sardou avait donné une pièce nouvelle au Théâtre-Français, *Daniel Rochat,* que jouait Delaunay et qui avait été la première création importante de Julia Bartet dans la Maison. A ce moment, Sarah, le croisant dans les couloirs du théâtre, avait eu plusieurs entretiens avec lui. Et ils s'étaient rencontrés à nouveau la veille de son départ, au lendemain de sa conversation avec Raymond Deslandes.

Sardou, tout en déplorant, comme tant d'autres, sa rupture avec la Comédie, lui avait pourtant confirmé qu'il serait heureux qu'elle acceptât de « rentrer » dans la pièce dont il rêvait pour elle et dont le Vaudeville lui semblait être, en effet, le cadre idéal. C'était d'ailleurs un cadre qu'il connaissait bien, et où, depuis *Les Femmes Fortes,* en 1860, il avait fait jouer neuf ou dix pièces, dont cet immense succès : *La Famille Benoiton,* et puis *l'Oncle Sam, Dora* et le fameux *Rabagas.*

En arrivant à Paris, Sarah s'attendait à recevoir des nouvelles de Sardou, un mot ou une visite de Deslandes. Ni l'un ni l'autre ne bougeait. Ceci devenait sérieux. Résolument, elle demanda alors un rendez-vous à Sardou qui la reçut aussitôt avec beaucoup de cordialité, mais, néanmoins, un certain embarras ; depuis sa dernière rencontre avec elle, il avait eu. dit-il, un travail considérable et surtout les répétitions de *Divorçons,* au Palais-Royal, qui avaient été laborieuses... La pièce qu'il comptait écrire pour Sarah ne « venait » pas aussi bien qu'il l'espérait... Il l'avait à peine commencée... ne pouvait préciser quand elle serait terminée... Bref, sans oser le dire nettement, il lui faisait comprendre que la réalisation du projet, formé avec enthousiasme en octobre 1880, lui semblait, en mai 1881, devenue, assez problématique.

Quant aux raisons de ce changement d'attitude, Sarah était trop intelligente pour ne pas les comprendre sur-le-champ. Les venimeuses campagnes poursuivies contre elle en son absence, ce revirement certain du public à son égard, rendaient désormais sa réapparition sur un théâtre non seulement moins souhaitable pour le premier auteur qu'elle interpréterait, mais presque dangereuse : Dieu sait comment elle serait accueillie !.. Et Sardou qui la connaissait peu, ne l'avait jamais eue comme interprète et n'avait donc pas encore d'amitié pour elle, ne se souciait pas de se lancer dans une aventure aussi risquée.

Leur entretien avait duré à peine un quart d'heure, au bout duquel Sarah mesurait tout à coup l'effort qu'elle avait à fournir pour rétablir sa situation, non seulement compromise, mais presque perdue, à Paris du moins.

Evidemment, il lui eût été bien facile de louer un théâtre et d'y faire, sur-le-champ, à son compte, une reprise quelconque : *La Dame aux Camélias* ou *Froufrou*. Mais le moyen lui paraissait trop simple. Il fallait trouver mieux que cela, et contraindre à tenir leurs promesses et le grand dramaturge et Deslandes, tous deux si étrangement pusillanimes.

Durant sa tournée d'Amérique, elle s'était accoutumée à l'idée de jouer cette pièce nouvelle de Sardou, au Vaudeville. Et ce projet lui plaisait. Depuis que des difficultés surgissaient, voilà qu'elle y tenait plus que jamais !... C'est dans cette pièce et aucune autre, sur ce théâtre et nul autre, qu'elle ferait sa rentrée à Paris. Il ne s'agissait que d'employer les moyens nécessaires.

Londres, où la presse n'avait aucune raison d'avoir, à son égard, la même attitude que celle de Paris, ne demandait toujours qu'à recevoir Sarah, chaque fois qu'elle voudrait y jouer. Et elle avait, toutes prêtes, deux pièces encore inédites en Angleterre : *La Princesse Georges* et surtout *La Dame aux Camélias*.

Discrètement, sans l'annoncer dans les journaux de Paris, elle s'embarqua donc à Calais, avec sa troupe d'Amérique, ayant traité avec le Shaftesbury Theatre, pour une saison de trois semaines, commençant le 2 juin et au cours de laquelle elle jouerait uniquement ces deux pièces.

Son succès fut tel qu'elle dut prolonger de huit jours. Ayant donné *La Princesse Georges* pendant une semaine, elle joua vingt-quatre fois consécutives *La Dame aux Camélias* !... C'était la troisième saison, en trois ans, qu'elle faisait à Londres, et chaque année, l'accueil qu'elle y trouvait était plus enthousiaste.

Les milieux professionnels, à Paris, avaient été informés de cette réussite, à priori improbable, et un certain scepticisme s'était manifesté : comment Sarah, considérée comme « finie », pouvait-elle être encore fêtée à ce point par le public anglais ? Certainement il devait y avoir une énorme exagération de la part de ceux qui relataient ce succès. Et sur ses représentations à Londres, la presse de Paris était restée muette. Décidément, l'hostilité persistait et serait malaisée à vaincre.

*
*  *

Sans s'émouvoir, Sarah rentra à Paris le 30 juin. Là, elle apprit que pour la Fête Nationale, le 14 juillet, en soirée, après la matinée gratuite, une grande représentation de gala était organisée à l'Opéra. Le Président de la République, Jules Grévy, devait y assister, avec Jules Ferry, le chef du gouvernement. Cette année-là, en effet, on célébrait non seulement la fête de la République, mais le dixième anniversaire du 14 juillet 1871, celui qui, aussitôt après la Guerre, avait marqué la libération du territoire français envahi pendant des mois par les armées allemandes. C'est pourquoi la solennité du 14 juillet 1881 revêtait une importance particulière.

Le programme comprenait trois actes de *Robert le Diable,* l'opéra de Meyerbeer, créé en 1831, et qu'on venait de reprendre avec éclat pour le cinquantenaire de l'ouvrage, des intermèdes par plusieurs importants artistes de la Comédie-Française et du boulevard et naturellement *La Marseillaise,* qui devait être dite par Agar, la sculpturale tragédienne qui, douze ans plus tôt, avait créé, à l'Odéon *Le Passant a*vec Sarah Bernhardt.

Agar avait alors tout près de cinquante ans. Engagée à la Comédie-Française au début de 1870, elle l'avait quittée en 1872 pour entreprendre successivement plusieurs tournées d'Europe, y était rentrée pour quelques mois en 1877, en était repartie en 1878 et devait y rentrer pour la troisième fois, en 1885.

Les raisons de ces allées et venues un peu inusitées n'étaient pas uniquement artistiques. Toujours magnifiquement belle, Agar était, en style racinien, l'une des proies auxquelles Vénus tout entière semblait le plus souvent attachée. Les aventures, toutes ardentes et passionnées, se succédaient dans son existence. A l'époque du *Passant,* on avait chuchoté que, certainement, elle avait éprouvé pour le jeune François Coppée un penchant très vif. Et si, par la suite, elle abandonna si souvent non seulement le Théâtre-Français, mais aussi Paris, c'était généralement pour aller abriter en quelque coin du monde, ses amours du moment. En 1881, Agar éprouvait un sentiment impétueux pour un officier, capitaine de dragons, en garnison à Tours. Des bavardages en avaient informé Sarah dont, aussitôt, le plan fut arrêté.

On n'a peut-être pas oublié Hortense, la bonne vieille dame de compagnie d'Agar, qui, durant les années où sa patronne et Sarah étaient camarades, à l'Odéon, s'était prise pour la jeune créatrice de Zanetto d'une vive affection et, à ce moment déjà, célébrait sa voix d'or. Sarah s'arrangea pour rencontrer, un jour, cette excellente personne, à l'insu de sa maîtresse et sans difficulté, obtint d'elle la promesse du concours qui lui était nécessaire.

Vers la fin de l'après-midi du 14 juillet, Agar se reposait chez elle, étendue dans un petit salon dont les rideaux clos la défendaient contre le soleil et la chaleur, lorsque, tout à coup, Hortense entra et, l'air bouleversé, la mit au courant d'une rencontre qu'elle venait de faire : l'ordonnance du capitaine, celui qui était la raison de vivre de la tragédienne, était arrivé ce matin, en toute hâte, pour chercher à Paris un chirurgien et le ramener d'urgence à Tours, auprès de son maître, qui avait fait une chute de cheval. On craignait une fracture du fémur. Pour ne pas effrayer Agar, l'officier avait, à dessein, défendu qu'on la prévînt, et l'ordonnance avait bien recommandé à Hortense de ne rien dire. Mais elle ne se sentait pas le droit de se taire. Elle savait combien sa maîtresse adorait le capitaine : si son état était plus grave qu'on ne le pensait, si des complications, toujours possibles, devaient surgir, jamais elle ne se serait pardonné son silence.

Agar ne l'avait pas même laissée finir. Une demi-heure plus tard, ayant hâtivement bouclé une valise, elle était dans le train de Tours, après avoir bien recommandé à Hortense de courir à l'Opéra et d'avertir aussitôt les organisateurs de la représentation du soir. Sa subite défection, qui eût été grave si elle avait joué dans une pièce, était sans grande importance pour *La Marseillaise*. Bien que la saison eût déjà fait partir beaucoup d'artistes pour la campagne, il en restait certainement encore à Paris une dizaine, d'une notoriété suffisante pour dire l'hymne national en cette solennelle occasion. Parmi celles-ci, on choisirait aisément une femme de talent, qui aurait la complaisance de remplacer Agar, subitement empêchée.

On a deviné qu'Hortense ne prévint personne.

Et le soir, vers onze heures un quart, quelques minutes avant la fin de la représentation, alors que les régisseurs, regardant leur montre, s'inquiétaient déjà du retard singulier d'Agar, c'est Sarah Bernhardt, enveloppée dans un grand manteau à capuchon, qui apparut tout à coup dans les coulisses de l'Opéra.

Stupéfaction des dirigeants de la soirée, tant employés de l'Opéra qu'officiels envoyés par le Ministère des Beaux-Arts. Personne n'avait vu Sarah depuis son retour et elle n'avait paru sur aucune scène à Paris depuis quinze mois, depuis la fâcheuse reprise de *L'Aventurière* au Théâtre-Français. D'où sortait-elle et que venait-elle faire là ?... Parmi les artistes qui assuraient les intermèdes, Mounet-Sully, en habit, sortait de scène : Il venait de dire *L'Aigle du Casque* de Victor Hugo.

— Bonsoir, Jean, lui dit tranquillement Sarah, veux-tu me tenir mon manteau ?...

Et l'ayant ôté, elle apparut dans le costume classique que revêtent les tragédiennes qui, en une cérémonie officielle, disent *La Marseillaise* : la longue robe blanche, la ceinture tricolore aux pans flottants, et sur les cheveux, le bonnet de moire noire, aux larges ailes, des Alsaciennes. On la regarda avec ahurissement.

— Quoi ?... C'est vous qui ?...

— Qui quoi ?... questionna tranquillement Sarah.

— Et Madame Agar ?... s'enquit l'un des régisseurs.

— C'est vrai, j'oubliais, dit Sarah. Elle a dû quitter Paris, il y a une heure, appelée d'urgence au chevet d'un malade. Elle s'excuse et m'a priée de la remplacer. Vous pensez avec quelle joie j'ai accepté.

Et elle ajouta, avec un bon sourire :

— J'espère que personne, ici, ne verra d'inconvénient à cette substitution ?

Tout l'état-major administratif de la soirée se regarda, perplexe. Il était impossible de ne pas terminer la représentation par *La Marseillaise*. D'autre part, Sarah Bernhardt, ils le savaient bien, avait à peu près tout Paris contre elle. N'était-il pas dangereux de la laisser paraître en scène, surtout dans de telles circonstances ? Et si sa présence soulevait quelques protestations, en somme très possibles ? Un incident, ce soir, devait être évité à tout prix : le Chef de l'Etat était dans l'avant-scène. Les loges voisines contenaient les membres du gouvernement, le corps diplomatique et du haut en bas de l'immense salle de l'Opéra, comble à craquer, rarement on avait reconnu autant de notabilités.

C'est bien ce qu'avait prévu Sarah et c'est pourquoi elle avait soigneusement choisi ce soir-là pour affronter à nouveau le public de Paris.

Elle regarda Mounet-Sully déconcerté, les autres très inquiets et éclata de rire, un peu nerveusement :

— Ne faites donc pas ces figures-là, leur dit-elle. Je risque bien plus que vous et vous voyez comme je suis calme !

Quelques instants plus tard, l'orchestre ayant attaqué, avec éclat, les premières mesures de l'hymne national, le Président de la République se leva, aussitôt imité par toute la salle.

Alors, tout à fait à son aise, Sarah Bernhardt parut, un drapeau à la main, et lentement, s'avança jusqu'au milieu de la scène.

Le public, qui s'attendait à voir paraître Agar, l'avait aussitôt reconnue. Ce fut d'abord un moment de stupeur. Toute l'assistance, surexcitée, chuchotait : « Sarah Bernhardt... Sarah Bernhardt... » Le chef d'orchestre, abasourdi, la regardait, oubliant de battre la mesure. Puis, par déférence pour le Président, les murmures cessèrent. Alors, ayant volontairement attendu quelques secondes, durant lesquelles régna un silence de glace, Sarah Bernhardt, à mi-voix, presque sans timbre, mais avec une intensité prodigieuse, commença, lentement, à détailler les vers simples et sublimes :

« Allons, enfants de la Patrie,
« Le jour de gloire est arrivé...

En un instant, les trois mille spectateurs de l'Opéra sentaient une émotion indicible les étreindre à la gorge. Jamais Sarah, rien qu'en disant quelques strophes que tout le monde savait par cœur, n'avait brûlé d'une telle flamme, dégagé une puissance aussi surhumaine... Lorsque, pour la dernière fois, elle lança le refrain :

« Aux armes, citoyens !... »

toutes les femmes pleuraient, beaucoup d'hommes aussi essuyaient une larme, l'assistance entière était positivement bouleversée... Enfin, sur les derniers mots : ·

« Qu'un sang impur abreuve nos sillons !... »

Sarah éleva, aussi haut qu'elle le put, le drapeau qu'elle tenait dans sa main droite. Il se déploya largement derrière elle et, les deux bras levés vers le ciel, elle resta là, immobile, toute blanche, devant les trois couleurs françaises.

Ce fut un enthousiasme indescriptible. La salle criait : « Bravo !... Sarah !... Sarah !... » Grévy, lui-même, extrêmement ému, ne se lassait pas d'applaudir et de la rappeler. Au premier rang des fauteuils d'orchestre, Gambetta, s'épongeant le front, hurlait positivement son admiration. Les cris ne cessant pas, elle dut redire une seconde fois La Marseillaise, d'un bout à l'autre. Et comme elle y avait mis une émotion plus grande encore, ce furent de tels trépignements qu'elle se vit obligée de la dire une troisième fois !... Et le rideau se ferma.

Alors, ce fut véritablement du délire. Dans toute la salle, des gens qui ne se connaissaient pas, s'abordaient, les yeux rougis, se félicitaient, s'embrassaient, comme si un grand et heureux événement venait de s'accomplir. On entendait : « C'est inouï !... Elle est prodigieuse !... On n'a jamais vu ça !... La plus grande de toutes !... J'ai sangloté !... La plus belle soirée de ma vie !... » En un quart d'heure, Sarah Bernhardt avait retourné Paris, avait reconquis toute son ancienne popularité.

En rentrant dans la coulisse, elle retrouva les régisseurs, les officiels qui, eux aussi, pleuraient et se mouchaient à qui mieux mieux. Elle sourit :

— Quand je vous disais qu'il n'y avait pas de quoi vous alarmer !...

L'instant d'après, des centaines de spectateurs, amis ou inconnus, quittaient la salle, franchissaient la porte de fer et vers le coin de la scène où elle s'était assise, déferlait une véritable marée humaine. On lui serrait les mains, on l'embrassait, d'autres la regardaient, pétrifiés, comme un être surnaturel... des femmes baisaient le bas de sa robe !... Sarah Bernhardt, dans sa vie, a connu bien des triomphes. Elle en eut rarement de la qualité de celui-là.

Quand on lui raconta comment avait été accueillie sa remplaçante dans La Marseillaise, Agar qui aimait bien Sarah, loin de lui en vouloir de sa supercherie, l'en félicita et pardonna aussi, sans difficulté, à Hortense. D'abord elle était trop heureuse d'avoir

trouvé, à Tours, son amant en parfaite santé et presqu'aussi
contente que son amie ait su, avec cet esprit et avec cette autorité,
reconquérir sa place, la première, qu'une poignée d'envieux avait,
si injustement, presque réussi à lui faire perdre.

*
* *

Le lendemain et les jours suivants, la presse de Paris était
bien obligée d'enregistrer l'extraordinaire triomphe que Sarah
avait remporté à l'Opéra d'une façon aussi originale qu'inattendue.
Mais elle s'était bien promis de ne pas se soucier davantage des
exclamations admiratives que suscitait son coup d'audace, qu'elle
n'avait relevé la haineuse partialité des compte-rendus de son
voyage en Amérique et de ses représentations de La Dame aux
Camélias à Londres.

A présent, elle savait que lorsqu'elle voudrait rejouer à Paris,
loin de risquer quoi que ce soit, elle serait accueillie avec enthousiasme. Tout le reste était secondaire. Et quelques jours plus tard,
elle partait pour Sainte-Adresse, près du Havre, où, l'année
précédente, elle avait acheté, sur la hauteur, un chalet qu'on avait
aménagé pendant son séjour aux Etats-Unis. Ce n'est que cinq
ans plus tard qu'elle devait acquérir, à Belle-Isle, le fort, dont il a
été parlé au premier chapitre, et qui devint sa première villa dans
la région.

Dans le calme de la campagne, seule avec son fils et Mme
Guérard, Sarah réfléchit et brusquement, elle fut prise d'une de ces
colères froides qui, parfois, s'emparaient d'elle. Ainsi, voilà ce
qu'était ce public de Paris, auquel elle avait exclusivement consacré
les dix-huit premières années de sa carrière !... Gravissant lentement, patiemment, les degrés qui l'avaient conduite à la célébrité,
n'ayant, depuis sept ans, jamais eu un échec, — sauf l'Aventurière,
qui fut l'erreur d'un soir — ayant, au contraire accumulé des
triomphes, comme aucune autre actrice, en cette ville, ne l'avait
fait, elle s'était vue contestée, puis oubliée, puis presque dédaignée,
uniquement parce qu'une presse perfide avait su habilement exploiter son absence !... Après quoi, ce même ingrat public de Paris,
rien que parce qu'elle avait su lui dire La Marseillaise, refaisait
d'elle son idole et réclamait, à grands cris, sa rentrée prochaine !...
Eh bien, non ! Ces gens ne la méritaient pas !... Paris n'avait
pas voulu d'elle quand elle était revenue d'Amérique. Pendant
longtemps, elle allait s'éloigner à nouveau et ne rentrerait que
lorsqu'elle le jugerait bon. Non quand on l'en priait, mais à son
heure, à elle. Dans cette soudaine décision, on retrouvait la
nature entière, facilement irascible et violemment autoritaire de

Sarah Bernhardt qui, durant les semaines suivantes, prépara l'itinéraire d'une grande tournée d'Europe.

Il faut ajouter qu'elle avait été vivement encouragée dans ce projet par un acteur d'un certain talent, et doué — naturellement — d'un superbe visage, une véritable tête d'empereur romain. Il s'appelait Philippe Garnier et eut, à l'époque et surtout trois ans plus tard, une telle influence sur Sarah, qu'on peut douter qu'elle n'ait jamais eu pour lui qu'une cordiale amitié. C'est lui qui, utilisant adroitement son ressentiment contre Paris, la persuada d'exploiter largement le répertoire, maintenant bien au point, qu'elle s'était constitué, d'utiliser toutes ces pièces qu'elle pouvait presque sans répétitions, jouer partout avec sa troupe d'Amérique, celle-ci étant, au besoin, renforcée d'un ou deux acteurs de valeur, dont lui, Garnier, bien entendu !

*
\* \*

Au lendemain de la soirée du 14 juillet, on en avait raconté les extraordinaires détails à Raymond Deslandes et aussitôt, il avait compris l'erreur qu'il avait commise, en ne voyant pas Sarah Bernhardt dès son retour à Paris. Sardou lui aussi, aurait bien voulu réparer ce qu'il reconnaissait avoir été, de sa part, une grande maladresse. Mais prendre le train pour Le Havre et se précipiter chez Sarah, trois jours après son triomphe à l'Opéra, en eut été une autre.

L'illustre dramaturge et le directeur du Vaudeville décidèrent donc d'attendre son retour à Paris, qui devait avoir lieu fin août. D'ici-là, si une autre direction faisait des offres à Sarah Bernhardt, ils en seraient avertis à temps, car tout se sait vite dans les milieux de théâtre. Ils n'avaient pas du tout pensé à la tournée. Après plus d'un an d'absence, ils n'imaginaient pas que Sarah oserait repartir et ne profiterait pas immédiatement du bruit — qui réellement, fut énorme — fait autour de son ingénieuse rentrée dans *La Marseillaise*.

C'est donc avec une belle confiance que, le matin du 1er septembre 1881, Raymond Deslandes sonna à la porte de l'hôtel de l'avenue de Villiers et, aussitôt reçu par Sarah, lui annonça ingénûment que durant ces dernières semaines, Victorien Sardou avait pu travailler plus et mieux qu'il ne l'aurait cru, que sa pièce nouvelle était terminée, qu'il en était enchanté et qu'elle s'intitulait *Fédora*.

— C'est une comédie dramatique sans grande mise en scène, ajouta Deslandes, une quinzaine de personnages et quatre décors très simples. Voulez-vous recevoir Sardou demain ? Il vous lira la pièce. Si elle vous plaît, — et je ne doute pas qu'elle vous enchante — nous pourrons répéter la semaine prochaine et passer le 10 octobre.

Riant sous cape, Sarah l'avait laissé parler sans l'interrompre, semblant prendre le plus vif intérêt à son récit. Quand il eut achevé, elle prit un air désolé.

— Quel dommage que vous ne m'ayez pas dit tout cela six semaines plus tôt... tenez, avant le 14 juillet!... ajouta-t-elle avec un petit sourire.

— Et pourquoi donc?

— Parce que c'est à ce moment-là que j'ai pris toutes mes dispositions pour la saison qui commence, et à présent, je ne suis plus libre!

Deslandes sursauta:

— Vous avez traité ailleurs?

— Eh! oui...

— Avec quel théâtre?

— Oh! une trentaine!... Notamment les Célestins de Lyon, où je débute le 22 de ce mois.

— Vous repartez en tournée?

— Jusqu'en mai de l'année prochaine.

Deslandes pâlit:

— Un an?...

— Pas tout à fait. Mais peut-être davantage. Sait-on jamais?... Ceci dit, c'est avec joie que j'écouterai la pièce de Sardou. Demain, son heure sera la mienne.

Auteur dramatique et metteur en scène de génie, Sardou était en outre un lecteur extraordinaire. Et lorsque, jouant tous les rôles, vivant sa pièce plutôt qu'il ne la lisait, il en eût achevé la lecture à Sarah, celle-ci, très tentée par ce rôle admirable de Fédora, dans une pièce qui, immanquablement, serait un triomphe, avait bien envie d'envoyer sa tournée au diable.

Mais son orgueil l'emporta. Elle voulait bien pardonner à Sardou et à Deslandes d'avoir douté d'elle, mais à condition qu'ils attendissent son bon plaisir. Vraiment, ils méritaient cette petite leçon!

A la fin de la lecture, Deslandes les avait rejoints et insistait pour commencer aussitôt les répétitions. Sarah tint bon. Alors, croyant frapper un grand coup, il lui dit:

— Eh bien, je vais vous décider, moi. Remettez votre tournée. Jouons *Fédora* tout de suite et je vous offre mille francs par représentation. Cent représentations garanties. La moitié payable d'avance, si vous le désirez.

C'était une offre considérable. A cette époque, aucune vedette du boulevard n'était payée plus de trois cents ou, au grand maximun, quatre cents francs par jour. Sarah sourit doucement.

— Je suis désolée pour vous, mon cher Deslandes.. et surtout pour vous, mon cher Maître, ajouta-t-elle en regardant Sardou, mais malgré tout mon désir de jouer cette admirable pièce, je ne saurais être à votre disposition avant octobre 1882. Quant aux conditions, je suppose que ce cher Deslandes a voulu plaisanter?

— Comment?... fit Deslandes interloqué.

— Lorsque la salle est comble, le Théâtre du Vaudeville peut faire sept mille cinq cents francs de recette. Je ne jouerai jamais chez vous à moins de quinze cents francs par représentation; plus un quart des bénéfices.

Cinquante mille francs par mois!... Deslandes et Sardou se regardèrent. Elle continua, toujours souriante:

— Je m'empresse d'ajouter que si ce cachet vous semble trop élevé et s'il vous est impossible de m'attendre, je ne vous en voudrai nullement de faire jouer la pièce par une autre. J'en serai navrée pour moi, mais je trouverai cela parfaitement légitime.

Sardou bougonna:

— Une autre?... Comme si vous ne saviez pas que vous seule pouvez jouer Fédora!...

— Vous êtes trop indulgent, mon cher Maître, dit modestement Sarah, qui s'amusait comme une folle. Je serai donc heureuse et fière de répéter sous votre direction... l'année prochaine!...

Quel parti pouvaient-ils prendre?... Attendre Sarah et remettre Fédora. C'est ce qui fut fait. Et Sardou, qui avait toujours deux ou trois pièces prêtes, ou sur le point de l'être, termina hâtivement une comédie appelée Odette qui fut représentée au Vaudeville en novembre 1881, avec Blanche Pierson, Maria Legault, Réjane, Alphonse Dupuis et Pierre Berton, et qui, d'ailleurs, réussit brillamment.

*
* *

Cependant, Sarah préparait sa tournée d'Europe qui, après Lyon et le Midi de la France, comprenait l'Italie, la Grèce, la Hongrie, l'Autriche, la Suède, la Norvège, le Danemark, l'Angleterre, l'Espagne, le Portugal, la Suisse, la Belgique et la Hollande.

C'est pendant les dernières répétitions de cette tournée, vers le milieu de septembre 1881, que Sarah Bernhardt fit, pour son malheur, la connaissance de l'homme qui, pendant trop longtemps, allait tenir dans sa vie une place si importante: Jacques Damala.

Et c'est sa sœur Jeanne, bien mal inspirée ce jour-là, qui le lui présenta.

On se rappelle que Jeanne Bernhardt était, depuis des années, terriblement morphinomane. Elle avait déjà fait cinq ou six cures de désintoxication et, toujours, retombait dans son vice qui, d'ailleurs, inspirait à Sarah une horreur maladive. Un jour, pendant les représentations de *La Dame aux Camélias,* à Londres, voyant Jeanne plus que jamais livide, les yeux vagues, la bouche pâteuse, Sarah, tout à coup fut prise de fureur. Elle ferma les portes à clef, saisit une cravache et roua de coups sa sœur qui, en vain, demandait grâce !...

Mais ni corrections, ni prières, ni raisonnements ne pouvaient la guérir. Neuf sur dix des intoxiqués sont incurables. Et tous, sans exception, se recherchent les uns les autres, se reconnaissent, s'attirent et se réunissent.

Sarah Bernhardt qui, par sa sœur et surtout par son mari, eut tant à souffrir des morphinomanes, les connaissait bien, en parlait souvent avec dégoût et disait :

— Il en est des intoxiqués comme des homosexuels, des lesbiennes, des fumeurs d'opium et de tous les êtres humains atteints d'un vice quelconque. Conscients de leur déchéance, ils en trouvent une sorte d'excuse dans le fait qu'ils ne sont pas seuls à être frappés. C'est pourquoi, non seulement ils recherchent toujours qui leur ressemble, mais encore, ils s'appliquent à faire des adeptes. Une lesbienne s'entoure toujours d'autres lesbiennes, même sans relations intimes avec elles. Le nombre et la fréquentation constante de ses congénères finit par lui donner le sentiment qu'elle n'est pas tellement anormale, puisque tant d'autres souffrent de la même perversion. Les intoxiqués agissent exactement de même. Ils se reconnaissent presque du premier coup d'œil. Il existe entre eux une sorte de franc-maçonnerie, de complicité tacite, de dévouement immédiat, même pour un inconnu, dès l'instant qu'il leur prouve qu'il est un des leurs.

Partout dans le monde, en effet, il y a des petits cercles mystérieux, où morphinomanes et cocaïnomanes se retrouvent et s'entr'aident, se procurent de fausses ordonnances, se signalent les médecins complaisants qui en signent à bas prix, les pharmaciens qui, sans difficulté, délivrent des doses interdites. Et c'est dans ces conditions que Jeanne Bernhardt avait fait connaissance de Jacques Damala, comme elle un morphinomane invétéré et — conséquence fréquente de ce vice — un homme d'une amoralité complète, d'un cynisme sans égal, capable des pires dépravations.

Grec de naissance, mais parlant un français à peu près impeccable, Damala était attaché à la Légation de Grèce à Paris. Il avait alors trente-quatre ans, — trois ans de moins que Sarah — et, fréquentant surtout les milieux diplomatiques, vivant aussi loin que possible du théâtre et des coulisses, son nom même aurait dû être ignoré d'elle. Mais ses aventures, aussi nombreuses que retentissantes, avait été partout connues et commentées..

Deux femmes de la meilleure société avaient divorcé pour lui. Une autre, parce que Damala avait rompu avec elle, s'était suicidée... Et peu à peu, Damala était devenu une sorte de héros de roman pervers. Lorsqu'il était question de lui, les noms de Casanova, de Lovelace, du duc de Richelieu et du Marquis de Sade, revenaient invariablement sous la plume des chroniqueurs.

Cette année-là, ses exploits tapageurs avaient fini par émouvoir les milieux officiels. Et discrètement, le Ministère des Affaires Etrangères avait demandé à la Légation de Grèce de faire déplacer, si possible, le trop fameux attaché, décidément dangereux pour la sécurité des ménages !... Le gouvernement héllène avait déféré au désir du gouvernement français et Damala venait d'être nommé à Saint-Pétersbourg. Il devait rejoindre son nouveau poste le 1er octobre et du reste, acceptait volontiers ce changement de résidence. Pourquoi les dames russes seraient-elles plus insensibles à ses charmes que les Parisiennes ?...

Ses succès répétés s'expliquaient. Presqu'aussi beau que Mounet-Sully, Damala était grand, d'une stature parfaite. Il avait le visage régulier, une barbe en pointe châtain clair, et surtout des cils très longs et très épais, qui donnaient à son regard sombre, une sorte de douceur inquiétante qui bouleversait les femmes.

Mais s'ils se ressemblaient par les traits, combien ces deux hommes différaient par l'expression !... Mounet, le regard franc, l'air noble et surtout loyal, d'une droiture presque naïve, tant elle était rigoureuse, donnait, dès l'abord, une impression d'honnêteté absolue. Damala, oriental, félin, les yeux toujours abrités derrière ses cils, devait invinciblement inspirer la méfiance à celles que, du premier instant, il n'avait pas subjuguées.

Un jour, à la fin d'une répétition qui avait eu lieu dans l'atelier de l'hôtel de Sarah Bernhardt, le beau Grec était venu chercher Jeanne et l'attendait sur le trottoir de l'avenue de Villiers. Comme elle embrassait sa sœur, avant de descendre, Sarah lui demanda qui elle allait rejoindre avec cette hâte. Jeanne lui nomma Damala. Sarah sourit :

— Ah ! le fameux conquérant !... Cela m'amuserait de le voir. Fais-le entrer dix minutes.

Damala entra et, tout à fait à son aise, nullement impressionné par l'illustre artiste qu'il approchait pour la première fois,

## CHAPITRE VI

# MARIAGE — RUPTURE — L'APOGÉE

Suivre, ville par ville, cette première tournée de Sarah Bernhardt à travers l'Europe, serait interminable, peut-être monotone et ne constituerait guère qu'une redite des succès qu'elle avait déjà remportés en Angleterre et aux Etats-Unis. Si, dès 1876 et surtout 1879, sa renommée s'était étendue jusqu'au Nouveau Monde, à plus forte raison avait-elle atteint toutes les parties de l'Ancien Continent. Aussi, à peu près partout, trouvait-elle le même accueil triomphal et les mêmes salles combles, les places ayant été payées des prix exorbitants. Des réceptions fastueuses étaient données en son honneur dans chaque pays, toutes les notabilités, littéraires et politiques, se faisaient un devoir d'assister à ses premières et généralement, elle était priée de donner une représentation privée au Palais du souverain, qui lui témoignait sa gratitude et son admiration par un magnifique cadeau.

Les souvenirs qu'elle avait rapportés de ses tournées successives à travers le Monde, étaient innombrables, et souvent, boulevard Péreire, j'ai vu, conservés un peu pêle-mêle dans les tiroirs d'un meuble de son bureau, la broche en diamants du roi Alphonse XII d'Espagne, le collier de camées qu'à l'issue d'une représentation de *Phèdre,* l'Empereur François-Joseph lui avait, lui-même, attaché au cou, l'éventail du roi Humbert d'Italie, qui était une magnifique aquarelle sur parchemin, représentant une soirée dansante sur la terrasse d'un palais de Venise au temps des doges, et combien d'autres merveilles.

Vers la fin de sa vie, malheureusement, beaucoup de ces cadeaux n'étaient plus en sa possession. Au lendemain d'une pièce dont décors et costumes avaient été coûteux et dont les recettes s'avéraient insuffisantes, Sarah avait dû vendre — à n'importe quel prix — des joyaux inestimables non seulement par leur valeur, mais aussi en raison des triomphes qu'ils évoquaient pour elle.

En janvier 1882, lorsqu'elle arriva à Vienne, l'Archiduc Frédéric mit à sa disposition, pour la durée de son séjour, l'un de ses palais, « n'acceptant pas qu'une reine habitât l'hôtel ».

Durant ses représentations à Copenhague, le roi Christian IX l'invita sur son yacht, pour lui faire visiter lui-même Elseneur, le tombeau d'Hamlet et le château de Maryenlist. Puis, à la fin de

sa soirée d'adieu, il la fit mander dans sa loge et devant toute
la salle, la décora de l'Ordre du Mérite Danois.

Vers sa quarantième année, déjà, Sarah Bernhardt était commandeur ou grand'croix des ordres nationaux de presque tous
les pays du monde. Seule — le croirait-on ? — la France attendit
jusqu'en janvier 1914, pour la faire chevalier de la Légion d'Honneur. Elle avait 69 ans. Et lorsqu'elle mourut, elle était seulement
officier, le second grade dans l'ordre national français. De nos
jours, certaines femmes, infiniment moins illustres, reçurent,
beaucoup plus jeunes des honneurs plus grands. On pourrait citer
telle romancière éminente, mais dont le prestige n'est pas comparable à celui de Sarah Bernhardt, qui a été faite chevalier à 48 ans
et commandeur à 60.

C'est à Saint-Pétersbourg que le succès de Sarah Bernhardt
prit les proportions les plus considérables. D'abord, à cette époque
et jusqu'en 1914, toute l'aristocratie et la haute société russes
parlaient impeccablement le français. D'autre part, il est à remarquer — et tous les artistes en ont fait l'expérience — qu'en Europe,
contrairement à ce qu'on pourrait croire, les populations du Nord
sont, en général, beaucoup plus enthousiastes et plus démonstratives
que celles du Sud. L'Angleterre et les pays scandinaves, par
exemple, fournissent aux théâtres des publics incomparablement
plus vibrants et dont les manifestations sont dix fois plus bruyantes
que les réactions d'une salle italienne, espagnole ou algérienne.
Le fait ne s'explique pas, mais il est incontestable.

La Russie fit à Sarah une réception grandiose. Chaque jour,
pendant des heures, la foule attendait sa sortie de l'hôtel, pour
l'acclamer. Chaque soir, lorsqu'elle arrivait au théâtre, un large
tapis rouge était bien vite déroulé sur le trottoir afin qu'en descendant de son traîneau, elle n'eût pas à poser le pied dans la neige.
Des trains spéciaux, de Moscou, avaient été établis, pour permettre aux habitants de la ville de venir assister à ses représentations. Les grands-ducs, tous les membres de la famille impériale
étaient quotidiennement dans la salle, où se pressait tout ce que
Saint-Pétersbourg comptait de plus illustre.

Deux fois, elle fut mandée au Palais d'Hiver, résidence du
Tzar, devant lequel elle joua d'abord *Le Passant* et la mort
d'*Adrienne Lecouvreur*, puis deux actes de *Phèdre*. Le soir où
elle fut présentée à Alexandre III, qu'elle avait positivement
bouleversé, il l'arrêta vivement dans sa révérence et, devant toute
la Cour, lui dit :

— Non, Madame. C'est à moi à m'incliner devant vous !

\*
\* \*

Comment et dans quelles circonstances exactes, six mois après leurs quelques entrevues à Paris, s'effectua la première rencontre, à Saint-Pétersbourg, de Sarah Bernhardt avec Jacques Damala ? Les détails importent peu. Ce qui est certain, c'est que trois jours après son arrivée, le beau Grec ne quittait plus Sarah qui rayonnante, n'acceptait une invitation qu'à la condition qu'il fût convié aussi. Elle ne consentit à se rendre, sans lui, qu'aux soirées tout à fait officielles où, décemment, le protocole ne lui permettait pas de formuler une semblable exigence.

Bientôt, leur liaison était la fable de Saint-Pétersbourg et déjà, dans tous les milieux, on jugeait plus ou moins sévèrement, le sans-gêne un peu choquant de la grande artiste lorsque tout à coup, une nouvelle sensationnelle se répandit dans la ville : Jacques Damala avait donné sa démission d'attaché à la Légation de Grèce, il était engagé, comme comédien, par Sarah Bernhardt et, faisant désormais partie de sa compagnie, jouerait le mardi suivant, avec elle, le rôle de Sartorys dans *Froufrou!*...

Cette information retentissante était suivie d'une autre, qui passa inaperçue du public, mais qui constitua un petit événement parmi la troupe de Sarah : Philippe Garnier, prétextant une bronchite, abandonnait la tournée et rentrait dignement à Paris, Sarah l'ayant, à l'amiable, tenu quitte de la fin de son engagement.

Cette aventure romanesque décupla, dans l'instant, la curiosité des foules. En cinq mois de séjour à Saint-Pétersbourg, Damala avait eu le temps d'être introduit dans toute la haute société russe et de briser distraitement quelques cœurs. Le beau diplomate, se faisant tout à coup acteur, abandonnant son poste pour suivre la grande artiste et lui servir désormais de partenaire, durant de reste de sa tournée, il y avait là de quoi susciter d'interminables commentaires.

En l'absence de rapports précis à ce sujet, il est facile d'imaginer ce que furent, à Saint-Pétersbourg, les débuts de Damala comédien. Bien qu'il eût déjà souvent joué la comédie en amateur, évidemment il manquait, avant tout, de métier, et malgré les efforts de Sarah qui lui enseignait ses rôles avec une patience et une sollicitude inlassables, certes, il n'était pas à la hauteur de sa tâche. D'autant qu'éperdument éprise du beau Grec, elle le voulait bientôt pour partenaire dans toutes ses pièces et, non contente de lui faire reprendre, un à un, les rôles de Philippe Garnier, elle dépossédait aussi, peu à peu, le pauvre Angelo de quelques-uns des personnages qu'il tenait plus que convenablement. Elle faisait, ainsi, jouer à Damala, notamment Armand Duval de *La Dame aux Camélias* et même *Hernani!*... Dans ce dernier rôle qui exige d'abord du style et aussi un acteur qui sache dire les vers, Damala se montra tout particulièrement insuffisant. Mais, loin d'en convenir, Sarah Bernhardt le trouvait admirable et lui prédisait une merveilleuse carrière de comédien. L'amour, plus qu'aucune autre, la rendait aveugle !... Elle n'osa tout de même pas lui faire jouer Hippolyte de *Phèdre,* mais sans doute est-ce uniquement parce que la mémoire de Damala ne pouvait vraiment pas fournir l'effort d'apprendre tant de pièces en si peu de temps.

En ce qui concerne Sarah Bernhardt, les raisons de ce coup de tête étaient évidentes. Durant tout le début de sa tournée, fiévreusement, elle avait attendu le jour où enfin, elle retrouverait Damala. Vingt fois elle s'était demandé comment il allait l'accueillir, si seulement il viendrait la voir, si elle ne le retrouverait pas amoureux d'une autre ou, tout au moins, indulgent aux charmes inédits de quelque grande dame russe. Lorsqu'après cette longue période d'anxiété, elle l'avait revu et qu'il avait enfin consenti à couronner sa flamme, un tel sentiment de joie et de triomphe s'était emparé d'elle qu'aussitôt, sa seule idée avait été de s'attacher cet homme, professionnellement d'abord, et bientôt aussi, hélas ! légitimement.

Mais lui qui jamais n'éprouva pour Sarah, — pas plus que pour aucune autre femme — le moindre sentiment, qu'est-ce qui l'avait fait agir ? Avait-il été ébloui par ses succès et tenté par la satisfaction d'apparaître, aux yeux de chacun, l'heureux vainqueur de celle dont s'entretenait tout Saint-Pétersbourg ? Ou, plus prosaïquement, les recettes énormes qu'elle réalisait partout où elle jouait, lui donnaient-elles la perspective de vivre désormais une existence fastueuse, dont elle seule réglerait les dépenses ? Malgré les apparences, cette dernière hypothèse n'est pas à retenir. Non que Damala fût désintéressé, mais à Saint-Pétersbourg même il aurait pu choisir la maîtresse qu'il voulait, plus riche que Sarah Bernhardt et tout aussi généreuse.

Ce qui est plus probable, c'est que ce brusque coup de barre, donné dans son existence, avait amusé sa nature d'aventurier oriental. C'était autre chose, c'était du nouveau, de l'imprévu, du pittoresque. Et peut-être, aussi, souriait-il à l'idée que, de la sorte, il pourrait bientôt revenir à Paris, qu'on l'avait discrètement prié de quitter en tant qu'attaché de Légation et dont nul ne pourrait plus le renvoyer, s'il y reparaissait comédien et protégé par Sarah Bernhardt.

Après un mois de triomphes qui s'achevèrent en apothéose, Sarah quittait Saint-Pétersbourg le 30 mars. Prenant d'assaut le même train qu'elle, une cinquantaine d'enthousiastes lui avaient fait cortège jusqu'à la frontière. Elle devait promettre de revenir très vite et très souvent, et directement partait pour Londres, où elle débutait le 2 avril.

Et le 4 avril 1882, à l'église Saint-Andrews dans Wells Street, la plus grave erreur de son existence était commise : Sarah Bernhardt épousait Jacques Damala.

Lorsque la nouvelle fut connue à Paris, ce fut une consternation générale, et aussi à Londres, parmi sa compagnie dont tous les artistes adoraient Sarah. On connaissait l'effroyable réputation du jeune diplomate grec, dont la conduite, avec les femmes, était tristement célèbre. Et surtout, beaucoup savaient ce que Sarah ignorait encore, car, durant leur séjour à Saint-Pétersbourg et malgré leur intimité il avait réussi à le lui cacher : qu'il était redoutablement morphinomane, intoxiqué à un degré pratiquement incurable.

Mais qu'auraient pu faire ses acteurs, ses amis ? Sarah, transfigurée, donnait une telle impression de bonheur éperdu, de fierté radieuse !... Personne ne se serait permis de risquer la plus timide observation. Pas même Jeanne Bernhardt qui, pourtant, connaissait mieux que personne, les tares de Damala.

Dans son affection pour sa sœur, elle avait bien eu l'idée de l'avertir, de la mettre en garde... Elle fut retenue par la complicité qui existe entre morphinomanes. Toujours ils se soutiennent entre eux. Et peut-être aussi, craignait-elle une vengeance du Grec, qu'on disait brutal et rageur. Bref, elle se tut, et comme les autres, fit bonne contenance et félicita les jeunes époux.

A Londres, c'était, en quatre ans, la quatrième saison de Sarah Bernhardt et pour renouveler son répertoire, elle joua, notamment, *L'Aventurière* d'Emile Augier. Maintenant, elle avait eu le temps d'établir le personnage de Dona Clorinde, qu'elle possédait si imparfaitement lorsqu'elle l'avait joué au Théâtre-Français, et la presse anglaise l'y jugea à ce point magnifique que Francisque Sarcey fit le voyage exprès pour le voir.

Il en profita pour assister aussi à une représentation d'*Adrienne Lecouvreur* qu'elle n'avait pas jouée à Paris. En rentrant, il lui consacrait, dans *le Temps,* un long feuilleton qui se terminait par ces mots :

« Elle est unique et jamais personne ne la remplacera. Quelle perte irréparable pour la Comédie-Française !... »

C'était son antienne, qu'il reprenait chaque fois qu'il parlait de Sarah Bernhardt.

*
* *

Après le Portugal, l'Espagne et la Suisse, Sarah traversait Paris, durant quelques jours, avant de terminer sa tournée en

Hollande, puis en Belgique. On lui demanda si elle accepterait de prêter son concours à une représentation de gala, organisée au Théâtre de la Gaîté, au profit de la veuve du grand peintre-décorateur Chéret. Elle accepta, et comme spectacle, proposa *La Dame aux Camélias,* avec Damala dans le rôle d'Armand Duval. C'était la première fois qu'elle jouerait à Paris la pièce de Dumas fils que, depuis près de deux ans, elle avait interprétée un peu partout. Et elle allait y paraître avec celui qui était son mari depuis six semaines !... Il y avait de quoi piquer la curiosité du public. Dès la première annonce de cette soirée, les bureaux de location de la Gaîté furent positivement envahis.

Cette représentation unique eut lieu le 25 mai 1882.

Autour de Sarah Bernhardt qui, enfin, offrait aux Parisiens l'occasion de l'applaudir dans le rôle de Marguerite Gautier, la distribution comprenait Jeanne Bernhardt dans Nichette. Mmes Laurence Grivot, Angèle, de Cléry, Depoix, Sydney, MM. Jacques Damala dans Armand, Dumaine dans le père Duval, Dieudonné, Cooper, Romain, Joumard. Et pour corser encore l'affiche. Saint-Germain, le fameux comique, avait accepté de reprendre, pour un soir, le rôle de Saint-Gaudens. qu'il avait déjà joué souvent à Paris.

Dès son apparition, Sarah Bernhardt fut longuement acclamée. Et, d'acte en acte, son incarnation du personnage de Marguerite remplit la salle d'admiration. Après Mme Doche, la créatrice, en 1852, le rôle avait été joué successivement à Paris, par Blanche Pierson et Aimée Tessandier. Toutes trois n'y avaient remporté personnellement qu'un succès honorable. C'était la pièce qui plaisait alors et qui « portait » son interprète. Avec Sarah Bernhardt. il en allait tout autrement. Au troisième acte notamment, elle s'élevait très haut au-dessus de l'ouvrage, que ce soir-là. le public de Paris eut véritablement l'impression de découvrir. Et au cinquième acte, où sa lente agonie et sa mort étaient réalisées avec un art souverain, elle rejoignait presque les moments sublimes de la mort de *Phèdre.* On lui fit un triomphe et elle fut l'objet de rappels sans fin.

Malheureusement, le « jeune premier » était loin, très loin, de partager ce succès. La presse, pour lui, était cruelle. Voici, exemple typique, ce que disait Edmond Stoullig, le critique du *Rappel*:

« C'est M. Jacques Damala qui jouait Armand. On devine que la vue du mari de Mme Sarah Bernhardt était une des grandes attractions de la soirée. Son entrée, au premier acte, avait fait sensation. « Damala !... Le voilà !... » Et les lorgnettes de se braquer sur le jeune et beau garçon, à l'œil noir, qui avait eu l'honneur d'être distingué par la grande artiste, au point qu'elle en avait fait amoureusement son époux, devant la loi. Si, du point de vue physique, Armand Duval a conquis tous les cœurs, il n'en était pas de même du point de vue artistique. Son inexpérience était colossale, la voix grave au point d'être sourde, la diction pâteuse et embarrassée d'un accent étranger fort prononcé, l'allure uniformément triste et timide. Vraiment, cet amant passionné nous apparaissait bien froid et bien gauche. Bref, « l'exhibition » n'était pas heureuse. Pourtant, au quatrième acte, qui est presque tout entier pour Armand. M. Damala a pris une petite revanche. Il eut quelques accents émouvants et sincères. Avec beaucoup de travail, peut-être pourra-t-il faire un comédien. Il est vrai qu'il a, auprès de lui, un professeur dont les leçons devraient lui être profitables. »

En lisant ces articles, tous à peu près semblables, Sarah Bernhardt avait haussé les épaules :

— Ils ont été aussi sévères pour moi, à mes débuts, disait-elle à son mari. Cela n'a rien empêché, tu le vois. Et par conséquent, cela ne saurait te décourager.

Car, — étrange aberration !... — elle gardait et conserva toujours pour Damala, comédien, une admiration totale. A la fin de sa vie, encore, si elle admettait mélancoliquement tous ses défauts et ses vices, elle persistait à croire « qu'il y avait, en lui, un acteur de génie », ce qu'elle fut toujours la seule à penser.

*
*  *

Au moment où, de Madrid, elle avait accepté de donner cette représentation à la Gaîté, Sarah avait écrit à Victorien Sardou et aussi à Raymond Deslandes, de ne pas manquer d'y assister. Et elle ne leur avait pas caché pourquoi. Le principal rôle masculin, Loris Ipanoff, de *Fédora,* la pièce qu'elle allait créer à la rentrée, au Vaudeville, était un grand amoureux, dont elle jugeait que Damala était l'interprète idéal. Et elle ne doutait pas qu'après l'avoir vu dans *La Dame aux Camélias,* Sardou, comme Deslandes, seraient aussitôt de son avis.

Elle repartait pour Amsterdam le 27. La veille, elle vit Sardou qui, évasivement, lui dit :

— Très bien... Beau garçon... Intéressant... Nous parlerons de cela à votre retour.

Ces quelques mots lui avaient suffi pour croire Damala agréé et triomphalement, elle lui avait annoncé qu'il créerait *Fédora* avec elle.

Au début de juillet, à son retour définitif, il fallut bien qu'on s'expliquât. Avec toute l'habileté, tous les ménagements possibles, Sardou lui fit comprendre que ce serait rendre un mauvais service à Damala que de le faire débuter à Paris dans le rôle principal d'une pièce nouvelle. Les acteurs professionnels, parmi lesquels il allait ainsi, d'emblée, prendre une place prépondérante, ne lui pardonneraient peut-être pas cette chance trop soudaine. Montée par eux, la presse serait impitoyable. La pièce en souffrirait. Et puis, pour elle-même, Sarah ne devait-elle pas se montrer circonspecte? Après quatorze ans d'Odéon et de Théâtre-Français, *Fédora* était la première pièce qu'elle allait jouer sur les boulevards, et ce serait sa rentrée à Paris après une longue absence. Elle serait très « attendue », devait soigneusement mettre tous les atouts dans son jeu, et tout d'abord s'assurer, comme partenaire, un acteur connu et aimé des Parisiens.

Elle insista, supplia, menaça de ne pas jouer elle-même, si on ne lui donnait pas son mari dans Loris. Sardou fut intraitable. Elle dut céder. Et au fond, tout en trouvant Damala remarquable, elle devait convenir que l'auteur de *Fédora* avait raison.

Mais comment, sans le vexer, annoncer cette nouvelle à son Jacques? Après seulement trois mois de mariage, déjà elle avait pu se rendre compte qu'il était nerveux, facilement irritable, capable de violence, peut-être.

Alors, fébrilement, elle chercha, en cachette, une pièce pour lui, une pièce contenant un très beau rôle d'homme, et que l'auteur accepterait de confier à Damala. Après plusieurs démarches infructueuses auprès de différents écrivains, elle s'adressa à Catulle Mendès, poète, dramaturge, critique et qui, presque contemporain de Sarah, était son ami depuis des années.

Il avait, dans ses tiroirs, une comédie dramatique intitulée *Les Mères Ennemies*, dont la situation centrale était puissante et dont, surtout, le principal personnage masculin était superbe. Pour faire plaisir à Sarah, il consentit à lui donner *Les Mères Ennemies* pour Damala, à condition, bien entendu, qu'elle fit accepter par un directeur, la pièce et l'interprète.

Le soir même, rentrant avenue de Villiers, Sarah Bernhardt, brandissant un manuscrit, disait à son mari :

— Jacques chéri, je t'apporte une merveille, le plus beau cadeau que je puisse te faire.

— Voyons?... questionna paisiblement Damala

— Une pièce de Mendès, un chef-d'œuvre, avec, pour toi, le rôle le plus merveilleux qui ait jamais été écrit pour un acteur.

— Vraiment?

— C'est bien simple: depuis que j'ai lu ces *Mères Ennemies*, je me demande si tu ne devrais pas jouer cela, plutôt que *Fédora!* Sardou sera désespéré, il tient tellement à toi!... Mais tu penses bien que ton succès m'est plus précieux que le sien. Lis cela, je t'en prie et dis-moi ce que tu en penses.

Damala lut le manuscrit de Catulle Mendès et convint que la pièce était belle et le rôle magnifique. Pourtant, il restait perplexe : jouer au Vaudeville, théâtre très coté, une œuvre nouvelle de ce maître qu'était Sardou, avec Sarah Bernhardt, dans tout l'éclat de sa gloire, lui semblait, à priori, un succès tellement certain !...

— Sans doute, convint Sarah. Mais, dans une pièce avec moi, tu ne seras jamais que le second.

Et elle ajouta vivement, comme pour s'excuser :

— Je fais du théâtre depuis tant d'années !... Tandis que dans la pièce de Mendès, tu serais le premier et le seul. Immanquablement, c'est toi qui aurais le succès de la soirée.

Vaniteux comme il l'était aussi, Damala se laissa convaincre par ce raisonnement. Restait à faire recevoir la pièce. Ceci pouvait nécessiter de longs et peut-être, décevants pourparlers. Alors, — jusqu'à quelles inconséquences l'amour ne devait-elle pas la conduire ! — Sarah prit un théâtre à son compte, uniquement pour faire jouer Damala !

Ayant entendu dire que l'Ambigu, qui était alors aux mains d'un nommé Chabrillat, faisait de mauvaises affaires, et que son directeur céderait peut-être à de bonnes conditions son fauteuil, elle se mit en relations avec lui et fin juillet, acquit le bail de ce théâtre.

Aujourd'hui, ceci semble une opération de petite envergure. Depuis quelques années, les salles de spectacle se louent à la saison, pour six mois, voire pour la durée d'une pièce. En 1882, ce n'était pas le cas. Les théâtres n'étaient concédés que moyennant un très long bail : dix ou quinze ans au moins et souvent, une clause interdisait au preneur de sous-louer. C'est, en effet, dans de telles conditions que Sarah Bernhardt devint directrice du Théâtre de l'Ambigu, où elle ne devait jamais jouer elle-même et où, en quelques mois, elle allait engloutir une petite fortune.

*
\*    \*

Ce n'est, d'ailleurs, pas sous son nom qu'elle prit le théâtre, mais sous celui de son fils. La nouvelle étonna les professionnels. Maurice Bernhardt avait alors dix-sept ans et demi. Comment Sarah pouvait-elle déjà lui confier les destinées d'un théâtre et surtout pourquoi ?

Parce que c'est avec dépit, presqu'avec chagrin que Maurice avait accueilli le mariage de sa mère. Jusqu'alors, elle vivait seule avec lui, le comblant de sa tendresse et d'attentions de toutes sortes. On sait qu'elle avait pour son fils une véritable adoration, qu'elle conserva intacte et passionnée jusqu'à sa mort. Depuis leur mariage, naturellement, Damala s'était installé avenue de Villiers. Il y régnait en maître. Et le jeune homme souffrait et de sa présence et de l'amour évident que sa mère avait pour lui. Bref, c'est, en quelque sorte, pour amadouer son fils, pour se faire pardonner son mariage et aussi pour tenter de rendre plus cordiales les relations de Maurice avec son beau-père, dont il allait ainsi devenir le manager, que Sarah installa ce gamin dans le fauteuil directorial de l'Ambigu.

Elle confiait d'ailleurs, en réalité, la gestion de l'affaire à un administrateur avisé et compétent, Auguste Simon, dont, sur les affiches et programmes, elle accola le nom à celui de son fils. Et c'est elle seule qui, dans la coulisse, restait la véritable maîtresse de l'entreprise.

Ayant versé cent mille francs à Chabrillat pour la cession de son fonds de commerce, Sarah Bernhardt commença par faire transformer la décoration du théâtre, ce qui lui coûta cent autres mille francs. Et, dès la fin d'août, on aurait pu répéter. Mais la première de *Fédora,* au Vaudeville, n'était prévue que pour le courant de décembre. Il ne fallait donc pas que la pièce de Mendès passât avant novembre, au plus tôt : le but de cette combinaison, échafaudée uniquement pour sauver l'amour-propre de Damala, était de le retenir à l'Ambigu pendant la pièce de Sardou, et non avant, de façon à pouvoir dire : « Ce n'est pas Sardou qui n'a pas voulu de lui dans *Fédora,* c'est Damala qui n'était pas libre. »

Alors, pour gagner du temps, c'est avec une reprise de *Cartouche,* un mélodrame de d'Ennery, créé en 1858 que, le 9 septembre 1882, la « Direction Maurice Bernhardt et Auguste Simon » ouvrit les portes de l'Ambigu, flambant neuf. Ne jugeant pas utile de faire de gros frais pour ce spectacle d'attente, Sarah ne lui avait assuré qu'une distribution assez pâle, qui ne comprenait guère que deux bons acteurs, Paul Deshayes et Cooper. Comme on pouvait s'y attendre, les recettes répondaient à la médiocrité des interprètes : en 65 représentations, le reprise de *Cartouche* coûtait à Sarah Bernhard un peu plus de cinquante mille francs.

Le 17 novembre, enfin, avait lieu la première des *Mères Ennemies.* Avec Damala, la pièce était interprétée, dans les principaux rôles, par Agar, devenue tout à fait l'amie de Sarah depuis *La Marseillaise,* Antonine, qui jouait l'autre mère, et Paul Deshayes.

Ce fut un succès, pas extraordinaire, mais un succès. La pièce, bien faite, pathétique, était tout à fait à sa place à l'Ambigu et Damala, que Sarah avait fait travailler avec acharnement, fut applaudi et jugé bien supérieur à ce qu'il avait été dans *La Dame aux Camélias.* Le beau Grec était content, Sarah pleine d'espoir,

Peut-être allaient-elles devenir moins fréquentes, ces scènes qui, déjà, rendaient si difficile son existence conjugale?

C'est qu'en effet, elle avait découvert maintenant pourquoi Damala était parfois si ombrageux, si étrange, ou alors muet, abattu pendant des heures. Ayant souvent vu Jeanne dans des états semblables, Sarah avait compris que son mari était en proie au même vice que sa sœur. Et il le lui avait avoué. Alors, courageusement, elle avait entrepris de le désintoxiquer, enfermant à clef son poison, ne le lui donnant que par doses minimes, qu'elle diminuait insensiblement chaque jour.

Mais guérir un intoxiqué est une tâche surhumaine et réclame de celle qui l'entreprend, une attention et une présence constantes. Dès que son infirmière s'éloigne, un morphinomane trouve toujours le moyen de se procurer de la drogue. Et l'existence de Sarah ne lui permettait évidemment pas de surveiller Damala jour et nuit. Il lui fallait donc se résigner, espérer contre tout espoir, souhaiter que ses succès de théâtre le détournassent, peu à peu, de son vice. Au lendemain de la première des *Mères Ennemies,* elle se dit que peut-être, cette heureuse expérience allait lui donner l'ambition de recouvrer la santé.

Mais, le 11 décembre, au Vaudeville, avait lieu la première de *Fédora.* Et ce n'était pas un succès, c'était un triomphe, presqu'un événement.

Non seulement la rentrée de Sarah Bernhardt, qui n'avait pas joué à Paris, du moins en représentations régulières, depuis deux ans et huit mois, provoquait une curiosité folle, mais encore, après tant d'autres œuvres magistrales, Sardou avait réussi, avec *Fédora,* l'un des drames les plus saisissants, les plus admirables qu'il ait écrits.

D'un bout à l'autre des quatre actes, l'action rapide, passionnante, autour d'un complot de nihilistes qui conduit ses héros de Saint-Pétersbourg à Paris, gardait le public positivement haletant. Le dialogue nerveux, vivant, sans récits, sans tirades, presque tout en répliques courtes et acérées, donnait aux situations une intensité extraordinaire. Et au dénouement, la mort de *Fédora* (encore une!...) offrait à Sarah Bernhardt l'occasion de se surpasser elle-même. Autour d'elle, tous les rôles de la pièce étaient d'ailleurs remarquablement joués et surtout celui de Loris Ipanoff, qui valait un très grand succès personnel à Pierre Berton.

Psychologiquement, ce fut pour Sarah une soirée bien singulière. D'acte en acte, elle sentait le succès croître, s'amplifier et elle en était, à la fois, ravie et inquiète. Pour elle, évidemment, ce triomphe l'enchantait, mais que dirait son mari? Ne lui en voudrait-il pas d'avoir, avec Sardou, une réussite infiniment plus grande que celle qu'il connaissait lui-même, avec Mendès ?

A la fin de la soirée, Damala, sortant de l'Ambigu, avait rejoint Sarah au Vaudeville. Il était arrivé juste au moment où le rideau tombait. Quelques instants après, c'était, dans la loge de la triomphatrice, la ruée des grands jours. Et à tous ceux qui la félicitaient, Sarah, touchante au point d'en être presque naïve, répétait en désignant Damala :

— Vous savez que c'est lui qui devait créer Loris. Sardou le voulait absolument. Mais il a un tel triomphe dans la pièce de Mendès !... Il ne pouvait pas quitter *Les Mères Ennemies*. Etes-vous allé le voir, à l'Ambigu, au moins ? Il faut y aller. Il est admirable !...

Tout ceci alors que, bouleversés par la représentation à laquelle ils venaient d'assister, ses amis tentaient vainement de lui parler d'elle et de *Fédora* et ne se souciaient nullement de Damala.

Le lendemain, avec un enthousiasme délirant, la presse célébrait le triomphe éclatant de Sarah Bernhardt et de Victorien Sardou. Les bureaux de location du Vaudeville étaient pris d'assaut. Pour des semaines, la salle entière était louée d'avance.

*
*  *

Pendant trois ou quatre jours, l'atmosphère fut lourde dans l'hôtel de l'avenue de Villiers. Damala parlait à peine, mais il était aisé de deviner les sentiments qui l'agitaient. Le 16 décembre, vers minuit, l'orage éclata.[1] Croyant lui faire plaisir, Sarah, rentrant du Vaudeville, dit à son mari :

— Je viens de m'entendre avec Sardou. Quelles que soient les recettes, je cesserai de jouer *Fédora* fin d'avril.

Enfoncé dans un fauteuil, Damala fumait un cigare et ne répondit pas. Alors, elle continua :

— Je lui ai fait comprendre que si je partais en tournée avec la pièce en mai, juin et juillet, je ferais beaucoup plus d'argent à Bruxelles et à Londres, qu'à Paris où nous aurons déjà fait plus de cent représentations. Il est d'accord et, partout, c'est toi qui joueras Loris.

Damala releva la tête et brusquement :

— Est-ce que tu te moques de moi ?

1. Peut-être s'étonnera-t-on que, soixante ans plus tard, je puisse, avec cette exactitude, indiquer la date où cette scène eut lieu, que j'aie pu la déterminer, à vingt-quatre heures près. Rien n'était plus facile. C'est à la suite de cette discussion que Damala abandonna brusquement son rôle dans la pièce de Catulle Mendès à l'Ambigu. Et c'est le 18 décembre 1882 que les journaux de Paris annoncèrent qu'il était remplacé, depuis la veille, dans *Les Mères ennemies*.
C'est au moyen de vérifications de ce genre que j'ai pu préciser toutes les dates indiquées dans cet ouvrage. D'ailleurs, mes recherches furent, en général, aisées. Les moindres faits et gestes des artistes sont toujours relatés en détail dans la presse.

— Comment cela?

— Alors je suis tout juste bon pour remplacer Monsieur Berton, sans doute parce qu'il ne peut pas quitter Paris!... Et tu as l'audace, toi, de me faire cette proposition?

— Il me semble, au contraire, que...

— Parce que tu n'as ni tact, ni intelligence, ni délicatesse!... cria tout à coup le Grec. Voilà trois mois que je subis cet affront sans rien dire. Je n'en peux plus!...

— Cet affront?...

— Tu m'as relégué à l'Ambigu pendant que tu t'épanouis au Vaudeville. Tu m'as fait renoncer à un rôle admirable, dans *Fédora,* pour jouer une ânerie de ce Mendès!... Tu t'appliques à m'éteindre, à entraver ma carrière. Tu fais tout pour m'empêcher d'arriver.

— Jacques!... Comment peux-tu?...

— Je sais bien pourquoi, d'ailleurs. Tu meurs de jalousie. Tu as peur qu'une autre me prenne. Alors tu évites avec soin tout ce qui pourrait me mettre en valeur. Pauvre idiote!...

Sarah pâlit sous l'insulte:

— Jacques!... Tu vas trop loin!

Mais, exaspéré, il poursuivait:

— Je répète: pauvre idiote et pauvre inconsciente!... Quand je pense que je t'ai sacrifié ma carrière, qu'à Saint-Pétersbourg, je vivais dans le milieu le plus agréable, le plus aristocratique!... J'ai quitté tout cela pour suivre une cabotine et voilà comment elle m'en sait gré!... Elle m'enterre à l'autre bout des boulevards, et puis elle ose m'offrir de reprendre, en province, un rôle qu'on ne m'a pas trouvé digne de créer à Paris!

Perdant patience, Sarah répliqua:

— Est-ce ma faute?

Alors, Damala, s'emportant tout à fait:

— A quoi cela me sert-il, alors, d'être ton mari? Pourquoi faut-il que je vive avec une folle, dont le mauvais goût et les excentricités me font rougir, si ce n'est même pas pour jouer les rôles que je veux?... Il fallait me prévenir que, malgré ta prétendue situation, tu n'es pas capable d'imposer aux auteurs les partenaires de ton choix. Et alors, bien sûr, je ne t'aurais pas épousée!

— Prends garde!...

— A quoi?... Tu n'es pas plus capable de me faire du mal que de me faire du bien. Et d'ailleurs, je t'en défie, car tu ne me reverras plus!...

Et claquant violemment la porte, il sortit de la pièce. Affolée, Sarah courut après lui, l'implora... Mme Guérard, réveillée, intervint; Maurice, lui aussi, fut appelé et voyant sa mère en larmes, dut. à contre-cœur, supplier son beau-père de rester. Rien n'y fit. Ayant hâtivement empilé quelques vêtements dans une valise, Damala, vers deux heures du matin, quittait bruyamment l'hôtel de l'avenue de Villiers et allait finir sa nuit, Dieu sait dans quel bouge, ou chez quelle ancienne maîtresse.

Le lendemain, il ne paraissait pas à l'Ambigu, où sa doublure le remplaçait. Et le surlendemain, tous les journaux de Paris publiaient ce bref communiqué:

« Théâtre de l'Ambigu. — Depuis hier soir, dans *Les Mères Ennemies,* le rôle d'André Boleski, créé par M. Jacques Damala, est joué par M. Montigny. »

Le départ de Damala fut un coup terrible pour Sarah Bernhardt. Elle en souffrit atrocement et ce n'est que grâce à un miracle d'énergie qu'elle put continuer à jouer *Fédora,* sans un soir d'interruption. D'ailleurs, ce ne devait pas être la fin de ses relations avec son mari, dont elle ne fut réellement délivrée que par sa mort, sept ans plus tard, en novembre 1889.

Cependant que le triomphe de *Fédora* se poursuivait, immuable, au Vaudeville, il lui fallait bien assurer les spectacles de l'Ambigu dont elle avait maintenant la charge.

Succédant aux *Mères Ennemies,* le 27 janvier 1883, avait lieu la première représentation d'une pièce magnifique, *La Glu,* dont l'auteur était un jeune poète qui, quelques années plus tard, allait se faire à Paris, une place considérable: Jean Richepin.

Bien qu'elle fût admirablement jouée par Réjane et Agar, Decori et Lacressonnière, la pièce ne réussit pas et ne fournit que cinquante représentations. Elle ne devait connaître le succès qu'à ses reprises. Et sa création coûtait encore à Sarah Bernhardt une cinquantaine de mille francs.

Pour parer à cet échec, elle montait, le 15 mars, une pièce de Pierre Decourcelle, intitulée *L'As de Trèfle.* Celle-ci s'effondrait aussi au bout de trente-cinq représentations. On reprenait alors *La Bouquetière des Innocents,* un drame d'Anicet Bourgeois et Fernand Dugué, créé vingt ans plus tôt et qui ne connaissait pas meilleure fortune. La malchance s'obstinait. Il n'y avait plus à lutter.

Alors, à la fin de mai 1883, après une série d'insuccès presque ininterrompus, « Monsieur Maurice Bernhardt » se retirait, abandonnant la direction de l'Ambigu, que gardait seul, à son compte, l'administrateur du théâtre, Auguste Simon.

En dix mois d'exploitation, Sarah Bernhardt avait monté cinq pièces et perdait, au total, 470,000 francs. Près d'un demi-million était englouti à l'Ambigu, ce théâtre qu'elle avait pris uniquement pour Damala et où il avait joué quatre semaines!...

*
* *

Pourtant, elle ne regrettait pas trop cette coûteuse entreprise, car, pendant les répétitions de *La Glu,* elle avait un peu mieux connu son auteur et il lui avait plu infiniment.

Outre son incontestable talent, Jean Richepin était un magnifique gaillard de trente-quatre ans. Les épaules larges, la barbe carrée, la voix sonore, les cheveux bouclés toujours en désordre, il incarnait alors, exactement, le héros de la pièce célèbre qu'il allait donner quatorze ans plus tard : *Le Chemineau.* Comme tout Paris, Richepin avait connu la rupture de Sarah avec Damala et comme tout Paris, il se sentait plein de sympathie pour la grande artiste, si vilainement traitée par cet indigne époux. D'autre part, Sarah, les premiers jours d'abattement passés, s'était reprise et orgueilleuse, détestant qu'on la plaignît, sentait la nécessité de masquer aux yeux du monde, son chagrin, en affichant un autre bonheur, fût-il de pure façade. Elle encouragea donc Richepin à venir la voir souvent, chez elle comme au Vaudeville et lui demanda même d'écrire pour elle une pièce nouvelle.

Le soir où l'annonce de cette œuvre future parut dans la presse, Damala, pendant que Sarah était au théâtre, revenait avenue de Villiers et tranquillement reprenait possession de sa chambre, comme s'il ne l'avait jamais quittée !

Lorsque Sarah rentra, après sa représentation, elle trouva Mme Guérard qui l'attendait dans le vestibule et qui, à voix basse, lui annonça que Damala était de retour. On était en février. Deux mois environ s'étaient écoulés depuis la nuit orageuse où il avait disparu. Indignée, elle monta dans la chambre du Grec, qu'elle trouva couché, lisant paisiblement les journaux.

— Qu'est-ce que tu fais là ?

— Tu le vois bien, Je lis un peu, avant de dormir.

— Tu as osé reparaître ici ?

— Pourquoi pas ? Je suis ton mari. Et cet hôtel est notre domicile conjugal. C'est ma place.

— Mais il y a des semaines que tu l'as abandonné. Tu as perdu le droit de...

— Erreur totale, répliqua tranquillement Damala. As-tu fait constater mon absence par huissier ? M'as-tu fait prendre en flagrant délit ?

— Non. Alors tu profites cyniquement de ma bonté...

— Ne parle donc pas de ta bonté. Tu n'as pas pensé à prendre les mesures légales, sans doute parce que tu étais trop absorbée par Monsieur Jean Richepin ?

— Je te trouve mal placé pour me faire une scène de jalousie !...

C'est pourtant en feignant d'avoir appris la présence constante de l'auteur de *La Glu* auprès de sa femme et d'en souffrir que Damala obtint son pardon. Et dès le lendemain, l'existence commune reprenait entre Sarah et lui. Richepin en fut informé. Il haussa les épaules et comme il n'avait, alors, aucun droit à se mêler de la vie privée de Sarah, il se contenta de lui dire :

— A votre aise ! Quand, à nouveau, vous aurez assez de cet individu, vous me préviendrez !

Elle ne devait pas tarder à suivre ce conseil. Durant les semaines où il avait déserté l'avenue de Villiers, Damala, sans doute, s'était plus que jamais adonné à la morphine. A son retour chez sa femme, son état était effroyable. Alternativement surexcité à l'extrême ou complètement prostré et dans les deux cas, ayant perdu le sommeil, il ne supportait pas une heure de solitude. Alors, en pleine nuit, il entrait dans la chambre de Sarah, s'asseyait au pied de son lit et, décidé à refaire du théâtre, lui exposait les projets les plus déraisonnables. Ou bien alors, lucide, mais désespéré, il sanglotait pendant des heures sur sa déchéance phyique et se traînait par terre, la suppliant de le guérir.

A ce moment, Damala se faisait jusqu'à huit et dix piqûres de morphine par jour. Il ne prenait même plus la peine de découvrir et de frotter à l'alcool la partie de son corps destinée à recevoir l'aiguille de platine. Il se piquait dans la cuisse, à travers l'étoffe de son pantalon, tout en poursuivant une conversation commencée. C'était un spectacle lamentable que celui de cet homme magnifique dont, de jour en jour, l'état s'aggravait et qui, sous les yeux de Sarah impuissante, devenait, peu à peu, une véritable loque !... Mais elle l'aimait et résignée, conservait pour lui une indulgence sans bornes.

Il fallut une scène plus violente que les autres, presqu'un scandale, pour qu'elle se décidât, non à demander le divorce qui ne fut jamais prononcé entre elle et Damala, mais tout au moins, à reconquérir sa liberté.

Un jour d'avril, exaspérée par les crises de plus en plus fréquentes de son mari, elle était entrée dans sa chambre, avait fouillé les tiroirs et rageusement, avait jeté toutes les fioles et ampoules de morphine qu'elle avait pu trouver.

Le soir, en rentrant, Damala constata la disparition de la drogue qui lui était, maintenant, aussi nécessaire que l'air qu'il respirait. Il entra dans une fureur de brute, cria, hurla, cassa tout ce qui se trouvait à portée de sa main, jusqu'au moment où, n'y tenant plus, il sortit, nu-tête, dans l'avenue, courant comme un fou vers l'ami ou le pharmacien, chez lequel il pourrait, sur-le-champ, trouver son indispensable poison. Pendant deux jours, il ne reparut pas.

Cette fois, Sarah mit son absence à profit pour échapper à ce calvaire. Elle demanda au tribunal d'ordonner une séparation de corps entre elle et son mari. Elle l'obtint en quelques semaines. Et pour éviter un nouveau retour de Damala, elle appela Richepin, sous couleur de lui demander des nouvelles de la pièce qu'il écrivait pour elle. Quelques jours plus tard, leur intimité était connue de tout Paris.

Richepin n'eut pas, d'ailleurs, à défendre Sarah contre une nouvelle intrusion du Grec. Tout à fait malade, Damala entrait dans une maison de santé, où il allait rester six mois. Il devait en sortir guéri, momentanément du moins.

*
* *

Le 25 avril 1883, avait lieu, au Vaudeville, la 130e et dernière représentation de *Fédora*. C'était une courte série pour un tel triomphe. Mais, presque toujours, Sarah Bernhardt, pressée d'argent, interrompit en plein succès les pièces qu'elle jouait à Paris, pour partir en tournée où ses gains étaient plus élevés. Elle reprenait, d'ailleurs, dès qu'elle le pouvait, les pièces dont elle avait ainsi, prématurément, interrompu la carrière.

Durant les derniers jours d'avril et le mois de mai, elle jouait *Fédora* dans toutes les grandes villes de France et de Belgique et en juin à Londres, où elle faisait sa cinquième saison. Toujours fêtée par le public anglais, elle devait, désormais, reparaître à Londres presque chaque année.

Pour le début de la saison 1883-84, Sardou, encouragé par le triomphe de *Fédora*, avait écrit pour elle une autre pièce, *Théodora*, et la pressait de la jouer à la Porte-Saint-Martin, dont cette œuvre, à grande mise en scène, réclamait le vaste cadre.

Mais Richepin avait presque terminé sa pièce. Il avait la promesse de Sarah Bernhardt. Et de son côté, elle tenait à assurer, au plus tôt, un succès à celui auquel maintenant se vouait toute sa sollicitude. Une fois encore, Sardou dut donc attendre. Avec Sarah, il fallait qu'il en prît l'habitude !...

C'est le 17 septembre 1883 que Sarah Bernhardt, dans tout l'éclat de sa gloire, reparut à la Porte-Saint-Martin où, dix-huit ans plus tôt, elle avait modestement doublé Mlle Debay dans *La Biche au Bois*. Pendant huit ans, c'est sur ce théâtre qu'elle allait donner presque toutes ses représentations à Paris.

Dans le désir de ne lancer la pièce de Richepin qu'en pleine saison, c'est d'abord une reprise de *Froufrou* qu'elle avait propo-

sée à Derembourg, alors directeur de la Porte-Saint-Martin. Le
nom de Sarah Bernhardt était magique, surtout depuis *Fédora*.
Derembourg n'avait donc pas formulé la moindre observation. Il
« jouait » l'interprète et non la pièce. Sarah lui aurait offert une
farce du Palais-Royal ou une tragédie traduite du chinois, pourvu
qu'elle y parût, il se serait, de même, déclaré d'accord.

Par contre, c'est avec un peu d'étonnement que la presse avait
accueilli l'annonce du spectacle. Non qu'on discutât cette magnifique
comédie qui est, peut-être, l'œuvre maîtresse de Meilhac et Halévy.
Mais on craignait qu'elle ne fût un peu menue pour l'immense
vaisseau de la Porte-Saint-Martin, alors qu'elle eût été tout à fait
à sa place dans un théâtre de mêmes dimensions que le Gymnase,
où sa création avait été un triomphe.

Ces appréhensions étaient vaines. Sarah Bernhardt réussit le
tour de force non seulement d'emplir parfaitement, avec *Froufrou*,
le cadre qu'elle avait choisi, mais encore d'y dépasser la grande
Aimée Desclée qui, vingt-quatre ans plus tôt, y avait été étourdissante. Entourée de l'excellent acteur Marais dans Sartorys, Angelo,
Colombey, Marie Kalb et Antonine, Sarah fut acclamée dans ce
rôle si divers, si difficile, qui exige, à la fois, tant de légèreté et
de puissance dramatique. Tous ceux qui l'ont vue jouer *Froufrou*
assuraient que dans le domaine de la comédie, c'est probablement
ce que Sarah Bernhardt a réalisé de plus parfait.

Prévue pour un mois ou six semaines, cette reprise fit de telles
recettes qu'on ne pût, décemment, retirer la pièce de l'affiche
qu'après cent représentations.

Et c'est seulement le 20 décembre 1883 qu'eut lieu la première
de *Nana-Sahib*, la pièce tant attendue, de Jean Richepin, sur
laquelle Sarah, comme Derembourg, fondaient de si grands espoirs.

L'action se passait aux Indes, en 1857, au temps des révoltes
des Cipayes contre la domination anglaise. Nana-Sahib était un
chef indou, que jouait Marais, et Sarah Bernhardt incarnait sa
maîtresse, la voluptueuse et sanguinaire Djamma. Et ce fut un
écroulement !... L'histoire parut puérile, mélodramatique et confuse.
« C'est une pièce pour enfants, qui serait à sa place au Châtelet »,
dit la presse. Le nom et le talent de Sarah Bernhardt n'étaient pas
parvenus à conjurer le désastre.

Un incident l'aggravait à la septième représentation : Marais
tombait malade et il lui était interdit de jouer pendant plusieurs
semaines. Alors, sur les instances de Sarah, c'est l'auteur lui-même,
Jean Richepin, qui, à partir du 26 décembre, jouait le rôle de Nana-
Sahib. Ceci ravissait Sarah, heureuse de paraître en scène avec
celui qu'elle aimait, — comme elle l'avait été, l'année précédente,
d'avoir Damala pour partenaire — mais enchantait peut-être moins

le public, qui eût préféré voir un bon acteur dans le personnage principal, plutôt qu'un poète, splendidement beau sans doute, mais qui ignorait tout du métier de comédien et qui, à cette époque, n'était pas encore assez connu pour que sa seule présence en scène pût constituer une attraction. En jouant Nana-Sahib, Jean Richepin contribua probablement à précipiter la chute de sa pièce, qui ne fit même pas quarante représentations.

Cet insuccès avait été triplement cruel pour Sarah Bernhardt. D'abord, parce qu'il lui fallait constater qu'elle était impuissante à sauver une pièce qui ne plaisait pas. Ensuite parce que la déconvenue de Richepin lui faisait de la peine. Enfin et surtout, parce que, par un revirement inouï de la fortune, au moment même où elle enregistrait cet échec, Jacques Damala, guéri et redevenu comédien, remportait, contre toute attente, un succès personnel considérable, en jouant, à deux cents mètres de la Porte-Saint-Martin, une pièce qui était un triomphe : Le Maître de Forges de Georges Ohnet, dont la création eut lieu au Théâtre du Gymnase, le 15 décembre 1883, avec, dans les principaux rôles, Jane Hading, Lina Munte, Jacques Damala et Saint-Germain.

*
* *

Par quelle suite de circonstances extraordinaires Georges Ohnet, auteur déjà très arrivé, et qui pouvait choisir ses interprètes parmi les meilleurs acteurs de Paris, avait-il été amené à confier à Damala le personnage si important de Philippe Derblay, le maître de forges? Comment et par qui Damala lui avait-il été présenté et recommandé au point de se voir préféré à tous autres? Cela, en vérité, est presque inexplicable. Comédien amateur, devenu, à trente-cinq ans, professionnel, ayant tout juste joué, pendant un mois, Les Mères Ennemies à l'Ambigu et dont la seule célébrité était d'avoir été le mari de Sarah Bernhardt et de l'avoir rendue aussi malheureuse que toutes ses maîtresses, ses titres à créer ce rôle énorme, étaient contestables. Le fait est qu'il le joua, et que la pièce triompha à ce point que Damala y parut excellent.

« Pour réussir dans le métier d'acteur, disait Maurice de Féraudy, il n'est pas nuisible d'avoir du talent, mais il faut, d'abord, jouer de bonnes pièces. »

Rien n'est plus exact. Un public qui s'ennuie aura du mal à trouver convenable un acteur de génie. Un public qui s'amuse est prêt à juger admirables les comédiens les plus quelconques.

Après le succès prodigieux qu'avait eu le roman Le Maître de Forges, la pièce qui en était tirée provoquait un enthousiasme égal et qui, aujourd'hui encore, reste le même. Depuis soixante ans, c'est certainement l'une des pièces qui ont été, en France, le plus souvent reprises.

On conçoit l'exaspération de Sarah Bernhardt et aussi de Jean Richepin, lorsque, chaque soir, pour se rendre à la Porte-Saint-Martin, où ils allaient trouver une salle vide, ils passaient devant le Gymnase, aux abords duquel la Préfecture de Police avait dû établir un service d'ordre, tant l'affluence était grande.

La Porte-Saint-Martin donnait des matinées le jeudi, Le Gymnase n'en donnait pas. Le premier jeudi de janvier 1884, Sarah, en entrant en scène, apercevait Damala, tout seul au premier rang des fauteuils d'orchestre. Derrière lui, il y avait, au maximum, deux cents spectateurs disséminés. Et pendant toute la représentation, chaque fois qu'il sentait que, soit Sarah, soit Richepin, tout en jouant, le regardaient, Damala, ostensiblement, se retournait vers la salle qu'il examinait, de haut en bas, en secouant la tête d'un air de commisération. Il semblait dire :

« C'est lamentable !... Pauvre Sarah !... Tu joues devant les banquettes, ma fille !... »

Une telle insolence n'était pas tolérable. A la fin du spectacle, Richepin ne revenait pas aux rappels, enfilait hâtivement un manteau par-dessus son costume d'hindou, allait attendre Damala à la sortie du théâtre et lui administrait une râclée magistrale. Le soir, en scène, au Gymnase, le beau maître de forges avait quelque peine à s'asseoir et à se lever et comme Jane Hading le questionnait :

— Je crois que je me suis donné un tour de reins !... dit-il négligemment.

*Le Maître de Forges* fit plus de trois cents représentations consécutives. On aurait pu croire Damala lancé. Il n'en était rien. L'histoire de ses succès se limite au seul rôle de Philippe Derblay. Non qu'il ait cessé de jouer. Après *Le Maître de Forges,* il eut encore la chance de créer au Gymnase, en février 1885, *Le Prince Zilah* de Jules Claretie, et surtout, le 18 décembre 1885, *Sapho,* l'admirable pièce d'Alphonse Daudet. Oui, c'est Damala qui, le premier, a joué le rôle de Jean Gaussin, avec Jane Hading dans Fanny Legrand.

Il parut encore dans trois autres pièces, trois reprises : en octobre 1885, dans *Les Mères Repenties,* une vieille comédie de Félicien Mallefille ; en mars 1886, dans *Serge Panine,* la pièce de Georges Ohnet, dans laquelle il reprit le rôle créé par Marais ; enfin, en octobre 1886, dans *Froufrou,* la première pièce qu'il avait jouée, avec Sarah Bernhardt, à Saint-Pétersbourg et qu'il reprenait, cette fois, avec Jane Hading. Dans chacune de ces cinq pièces, il se montra aussi terne, aussi insignifiant qu'à ses débuts. Personne n'y comprenait rien.

— Enfin, il était parfait, dans *Le Maître de Forges,* disait-on. Qu'est-ce qui lui est arrivé? Comment expliquer cette chute incroyable?

Ce n'était pas une chute. Damala n'avait jamais été un comédien. Un rôle, par hasard, l'avait « porté », sans doute parce qu'il y trouvait l'emploi exact de ses qualités et surtout de ses défauts. Dans tous les autres personnages, il devait échouer, c'était normal. Ce ne sont pas ses insuccès répétés qui auraient dû surprendre. C'est sa réussite dans *Le Maître de Forges.*

Il fit encore une courte reprise de cette pièce au Gymnase, en décembre 1886. Et à la fin de janvier 1887, après trois ans de carrière, il renonçait de nouveau au théâtre ou, pour mieux dire, le théâtre renonçait à lui.

*<br>* *

Cependant, à la Porte-Saint-Martin, il avait bien fallu interrompre les représentations de *Nana-Sahib qui* menaçait de ruiner, à jamais, le pauvre Derembourg.

Alors, pour lui permettre de récupérer sûrement ses pertes, le 26 janvier 1884, Sarah reprenait *La Dame aux Camélias.* C'est-à-dire qu'elle donnait enfin, à Paris, sa première série de représentations de la comédie de Dumas fils. De ce jour, s'indiquait l'immense succès qu'elle devait toujours remporter dans cette pièce, qu'elle reprit à Paris, au total vingt-deux fois, entre 1884 et 1914. Dans cette première reprise, c'est Marais qui jouait Armand Duval. Jeanne Bernhardt, très malade, n'avait pas pu reprendre le rôle de Nichette qu'elle jouait partout, auprès de Sarah, depuis près de quatre ans. Elle mourut quelques semaines plus tard : les drogues avaient eu raison d'elle.

Les recettes étaient si considérables que Sarah aurait pu facilement jouer *La Dame aux Camélias* jusqu'à l'été. Mais, pour faire oublier son échec, Jean Richepin avait hâtivement écrit pour elle une autre pièce, ou, plus exactement, avait terminé une adaptation de *Macbeth,* de Shakespeare.

A propos de *Nana-Sahib,* on lui avait reproché d'avoir fait une pièce enfantine. Cette fois, on ne pourrait plus lui adresser la même critique. Et puis, il ne se risquerait plus à jouer lui-même !

Mais il était écrit, sans doute, que l'association de Jean Richepin avec Sarah Bernhardt ne connaîtrait jamais le succès. Lorsqu'on se rappelle les triomphes que le grand poète remporta au théâtre, par la suite, sa longue et éblouissante carrière, on est tenté de croire qu'au jour de sa naissance, une fée maligne s'était penchée sur son berceau et lui avait dit :

— Tu réussiras partout et toujours, sauf avec une femme nommée Sarah Bernhardt !...

Plus encore que *Nana-Sahib,* sa version de *Macbeth* s'effondrait. Pourtant Sarah jouait Lady Macbeth d'une façon magistrale. Dans la scène de somnambulisme, elle avait positivement arraché à la salle des cris d'admiration. Mais l'adaptation, très libre, de Richepin avait déplu. Et le mot de de Féraudy se vérifiait une fois le plus : « Jouer de bonnes pièces ! »

*Macbeth* avait été créé le 21 mai 1884. Dès le 18 juin, il fallait l'arrêter et en toute hâte Derembourg reprenait, pour l'été, un vieux drame de d'Ennery, créé en 1845, *Marie-Jeanne* ou *La Femme du Peuple,* cependant que Sarah Bernhardt allait jouer *Macbeth* à Londres. Elle donnait la pièce au Gaiety, à partir du 22 juin.

— A Paris, nous avons joué cela trop tard dans la saison, avait-elle dit à Richepin. Ce sont les premières chaleurs qui nous ont fait du tort. Mais à Londres, ce sera tout différent. Et puis, une pièce de Shakespeare sera toujours mieux accueillie par un public anglais. Tu vas voir.

Il ne vit pas. A Londres, comme à Paris, son *Macbeth* échoua. Au bout de huit jours, au Gaiety, il fallait reprendre *La Dame aux Camélias.*

\*
\* \*

Dans l'ensemble, la saison n'avait pas été bonne à la Porte-Saint-Martin. Les bénéfices de *Froufrou* et de *La Dame aux Camélias* n'avaient pas compensé les pertes énormes de *Nana-Sahib* et de *Macbeth.* Pour succéder à *Marie-Jeanne,* qui n'attirait personne, Derembourg avait tenté une reprise de *La Tour de Nesle* de Dumas père, qui s'écroulait, elle aussi. A bout de souffle, il devait mettre son théâtre en vente.

Soutenu par Sarah et par Victorien Sardou — auquel maintenant elle réclamait *Théodora !...* — Félix Duquesnel se mit sur les rangs, traita avec Derembourg et le 15 septembre 1884, prenait possession du Théâtre de la Porte-Saint-Martin.

C'est avec joie que Sarah Bernhardt retrouvait le premier directeur, qui dès 1866, lui avait fait confiance, en ce vieil Odéon où elle avait été si heureuse.

Pour faire plaisir à Sarah, Duquesnel inaugurait sa direction en reprenant, sans conviction, *Macbeth.* Mais la pièce ne réussit pas plus à l'automne qu'au printemps. Décidément, ce n'était pas le beau temps qui l'avait empêchée de faire des recettes. Au bout de quinze jours, il fallait, à nouveau, l'enlever de l'affiche. Et le 3 octobre, Sarah, désespérée, partait pour Sainte-Adresse, où elle s'enfermait dans son chalet, ne voulant voir personne, pleurant l'effondrement, trois fois répété, de cette pièce qu'elle aimait, et aussi sa rupture avec l'auteur.

*La Glu, Nana-Sahib, Macbeth* les avaient déçus tour à tour. Leur amour n'avait pas résisté à tant d'échecs. Les succès cimentent les liaisons de théâtre. Les fours les détruisent vite. Que s'était-il passé, au juste? Sarah s'était-elle lassée de maintenir, à bras tendus, un auteur qui, avec elle du moins, semblait véritablement voué à l'insuccès? Est-ce lui qui s'était éloigné, la rendant responsable de toutes ces chutes?... Peu importe, en vérité. Le fait, c'est que pour établir, d'accord avec elle, la distribution de *Théodora,* Sardou et Duquesnel durent prendre, à deux reprises, le train du Havre, car, jusqu'aux répétitions, Sarah, cherchant l'oubli dans la solitude, ne voulait pas mettre les pieds à Paris.

*Théodora* comporte une trentaine de personnages, mais il y avait surtout deux rôles d'hommes, les plus importants, dont il convenait de choisir avec soin les interprètes : Andréas, l'amant de Théodora, et son mari, l'Empereur Justinien. Dans le premier, Sardou aurait voulu Pierre Berton, qui avait si bien créé Loris Ipanoff de *Fédora,* mais Sarah préférait Marais qui, successivement, venait de jouer avec elle *Froufrou, Nana-Sahib, La Dame aux Camélias* et *Macbeth,* tenant les quatre rôles de façon parfaite.

— Alors donnons Justinien à Berton, dit Sardou.

— C'est impossible, dit Sarah. Berton est trop un « jeune premier ». Il manquera d'épaules, de prestance, de poids. Un acteur doit d'abord représenter, physiquement, son personnage. Trouvons un comédien qui ait un masque d'empereur, cela doit exister.

— As-tu une idée?... dit Duquesnel.

Elle réfléchit, resta quelque temps rêveuse, puis, tout à coup :

— Pourquoi pas Philippe Garnier?

L'idée frappa Duquesnel et Sardou. En effet, physiquement, il était difficile de trouver mieux. Et puis, il avait l'ampleur du personnage, une diction large, une certaine majesté... Garnier fut donc accepté. Mais c'est lui qui n'accepta pas tout de suite. Lorsque Sardou le convoqua, il s'étonna :

— Vraiment, c'est Madame Bernhardt qui vous a conseillé de me demander pour ce rôle?... questionna-t-il, incrédule.

— Mais oui, dit Sardou qui ne comprenait pas sa surprise.

— Pour une actrice, elle manque de mémoire! dit Garnier, pincé.

— Qu'est-ce qui s'est donc passé, entre elle et vous?

— Peu de chose, en effet !... J'ai eu le mauvais goût de me trouver auprès d'elle à Saint-Pétersbourg, lorsqu'elle s'est fiancée à Monsieur Damala. J'ai compris que j'étais de trop, alors je suis parti.

Sardou haussa les épaules :

— C'est tout ?

— C'est quelque chose !... fit Garnier noblement.

— Mon ami, lui dit Sardou, si nous gardions le souvenir de toutes ces petites histoires, il n'y aurait plus moyen de distribuer une pièce !... Faites-moi le plaisir de signer l'engagement que vous a préparé notre ami Duquesnel et tâchez donc de n'attacher de l'importance qu'aux choses qui en méritent !...

Avec dignité et un beau paraphe, Garnier signa. Il ne devait pas le regretter.

*Théodora* fut représentée, pour la première fois, à la Porte-Saint-Martin, le 26 décembre 1884. Ce fut certainement le plus grand succès de Victorien Sardou avec Sarah Bernhardt et aussi l'un des plus grands succès qu'elle remporta jamais.

Toute différente de *Fédora* qui était un drame moderne, une pièce « de salon », la nouvelle œuvre de Sardou mettait en scène Byzance en 532, au temps des Empereurs. Sept tableaux variés, pittoresques, magistralement mis en scène par l'auteur, avec une nombreuse figuration et des mouvements de foule merveilleusement réglés, nous montraient Théodora, ex-danseuse de cirque, remarquée par l'Empereur Justinien, qui l'avait épousée et faite Augusta. Sous un faux nom, elle continuait ses aventures galantes, et un jour, apprenait que son amant du moment, Andréas, — qui croyait avoir pour maîtresse une quelconque jeune veuve — était à la tête d'un complot ourdi pour assassiner l'Empereur et l'Impératrice, c'est-à-dire elle-même !... Justinien découvrait la conjuration en même temps que la trahison de sa femme, qu'il condamnait au supplice. Elle expirait, étranglée par le lacet du bourreau.

Pendant exactement un an, ce fut une véritable ruée à la Porte-Saint-Martin. La pièce se joua plus de trois cents fois, jusqu'au 25 décembre 1885, avec une seule interruption de deux mois, à partir du 18 juin, durant laquelle Sarah alla d'abord jouer *Théodora* à Londres et puis, se reposa tout de même quelques jours.

*Théodora* marqua vraiment l'apogée de Sarah Bernhardt, qui avait alors quarante ans. *Théodora* fut son Austerlitz. L'actrice, comme la femme, était à ce moment dans son plein épanouissement. Sa maigreur célèbre, qui avait persisté jusqu'après sa tournée d'Amérique, avait maintenant disparu. Comme elle l'avait, elle-même, longtemps souhaité, elle était « à point ». Son étrange

beauté ne provoquait plus aucune réserve. Son génie, dont elle
avait fourni tant de preuves, était universellement reconnu. En
sus de son cachet, elle était largement intéressée aux bénéfices de
la Porte-Saint-Martin et gagnait des sommes considérables. Son
fils avait vingt ans et était beau comme un dieu. Sa loge, au théâtre
et son hôtel de l'avenue de Villiers étaient le rendez-vous de toutes
les célébrités parisiennes. Il était impossible à une actrice d'avoir,
à la fois, plus de gloire et plus de bonheur.

*
* *

Pourquoi faut-il qu'à cette brillante période soit attaché le
nom obscur de Philippe Garnier, comédien estimable et qui jouait
fort bien Justinien, mais personnage falot, prétentieux et qui, dès
les premières répétitions de *Théodora*, avait pris sa revanche du
congé, à la vérité un peu sec, qui lui avait été signifié, deux ans
et demi plus tôt, à Saint-Pétersbourg ?

Retrouvant Sarah, séparée de Damala, séparée de Richepin,
moralement un peu désemparée, il manœuvra si adroitement que,
peu à peu, il prit sur elle une influence complète, au point que, pour
tout ce qui concernait le théâtre, c'est lui, désormais, qui décidait
et non plus elle. Alors qu'un tel succès n'aurait jamais dû être
interrompu, c'est lui qui, contre l'avis de Sardou et de Duquesnel,
la persuada d'aller donner à Londres *Théodora*, qu'elle aurait pu,
tout aussi bien, y jouer l'année suivante. Bientôt il devait lui faire
commettre une autre erreur qui fut beaucoup plus fâcheuse.

Le 22 mai 1885, Victor Hugo était mort, à l'âge de 83 ans.
Et le 1ᵉʳ juin avait eu lieu son enterrement, resté célèbre.

Selon la volonté du grand poète, son cercueil avait été placé
dans le corbillard des pauvres, et c'est derrière ce modeste char
que toute la population de Paris avait escorté l'auteur des *Misérables* jusqu'à sa dernière demeure. Sarah, très émue, et qui avait
gardé de Victor Hugo un souvenir attendri, suivait à pied, comme
tout le monde, anonyme parmi ces milliers de gens.

Alors, se produisit une chose émouvante : L'ayant reconnue
et se rappelant combien le défunt l'aimait, peu à peu, tous ceux
qui l'entouraient, s'effacèrent, lui faisant, insensiblement gagner,
de place en place, les premiers rangs du cortège. Et longtemps
avant d'arriver au cimetière, aussitôt après la famille du poète,
où l'on reconnaissait d'abord Georges et Jeanne Hugo, ses petits-
enfants, Sarah Bernhardt marchait toute seule, la foule ne la
suivant qu'à une distance respectueuse.

La même année, pour honorer la mémoire de Victor Hugo,
tous les principaux théâtres de Paris reprenaient avec éclat l'une
de ses pièces. Et Sarah Bernhardt, la première, avait prié Du-

quesnel de demander au Théâtre-Français, — qui avait à son répertoire les plus importantes œuvres du Maître — l'autorisation de monter à la Porte-Saint-Martin, *Marion Delorme*.

La pièce est magnifique, elle vaut presque *Ruy Blas* et *Hernani* et Sarah n'avait jamais joué le rôle. Cette reprise devait être sensationnelle. On comptait sur un très grand succès que tout, en effet, permettait d'attendre.

Cinquante-quatre ans après sa création, qui avait eu lieu à cette même Porte-Saint-Martin, en 1831, Sarah Bernhardt reprit donc *Marion Delorme* qu'elle joua, pour la première fois, le 30 décembre 1885. Autour d'elle, Marais jouait Didier, Philippe Garnier Louis XIII, Pierre Berton Saverny et Dumaine le Marquis de Nangis. Mais à la stupéfaction générale, ce fut un succès honorable, sans plus. Sarah y eut de magnifiques accents. Le cinquième acte, surtout, lui valut un triomphe et elle fut acclamée sur le célèbre dernier vers :

Regardez tous : Voilà l'homme rouge qui passe !...

Pourtant, dès le début de janvier, il était clair que cette reprise ne durerait pas. Il fallait, d'urgence, chercher un autre spectacle.

Chaque jour, Sarah recevait des manuscrits, Duquesnel lui en soumettait d'autres... Berton conseillait de reprendre *Fédora*, arrêtée en plein succès au Vaudeville, trois ans plus tôt. Mais cette suggestion, pourtant excellente, avait été accueillie sans enthousiasme. On va voir pourquoi. J'ai sous les yeux une lettre autographe de Victorien Sardou, adressée à Pierre Berton, et qui montre combien les vrais amis de Sarah déploraient sa faiblesse incompréhensible à l'égard de son favori du moment, lequel profitait de son ascendant sur « la vedette », pour ne servir que ses petites ambitions personnelles. Cette lettre est du 1ᵉʳ janvier 1886.

> Mes compliments, mon cher ami, pour votre Saverny, et pour vous et les vôtres tous mes vœux.
> Vous avez raison pour *Fédora*, cela vaudrait mieux qu'une pièce nouvelle qui sera un four, sans doute. Mais pourquoi voulez-vous que Sarah joue *Fédora*, où Garnier n'a pas de rôle ? Or, c'est Sarah, c'est-à-dire Garnier, qui mène tout aujourd'hui dans cette maison de fous, dont Duquesnel se croit le directeur et dont il est le « pensionnaire » beaucoup plus qu'il ne le croit.
> Amitiés
>                                                            V. SARDOU.

Comme Sardou l'avait prévu, c'est, en effet, Garnier qui choisit le spectacle qui succéda à *Marion Delorme* et le résultat fut pénible. Depuis des années, Philippe Garnier caressait un rêve : jouer *Hamlet*. Il crut l'occasion bonne et persuada à Sarah de faire monter par Duquesnel, une adaptation en prose de la pièce de Shakespeare, dont les auteurs étaient Lucien Cressonnois et Charles Samson. Mais ce qui fut plus grave, c'est que, pour avoir son nom sur l'affiche, il la décida, en outre, à jouer le rôle d'Ophélie, ce qui n'était pas seulement inconvenant, mais infiniment maladroit, il allait bientôt s'en rendre compte.

Cette incroyable présentation d'*Hamlet* apparut pour la première fois, à la Porte-Saint-Martin, le 27 février 1886, montrant, dans le rôle monumental du Prince de Danemark, un acteur quelconque, cependant que, par amour, la plus grande artiste française s'effaçait dans le personnage insignifiant d'Ophélie.

Les journaux, discrètement, soulignèrent la « touchante abnégation » de Sarah Bernhardt. Mais le grand public ne prit pas les choses de façon aussi conciliante. Devant certains faits vraiment scandaleux, politiques, artistiques ou autres. Paris a parfois des sursauts de révolte, qui étonnent, et qui sont si brusques et si violents que rien, alors, ne peut les arrêter.

Paris n'accepta pas qu'un comédien médiocre, auquel Sarah Bernhardt avait fait l'insigne honneur de le distinguer, se pavanât dans *Hamlet* et osât cantonner l'idole des Français dans un rôle de troisième plan qui lui donnait humblement la réplique. Et dès la seconde ou la troisième représentation, Garnier, tous les soirs, fut sifflé, conspué, hué par des salles quotidiennement en fureur.

Non qu'on le trouvât mauvais. A la vérité, il était, comme toujours, suffisant. Mais ce n'était pas l'acteur auquel on en voulait, c'était l'homme. Et des lettres, par centaines, prévinrent Duquesnel et l'avertirent lui-même que tant que ce révoltant spectacle serait joué à la Porte-Saint-Martin, on ne le laisserait pas parler !... Que faire, sinon arrêter la pièce ?... C'est à quoi il fallut se résoudre, après une dizaine de représentations houleuses. Garnier, dignement, se retira dans ses terres, à Bois-Colombes et, le 16 mars, avec Pierre Berton, Sarah reprenait *Fédora*.

Cette reprise était d'ailleurs limitée à quelques semaines, car, à la suite du demi-échec de *Marion Delorme* et du désastre d'*Hamlet,* Sarah avait pris la décision de repartir pour une longue tournée.

Durant toute son existence, c'est généralement ainsi que se décidèrent ses voyages. Tant que tout allait bien à Paris, qu'elle y gagnait beaucoup d'argent, elle restait. Dès qu'un insuccès ou deux faisaient diminuer ses rentrées mensuelles — et lorsqu'elle fut directrice, lui faisaient débourser des sommes souvent élevées — vite, elle organisait une tournée et courait regagner au loin, ce quelle venait de perdre à Paris.

Cette fois, c'est un long voyage qu'elle allait entreprendre : L'Amérique du Sud, l'Amérique Centrale et l'Amérique du Nord, puis les Iles Britanniques. Elle devait rester absente quinze mois, d'avril 1886 à juillet 1887.

*
* *

Peu de temps avant son départ, une grande émotion lui était encore réservée. C'était pendant la reprise de *Fédora* à la Porte-Saint-Martin. Un soir, Sarah, remontant de scène, trouva dans sa loge un visiteur qui l'attendait. L'ayant reconnu, elle resta bouleversée, muette... C'était le Prince Henri de Ligne. Jamais, depuis vingt ans, elle ne l'avait revu. Il avait maintenant près de cinquante ans, les cheveux grisonnants et semblait mélancolique, lointain, prématurément vieilli. Elle lui demanda comment et pourquoi, après tant d'années, il avait eu l'idée de venir la revoir. Il répondit doucement :

— Pourquoi serais-je le seul à ne pas applaudir Sarah Bernhardt ? Depuis que vous y jouez, ce théâtre est le premier de Paris. Et vous êtes devenue la première artiste française. Décidément, c'est vous qui avez eu raison, et vous avez pris, jadis, la décision qu'il fallait prendre. La vie que je vous offrais, ne pouvait pas vous apporter les joies que vous avez trouvées dans l'existence que vous vous êtes faite.

Sarah le regarda. Il ne savait donc pas ?... Il n'avait donc jamais su son sacrifice ?... Elle eut envie de le lui dire, puis elle se ravisa. A quoi bon, maintenant ?... Et elle ne dit rien. Le Prince, alors, hésitant, lui demanda des nouvelles de son fils... de leur fils.

— Venez demain déjeuner chez moi, dit Sarah simplement, vous le verrez. Il a vingt et un ans. Il est magnifique. Il vous ressemble beaucoup.

C'était exact. Maurice rappelait son père d'une façon hallucinante. Celui-ci n'aurait pas pu le renier. Et d'ailleurs il n'y songeait pas, au contraire. Le lendemain, en le voyant, le Prince resta très frappé de cette ressemblance, et aussi de la distinction, de la race, de l'allure du jeune homme. Après le déjeuner, comme Sarah les avait laissés seuls, il le regarda longuement, puis il lui dit :

— Vous savez qui je suis ?

— Lorsqu'elle m'a présenté à vous, tout à l'heure, ma mère a prononcé votre nom.

Après un silence, le Prince précisa sa pensée :

— Je veux dire : vous savez qui je suis... pour vous ?

Silencieusement, Maurice acquiesça du regard. Alors le Prince continua :

— Je ne m'attendais pas à vous trouver tel que vous êtes... charmant... sympathique... Depuis que je vous ai vu, une idée m'est venue.

— Je vous écoute.

— Voilà, dit le Prince avec un peu d'effort. Je suis veuf... donc libre de faire un geste qui, dans un autre cas, me serait interdit. Bref, je suis prêt à vous reconnaître.

— Je ne comprends pas, dit Maurice.

— C'est pourtant clair. Vous êtes né de père inconnu. Je vous offre mon nom, mon titre, et après moi, la partie de ma fortune qui vous reviendra de droit.

Maurice réfléchit un instant seulement, puis, secouant la tête :

— Je vous remercie, dit-il, je ne peux pas accepter.

— Et pourquoi ?

— Depuis ma naissance, ma mère, toute seule, m'a élevé, souvent à grand'peine et a fait pour moi tous les sacrifices. Ce que je suis, c'est à elle seule que je le dois. L'unique façon dont je puisse lui témoigner ma reconnaissance, c'est en restant son fils, à elle seule. Vos offres sont très flatteuses, mais je préfère continuer à m'appeler Bernhardt.

Le Prince s'inclina.

— Je n'insiste pas. Je comprends votre sentiment. Il est respectable et vous fait honneur.

Le lendemain, le Prince Henri repartait pour Bruxelles et par courtoisie, Maurice était allé le conduire jusqu'à la Gare du Nord. Dans le hall d'entrée, une foule énorme encombrait l'accès des quais, et déjà en retard, le Prince voyait l'instant où il allait manquer son train. Il arrêta un employé :

— Pourriez-vous me faire passer devant tous ces gens ?... lui dit-il. Je suis le Prince de Ligne.

— Connais pas, répondit brusquement l'employé. Faites comme tout le monde. Prenez votre tour et attendez.

Alors, Maurice intervint et s'adressant au même employé :

— Pourriez-vous nous aider à passer tout de suite ? Je suis le fils de Madame Sarah Bernhardt.

En entendant le nom fameux, à ce moment déjà le plus connu de France, l'employé eut un sourire de sympathie et d'admiration.

— C'est Sarah Bernhardt votre maman ?... Oh ! alors, suivez-moi. Je vais vous conduire aux quais, par un chemin que je connais. Quel train prenez-vous ?

— Bruxelles, quatre heures cinquante.

— Par ici.

Et deux minutes après, le Prince Henri, accompagné de Maurice, se trouvait devant la portière du wagon dans lequel il allait monter. Il dit adieu au jeune homme qui, en souriant, conclut :

— Vous voyez ?... C'est aussi très bien de s'appeler Bernhardt.

# CHAPITRE VII

## TOURNÉES — LA RENAISSANCE

Sarah Bernhardt s'embarqua à Bordeaux dans les derniers jours d'avril 1886, se rendant directement à Rio-de-Janeiro, première ville de son itinéraire. Elle y donnait, à partir du 1er juin, un grand mois de représentations. Son fils Maurice l'accompagnait dans son long voyage. Et en tête de sa troupe, figurait Philippe Garnier qui reprenait possession de tous ses rôles de la tournée d'Europe de 1881, jouant, en outre, Loris Ipanoff dans *Fédora* et aussi Philippe Derblay, le rôle de Damala, dans *Le Maître de Forges*.

En raison de son immense succès à Paris, Sarah, en effet, avait mis la pièce de Georges Ohnet au répertoire de sa tournée, jouant elle-même le rôle de Claire de Beaulieu, qu'avait créé Jane Hading.

C'était la première fois qu'elle jouait en Amérique du Sud. La réception qui lui fut faite, dès son arrivée, lui donna aussitôt l'assurance que, déjà, sa renommée y était aussi grande qu'en Amérique du Nord. Tout son séjour à Rio ne fut qu'un long triomphe. Le public brésilien l'accueillit avec des transports d'enthousiasme. A la fin de chaque soirée, de véritables pluies de bouquets et de gerbes s'abattaient sur la scène. L'empereur du Brésil, Don Pedro II, vint voir chacune des pièces qu'elle joua. Les grandes cantatrices de l'époque, Nillsonn, Adelina Patti, idoles du public sud-américain, ne connurent jamais succès plus considérables.

Durant le trajet entre Rio et Buenos-Ayres, un pénible événement attrista beaucoup Sarah Bernhardt : le vieux Jarrett, son impresario américain, qui avait conduit sa tournée de 1880-81, et qui était encore son agent pour celle-ci, mourait subitement. Elle avait de l'affection et de la gratitude pour l'excellent homme qui l'avait révélée au Nouveau Monde et fut très affectée par sa soudaine disparition. L'administration de l'entreprise fut alors assurée par le secrétaire de Sarah, Maurice Grau qui, succédant à Jarrett, allait désormais et pendant vingt ans, être l'impresario de toutes ses tournées.

C'est dans le rôle de *Fédora* que, le 17 juillet 1886, Sarah Bernhardt débuta à Buenos-Ayres. Elle y resta six semaines, durant lesquelles furent réalisées les plus fortes recettes qui aient jamais été faites en cette ville. Puis, c'était Rosario et Santa Fé, puis l'Uruguay : elle joua huit jours à Montevideo. Elle continuait son voyage par le Chili, une semaine à Valparaiso et quatre jours à Santiago, et par le Pérou, donnant une courte série de spectacles à Lima. Elle gagnait ensuite La Havane, où elle était en septembre, puis Mexico, où elle réalisait 260,000 francs en dix représentations. Après quoi, elle arrivait aux Etats-Unis par le Texas.

Elle recommençait alors la longue tournée des petites et grandes villes américaines qu'elle avait déjà effectuée cinq ans plus tôt. La randonnée s'achevait à New-York, où elle jouait durant tout le mois d'avril 1887.

En mai, elle était à Londres, et pour la première fois, faisait la tournée des villes d'Angleterre, puis d'Ecosse et d'Irlande. Partout elle trouvait le même accueil triomphal. Où qu'elle arrivât, la seule annonce de son nom signifiait immuablement : foules énormes attendant, depuis des heures, à la gare ou au port, manifestations grandioses, recettes maxima, acclamations enthousiastes, scènes jonchées de fleurs, villes entières ne s'entretenant que d'elle...

Dans son remarquable ouvrage, *Les Contemporains,* Jules Lemaître écrit :

« Plus que toute autre, elle aura connu la gloire énorme, concrète, enivrante, affolante, la gloire des conquérants et des césars. On lui a fait, dans tous les pays du monde, des réceptions qu'on ne fait point aux rois. Elle a eu ce que n'auront jamais les princes de la pensée. »

Ce qui est véritablement extraordinaire, c'est que jamais Sarah Bernhardt ne fut grisée par ce succès inouï, prodigieux, un succès qu'aucune autre actrice n'avait jamais connu et qu'aucune autre ne connaîtra probablement jamais. Elle avait parfaitement conscience de son génie, de sa valeur artistique aussi bien que commerciale et cependant, elle restait aussi simple qu'à ses débuts, peut-être plus. Combien d'autres, à sa place, étourdies par une telle destinée, seraient vite devenues infréquentables !... Dans sa courte biographie de Sarah Bernhardt, Maurice Baring observe :

« Qu'elle fût la plus grande actrice du monde, était pour elle un fait acquis. De même que la Reine Victoria ne pouvait ignorer qu'elle était Reine d'Angleterre, Sarah Bernhardt évaluait exactement sa situation, mais n'en parlait jamais et ne s'en préoccupait pas davantage. »

Rien n'est plus exact. Si un insolent ou un imbécile lui avait dit : « Telle actrice a joué tel rôle mieux que vous, » certainement elle l'aurait, sans colère, considéré comme un homme privé de sa raison. Mais ceci n'était nullement de la vanité. L'être vaniteux est celui qui, à tout moment, constate sa propre supériorité, s'en délecte, agit et parle avec condescendance, traite tous ceux qui l'approchent comme ses inférieurs. Jamais Sarah n'eut ce défaut odieux. Certes, elle avait des caprices, un caractère difficile et des exigences parfois insupportables. Mais ce n'étaient nullement des manifestations de son orgueil. C'est sa nature qui était intraitable, et toujours elle avait eu les mêmes écarts d'humeurs. Elle n'avait que dix-huit ans et un nom bien obscur lorsqu'elle gifla Nathalie et dut quitter le Théâtre-Français. Au sommet de sa gloire, Sarah conserva toujours un entier contrôle d'elle-même et c'est aussi pourquoi cette femme était grande : elle savait bien que ceux qui sont vraiment grands sont modestes.

Peu après son retour de cette longue tournée, en septembre 1887, pendant qu'elle se reposait à Belle-Isle où, pour la première fois, elle habitait le fort qu'elle venait d'acquérir, on annonça officiellement sa rentrée à la Comédie-Française. Pourquoi ?... Parce qu'à Paris, les nouvelles les plus fantaisistes sont lancées et se propagent souvent sans raison. Celle-ci n'était pas entièrement inexacte. Emile Perrin était mort depuis deux ans. Jules Claretie était maintenant administrateur général du Théâtre-Français. Comme critique, il avait souvent consacré à Sarah des feuilletons dithyrambiques. On savait sa totale admiration pour elle et l'on avait ouï-dire que, dès son retour de tournée, il lui ferait des offres pressantes.

Il les lui adressa, en effet, mais Sarah avait mille projets. Ses triomphes dans tous les pays étrangers où elle avait joué, lui donnaient la possibilité et lui créaient presque l'obligation d'y retourner. Ces absences perpétuelles n'étaient guère compatibles avec le service régulier, astreignant, que doit fournir une artiste de la Comédie-Française. D'autre part, en faisant pour elle un effort exceptionnel, peut-être la Maison de Molière aurait-elle pu lui assurer 150,000 francs par an, au grand maximum. Et Sarah, à l'époque, vivait facilement sur le pied de 60 à 80,000 francs par mois. Bref, sa rentrée au Théâtre-Français était à peu près inenvisageable et ces pourparlers, qui furent brefs, étaient d'avance voués à l'échec.

La presse les révéla pourtant assez abondamment pour que partisans et adversaires eussent une fois de plus, l'occasion de prendre parti. Dans Le Gaulois, au début d'octobre 1887, Albert Delpit, l'auteur du Fils de Coralie, écrivait :

« Quelle tradition représente Mme Sarah Bernhardt, je vous prie ? Assoiffée d'argent, voilà déjà sept ans qu'elle a quitté le Théâtre-Français pour courir les aventures. Et c'est au déclin de sa carrière que la Comédie voudrait la recueillir ? Allons donc !... M. Jules Claretie compte, parmi ses sociétaires, des artistes d'un

très grand talent comme Mlle Bartet, Mmes Baretta, Reichemberg
et Dudlay. Il vient d'engager Mlle Brandès qui ne tardera pas
à prendre une place considérable. Mon éminent confrère et ami
n'a nul besoin de Mme Sarah Bernhardt. Elle a 43 ans et avec
sa voix altérée, son talent amoindri, elle ne peut plus être utile
à la Comédie. D'ailleurs quel emploi pourrait-elle y tenir? Je n'en
vois qu'un, celui des mères et elle ne s'y résoudra jamais. Et si
la fugitive d'autrefois rentrait, pourtant, à la Comédie, ne craint-elle
pas qu'un méchant ne lui jette un jour une couronne d'immortelles,
comme on fit jadis à Mlle Mars?... »

Ce livre étant écrit avec l'ambition de contribuer à la gloire
de Sarah Bernhardt, — pour ma modeste part, mais de toute la
force de ma tendresse pour elle, — on se demandera peut-être
pourquoi j'ai cru devoir citer ces quelques lignes perfides.

Mais précisément pour montrer quelle fut l'extraordinaire
puissance de sa personnalité. On voit que, dès 1887, certains,
déjà, la trouvaient vieille et le lui disaient brutalement: on lui
conseillait de jouer les mères. Treize ans après de tels articles,
quelle autre artiste aurait pu, à cinquante-six ans, créer *l'Aiglon*
et y avoir un triomphe, et, sept ans plus tard, à soixante-trois
ans, créer le rôle du Prince Charmant dans *La Belle au Bois
Dormant* et y être acclamée, non seulement pour son talent, mais
pour sa prodigieuse jeunesse?

L'article d'Albert Delpit, — approuvé par d'autres, plus
méchants encore, d'Emile Bergerat, parus dans le *Gil Blas* —
n'était pas seulement cruel, il était profondément injuste. Quelques
jours après qu'il eût paru, Sarah Bernhardt créait *La Tosca* et
une fois de plus, sa radieuse apparition éblouissait Paris. Qui
n'a regardé avec ravissement les nombreux portraits de Sarah
dans le rôle de Floria Tosca dont le costume est resté célèbre?
Dans sa longue robe Empire, avec le grand chapeau de velours
noir et la haute canne, elle est à la fois somptueuse et adorable.

*La Tosca* était la troisième pièce que Victorien Sardou avait
écrite pour Sarah Bernhardt. Elle fut créée à la Porte-Saint-
Martin le 24 novembre 1887. Ce fut encore un succès énorme,
égal à celui de *Fédora* et à celui de *Théodora*. Trois fois de suite,
en cinq ans, Sardou et Sarah triomphaient ensemble. Peut-être
même *La Tosca* fut-elle une réussite plus solide encore, plus
prolongée. L'opéra de Puccini, tiré de la pièce de Sardou, fut
représenté en 1903, avec l'immense succès que l'on sait. Logiquement, sa carrière aurait dû gêner celle du drame. Sarah reprit
pourtant *La Tosca,* à Paris jusqu'en 1909, et à New-York jusqu'en
1913, et toujours ce fut l'une des pièces de son répertoire dans
lesquelles on voulait, encore et toujours, la revoir.

A la création, c'est Pierre Berton qui jouait le Baron Scarpia et Dumény faisait Mario Cavaradossi. L'un et l'autre, Berton surtout, étaient excellents. Les autres rôles de la pièce sont très secondaires. Aucun, par conséquent, n'était digne de Philippe Garnier qui, d'ailleurs, depuis « la tragique histoire » d'*Hamlet*, avait perdu beaucoup de son prestige, que ne lui rendit pas la longue tournée qui avait suivi. Bientôt, il devait encore jouer, en deux occasions, avec Sarah Bernhardt, mais toutes choses avaient enfin repris leur place : il n'était plus qu'un acteur, comme les autres, donnant respectueusement la réplique à l'étoile.

A la fin de mars 1888, Sarah Bernhardt malade, était obligée d'interrompre ses représentations de *La Tosca*, qu'elle n'avait jouée que 122 fois. Le travail considérable qu'elle avait fourni depuis son départ du Théâtre-Français, ces voyages éreintants, ce surmenage perpétuel, coupé de vacances toujours trop courtes, avaient fini par vaincre, pour un temps, sa résistance. Elle devait se reposer plusieurs semaines, avant de repartir en tournée avec *La Tosca*, qu'elle jouait, en mai et juin, dans les grandes villes de France et en juillet à Londres, au Lyceum. Très attendue, la pièce de Sardou remportait en Angleterre, le même immense succès qu'à Paris.

Avant de quitter Londres, Sarah, pendant une semaine, y jouait *Francillon*, une pièce nouvelle d'Alexandre Dumas fils, que Julia Bartet avait créée au Théâtre-Français l'année précédente, en janvier 1887. C'était une comédie très moderne, souriante, avec quelques scènes dramatiques, une pièce du ton de *Froufrou*, où Sarah Bernhardt avait trouvé l'occasion d'un si grand succès. Londres la jugea admirable dans *Francillon*. Paris malheureusement, ne devait jamais la voir dans ce rôle.

*
* *

A son retour, un important événement se produisit dans la vie de Sarah Bernhardt. Son fils Maurice, qui n'avait pas encore vingt-quatre ans, se mariait. Il épousait une jeune Polonaise, du nom de Terka Jablonovska et quittait la demeure de sa mère où, jusque-là, il avait toujours vécu. Encore qu'elle eût vivement approuvé ce mariage, qui lui donnait la plus charmante belle-fille, ce fut un grand déchirement pour Sarah, de ne plus avoir sous son toit ce fils adoré. Et soudain, l'hôtel de l'avenue de Villiers lui parut bien vide !...

La même année 1888 avait vu les débuts de Sarah Bernhardt auteur dramatique. Ils ne furent pas éclatants. Parmi ses divers « violons d'Ingres », le talent littéraire de Sarah Bernhardt n'est certainement pas celui qui fut le plus grand. Elle était un sculpteur d'une valeur incontestable, alors qu'elle ne fut jamais un écrivain. Comment cette femme, dont la conversation était si brillante et si spirituelle, perdait-elle tout esprit et toute simplicité dès qu'il lui prenait fantaisie d'écrire ? On ne la retrouvait que dans ses courtes réponses à des critiques, dont quelques-unes ont été citées au cours des pages qui précèdent. Sa verve ne subsistait que dans la contradiction.

Son œuvre dramatique et littéraire est, d'ailleurs, peu importante. En dehors de ses *Mémoires,* qui s'arrêtent à l'année 1881, mais qu'elle écrivit seulement en 1906, elle est l'auteur d'un roman, intitulé *Petite Idole,* histoire un peu puérile dans la manière de Zénaïde Fleuriot et de trois pièces de théâtre. En outre, elle écrivit pour les journaux un certain nombre d'articles et de récits, mais aucun ne mérite d'être retenu. Chronologiquement, la première pièce de Sarah Bernhardt est un drame en un acte, intitulé *L'Aveu,* qui fut créé à l'Odéon le 27 mars 1888.

C'est une pièce qu'elle avait écrite pour elle, pour ses tournées, deux ou trois ans plus tôt et qu'elle avait déjà jouée un peu partout à l'étranger, faisant généralement affiche avec *Le Passant,* le deuxième acte de *Phèdre* et parfois aussi *Chez l'Avocat,* la joyeuse petite pièce de Paul Ferrier, qu'elle avait créée à la Comédie-Française en 1873 et qu'elle reprenait de temps en temps. Elle avait ainsi ajouté à son répertoire, un spectacle dans lequel, au cours de la même soirée, elle apparaissait sous trois ou quatre aspects totalement différents.

Joué par Sarah Bernhardt, *L'Aveu* produisait un gros effet et à son retour de tournée, elle l'avait proposé à son ami Porel qui, depuis le 1<sup>er</sup> janvier 1885, était directeur de l'Odéon.

On ne pouvait rien refuser à Sarah Bernhardt. Porel accepta donc sa petite pièce, plus pour lui faire plaisir que dans l'espoir d'un succès, et la distribua à Paul Mounet, — le frère de Mounet-Sully — Marcel Marquet, — le père de Mary Marquet — Marie Samary, Jeanne Kerly et Raphaële Sisos dans le rôle que jouait, en tournée, Sarah Bernhardt.

*L'Aveu* est un court mélodrame qui se passe au chevet d'un enfant moribond. Au moment où elle le sent perdu, la mère avoue à son mari que l'enfant n'est pas de lui. Le vrai père, anxieux, attend des nouvelles de son fils dans la pièce voisine. Une scène violente a lieu entre les deux hommes. La mort du petit, qui désespère également ces trois êtres, apaise une querelle dont l'objet a cessé d'exister.

Privée du génie de Sarah Bernhardt interprète, cette œuvrette n'obtint pas, à Paris, un accueil enthousiaste. Douze représentations seulement en furent données à l'Odéon, au cours de l'année 1888.

Après avoir passé le mois d'août à Belle-Isle en famille, avec son fils, sa belle-fille, Mme Guérard, Louise Abbéma et Georges Clairin, Sarah Bernhardt repartait, en septembre 1888, pour une tournée d'Europe de six mois, dont l'itinéraire la conduisit, pour la première fois, jusqu'en Turquie et en Egypte.

Après la Belgique, la Hollande et la Suisse, elle arrivait en Autriche le 1ᵉʳ novembre, débutant à Vienne dans *La Tosca*. Puis, après quatre soirées à Budapest, elle était au Caire et à Alexandrie en décembre, à Constantinople en janvier, partait pour Saint-Pétersbourg où elle donnait vingt représentations triomphales et revenait par la Suède et la Norvège. Elle était de retour à Paris le 1ᵉʳ mars 1889.

*
* *

Une nouvelle l'attendait, qui la bouleversa plus qu'on aurait pu le croire. Jacques Damala, très malade, la faisait supplier de venir le voir. Elle n'hésita pas un instant. D'abord, légalement, elle portait toujours son nom et puis, malgré tout ce qui s'était passé entre eux, elle gardait une inaltérable affection pour le Grec auprès duquel, sept ans plus tôt, elle avait connu un bonheur éphémère, mais immense.

Elle courut chez lui et en le voyant, resta bouleversée : usé, rongé par la morphine, Damala n'était presque pas reconnaissable. Enveloppé dans une longue robe de chambre, effroyablement amaigri, les joues creuses, le teint blafard, son regard noir devenu vague et éteint, il vint, lui-même, lui ouvrir la porte du modeste appartement où il vivait seul, abandonné de tous et de toutes. Sa beauté avait toujours été son seul attrait. Celle-ci disparue, rien ne restait qui pût encore retenir non plus l'admiration, mais seulement la sympathie. C'est le sort de ces conquérants, dont la jeunesse se passe à désespérer toutes celles qui les approchent. L'âge venu ou la maladie les ayant terrassés, pas une main amie ne se tend vers eux et leurs jours s'achèvent dans la solitude et la tristesse, quand ce n'est pas dans la misère.

Grâce à Sarah, dont la générosité fut touchante, Damala échappa à ce triste destin. Visiblement, il était perdu. Peut-être lui restait-il quelques mois, quelques semaines à vivre. Elle ne voulut pas que son mari connût une fin lamentable. Dès le lendemain, elle le faisait transporter dans une maison de santé où elle allait le voir chaque jour et où il était soigné avec une telle sollicitude, une telle volonté de le guérir une fois de plus, si la chose était humainement possible, que bientôt le miracle semblait se produire : six semaines plus tard, Damala, du fond d'une baignoire grillée, pouvait assister à la première représentation de la pièce nouvelle que créait Sarah Bernhardt.

C'était une comédie dramatique en 4 actes, intitulée *Léna*, que l'acteur Pierre Berton avait tirée d'un roman anglais de F. C. Philipps, *As in a Looking Glass*. Elle fut créée au Théâtre des Variétés, le 16 avril 1889. Pierre Berton jouait le principal rôle masculin de sa pièce, qui était son premier essai d'auteur dramatique.

Le résultat n'aurait pas dû l'encourager dans cette nouvelle carrière, car *Léna* fut un insuccès total. Pourtant, Berton était incontestablement un dramaturge. Il devait souvent le prouver par la suite, en faisant jouer plusieurs pièces tout à fait remarquables. La plus connue est *Zaza,* que créèrent Réjane et Huguenet au Vaudeville en 1898 et qui reprise pendant des années reste l'un des plus grands succès du début de ce siècle.

*Léna* était un mélodrame de qualité inférieure, qui nous montrait une femme mariée, victime du chantage que lui faisait un ancien amant. Croyant avoir perdu l'estime et l'amour de son mari, elle se suicidait. Le seul intérêt de la pièce était de fournir à Sarah Bernhardt l'occasion de mourir d'une façon inédite. Le dernier acte se terminait par une scène muette de cinq minutes au moins, — c'est énorme, au théâtre — où Léna, seule en scène, préparait minutieusement sa mort.

Elle prenait d'abord un poignard, hésitait, puis le rejetait. Elle versait alors le contenu d'une bouteille de chloral dans un verre, posait devant elle le portrait de son mari et les yeux fixés sur son image, buvait lentement le poison. Elle laissait tomber le verre vide, puis restait assise, face au public, le regard fixe, attendant... — jusqu'au moment où, terrassée, elle tombait en avant, la face contre terre. Son mari, qui l'adorait toujours, enfonçait la porte et se précipitait en scène: Elle avait cessé de vivre.

Cette scène grand-guignolesque, que Sarah jouait avec la maîtrise qu'on devine, déplut d'ailleurs autant que la pièce.

\*
\* \*

C'est vers cette époque qu'elle commença à connaître, à Paris, des presses moins régulièrement enthousiastes et que le succès, au lieu de lui être acquis d'avance, ne fut plus obtenu que si vraiment le spectacle entier le méritait.

Jusque-là, évidemment, plusieurs des pièces qu'elle avait jouées n'avaient pas réussi, mais même dans ces échecs, elle, personnellement, avait toujours obtenu un succès d'actrice. A partir de *Léna,* les choses changèrent un peu. D'abord, on aurait souhaité qu'elle choisit ses pièces avec plus de sévérité. Beaucoup pensaient que la géniale interprète de Racine et de Victor Hugo n'aurait dû paraître que dans des œuvres de classe, signées de noms indiscutés.

D'autre part, on reprochait, peut-être avec raison, à son talent, d'avoir perdu de sa qualité au cours de ses longues et fréquentes tournées, durant lesquelles la fatigue des voyages quotidiens ne lui permettait pas, physiquement, de jouer chaque soir avec la même conscience, la même intensité. On déplorait qu'elle eût rapporté, de ses expéditions, une sorte de négligence dont elle ne se corrigeait pas lorsqu'elle rejouait à Paris. A propos de *Léna,* Jules Lemaître écrivait :

« Les journaux vous ont dit que Mme Sarah Bernhardt est merveilleuse dans la mort de *Léna.* C'est vrai. Mais dans tout le reste de la pièce, elle est agaçante au possible. Elle récite son texte, comme une élève dirait ses prières la veille de sa première communion. Est-ce l'habitude de jouer devant des salles qui ne comprennent pas le français ? Je serais plutôt tenté de croire qu'elle s'est tellement habituée aux scènes de violence et de torture qui nous sont dispensées si généreusement dans les drames sanguinaires de Victorien Sardou, qu'elle a, peu à peu, perdu la faculté d'exprimer les sentiments courants et quotidiens. Mme Sarah Bernhardt ne redevient elle-même que lorsqu'elle tue ou lorsqu'elle meurt. »

Bien qu'il n'eût alors que trente-six ans, l'autorité de Jules Lemaître était déjà très grande. Le reproche frappa vivement Sarah, qui méprisait les méchancetés et les calomnies, alors qu'une critique intelligente et juste ne la laissait jamais indifférente. Mais le temps matériel lui manqua pour modifier son interprétation de *Léna:* la pièce ne dura que quatre semaines. Il fallait, d'urgence, un autre spectacle, car elle avait loué le Théâtre des Variétés pour trois mois.

C'est alors que Sarah eut un geste très joli, infiniment touchant. Toujours très malade, Damala, néanmoins, sortait à nouveau et, de toutes les forces qui lui restaient, s'accrochait à la vie. Elle voulut lui donner une dernière joie en ce monde, car elle savait bien qu'il ne guérirait pas. Et elle lui proposa de reprendre avec elle, en série, *La Dame aux Camélias,* cette pièce qu'il n'avait jouée à Paris qu'une seule fois, sept ans plus tôt, au lendemain de leur mariage. Ce fut un immense bienfait pour le pauvre moribond qui, soudain, eut l'impression de revivre !

Cette reprise eut lieu au Théâtre des Variétés le 18 mai 1889 et se prolongea jusqu'au 30 juin. Pour Sarah, ce fut son triomphe habituel. Pour son mari, la presse fut indulgente et attristée. Edmond Stoullig écrivait dans *Le Rappel:*

« Que dire de M. Damala ? Le beau « maître de forges », visiblement malade et péniblement amaigri, n'est plus aujourd'hui que l'ombre de lui-même. L'incertitude de son jeu et la faiblesse de sa diction laisseraient supposer que, sans force et sans vigueur, il a commis une imprudence en rentrant au théâtre avant d'être complètement rétabli. Où est, hélas ! le bel Armand Duval qui se montra à nous, pour la première fois, il y a quelques années, à la Gaîté ? »

Cette reprise fit de belles recettes, car Sarah Bernhardt ne joua jamais *La Dame aux Camélias* que devant des salles combles, mais ses représentations furent bien mélancoliques. Chaque soir, elle se demandait si Damala irait au bout de son rôle, si, épuisé, il n'allait pas tomber en scène. Au 4ᵉ acte, qui réclame de l'acteur tant de chaleur et de véhémence, souvent le pauvre homme ne pouvait même pas se lever et c'est assis qu'il était contraint de jouer la fameuse dernière scène :

« Vous êtes tous témoins que j'ai payé cette femme et que je ne lui dois plus rien ! »

Mais il était si heureux de se retrouver auprès de sa femme, la seule qui dans sa détresse lui eût tendu la main, si fier de reparaître avec elle devant le public de Paris, que Sarah, émue, l'aidait de tout son cœur, jouait la pièce pour ainsi dire toute seule, suppléant à l'insuffisance de son partenaire en redoublant d'efforts et d'intensité.

Au lendemain de la dernière de *La Dame aux Camélias* aux Variétés, elle partait pour Londres où, à partir du 2 juillet, elle jouait *Léna* au Lyceum, cependant que Damala, dans un coin de campagne, essayait désespérément de guérir...

Le 4 septembre 1889, Sarah Bernhardt reparaissait à Paris, à la Porte-Saint-Martin, dans une reprise de *La Tosca,* avec Pierre Berton. Puis, le 7 octobre, elle reprenait *Théodora,* avec Garnier. La pièce fournissait encore soixante représentations magnifiques, qui se terminaient fin novembre.

Le soir même de la dernière de *Théodora,* Damala mourait, victime, comme Jeanne Bernhardt, des implacables stupéfiants. Il avait quarante-deux ans. Bien qu'officiellement séparée de lui depuis six ans, Sarah Bernhardt porta longtemps son deuil et eut un véritable chagrin. Au cours de cette brève et émouvante reprise

\*
\*  \*

de *La Dame aux Camélias* elle s'était reprise de tendresse pour son mari. Et puis, c'était un souvenir du passé, un peu de sa lointaine jeunesse qui s'en allait !...

En effet, Sarah Bernhardt avait maintenant quarante-cinq ans, mais elle ne le cachait pas, au contraire : elle mettait une certaine coquetterie à révéler publiquement certains faits de sa vie intime qui la vieillissaient plutôt, et qu'une autre eût sans doute gardés secrets.

Dans le courant de novembre 1889, la nouvelle pièce qu'elle allait jouer, avait été annoncée par *Le Gaulois* dans ces termes pittoresques. Le courriériste théâtral de ce journal écrivait :

« Nous avons récemment reçu, signée d'une cinquantaine de noms bien connus à Paris, la lettre suivante :

Monsieur,

Vous qui connaissez Madame Sarah Bernhardt, ne pourriez-vous pas lui dire que beaucoup de femmes et de jeunes filles voudraient l'applaudir, mais que le genre de pièces qu'elle joue, leur interdit d'aller au théâtre où elle triomphe. Elle incarne tantôt une reine vicieuse, tantôt une gourgandine, tantôt une grande dame, mais d'une moralité suspecte. Combien d'entre nous iraient l'acclamer avec enthousiasme, si elle jouait enfin une héroïne pure, dans une œuvre morale.

« Nous avons aussitôt transmis cette lettre à Mme Sarah Bernhardt, qui nous a répondu en ces termes :

Voilà des années que je caresse le projet de jouer une *Jeanne d'Arc*, mais je n'en trouvais aucune qui me plaise. Enfin, le délicieux poète qu'est Jules Barbier vient de m'en apporter une magnifique. Je crois répondre aux désirs dont vous me faites part en priant mon ami Duquesnel de la monter aussitôt. D'ailleurs, je ne saurais attendre davantage. Bientôt je serai trop vieille pour jouer *Jeanne d'Arc*. Songez que je suis grand'mère !...

A vous,

Sarah Bernhardt. »

En effet la femme de Maurice, Terka Bernhardt, venait de mettre au monde, quelques mois plus tôt, leur fille aînée, Simone. Le Tout-Paris théâtral l'ignorait et, justement à la veille d'incarner la Pucelle d'Orléans, Sarah Bernhardt aurait pu se dispenser de l'annoncer dans la presse. Mais elle savait bien à quel point elle paraissait toujours jeune et sans doute prenait-elle un certain plaisir à faire dire que, physiquement aussi, elle était extraordinaire.

La *Jeanne d'Arc* de Jules Barbier, avec une splendide partition de Charles Gounod, fut créée par Sarah Bernhardt, à la Porte-Saint-Martin, le 3 janvier 1890. Contrairement à ce qu'elle avait annoncé, ce n'était nullement une pièce magnifique. Au contraire, elle était d'une facture surannée, d'un style redondant et d'un patriotisme un peu facile. Elle fit pourtant une assez belle carrière : seize semaines, qui se terminèrent le 30 avril 1890. Mais Sarah Bernhardt, elle-même, n'y remporta pas un de ces succès considérables, comme elle en avait tant connus et comme elle devait en connaître encore si souvent. Elle psalmodia un peu son rôle. Peut-être était-il difficile d'avoir du génie dans une pièce qui en était si totalement dépourvue. Ce qui assura le succès, c'est la présentation du spectacle, superbement monté par Duquesnel, ou plus exactement par Sarah Bernhardt qui, — sauf quand elle jouait du Sardou — mettait maintenant elle-même ses pièces en scène, encore un autre art où elle allait s'affirmer incomparable.

Après son annuelle saison d'un mois à Londres, en mai, Sarah Bernhardt, durant l'été de 1890, prit enfin de vraies vacances. Elle passa trois grands mois à Belle-Isle où, à la suite du mariage de Maurice et de la naissance de Simone, la première des villas qui allaient entourer le fort, venait d'être construite.

La vie de famille, qu'elle allait tant aimer durant la seconde partie de sa vie, commençait alors pour Sarah Bernhardt, réunissant autour d'elle son fils, sa belle-fille et sa petite-fille, qui seraient désormais ses seules amours. Elle l'avait juré, au lendemain de la mort de Damala.

D'autre part, elle tenait, cette année-là, à prolonger son séjour à Belle-Isle, car, pendant deux ans, elle n'allait pas pouvoir y retourner. C'est au début de l'année suivante, en effet, qu'elle devait entreprendre la plus longue tournée de toute sa carrière.

Auparavant, elle créait à Paris la quatrième pièce que Victorien Sardou avait écrite pour elle : *Cléopâtre,* un drame en cinq actes et six tableaux qui fut représenté, pour la première fois, à la Porte-Saint-Martin, le 23 octobre 1890. C'est Philippe Garnier, jouant pour la dernière fois avec Sarah Bernhardt, qui incarnait Antoine. Le reste de l'interprétation n'était qu'honorable.

Cette pièce réussit infiniment moins bien que les trois œuvres de Sardou que Sarah avait précédemment créées. Elle ne fut jouée que quatre-vingt-dix-huit fois, jusqu'au 15 janvier 1891 et par la suite, ne fut jamais reprise. Pour Sardou, c'était presque un insuccès. Et d'ailleurs, *Cléopâtre* n'est pas une très bonne pièce. C'est un long duo d'amour entre les deux héros, où l'on ne retrouve pas la maîtrise habituelle du merveilleux dramaturge. Les ressorts dramatiques sont faibles et, au quatrième acte, il fallut toute l'autorité de Sarah Bernhardt pour faire admettre une situation qui, jouée par une autre, aurait pu facilement paraître ridicule.

La scène est à Actium. Ayant appris qu'Antoine a épousé la sœur d'Octave, Cléopâtre, folle de jalousie, a voulu contempler sa rivale dans sa propre demeure. Grâce à la complicité de l'intendant d'Antoine, elle s'y introduit, roulée dans un tapis que des esclaves apportent en scène, ignorant que la Reine d'Egypte y est cachée !... Elle se dissimule alors, à nouveau, derrière un rideau où, pendant plus d'un quart d'heure — la moitié de l'acte — elle écoute tout ce qui se dit en scène. Après quoi elle apparaît et dit à Antoine : « J'ai voulu voir, j'ai vu !...... » Exactement les mots que prononce *Athalie,* à sa sortie, au 2e acte de la tragédie de Racine, réminiscence un peu précise.

« Le tapis » de *Cléopâtre* suscita quelques sourires dans la presse. La mort de la Reine, sur le corps de son amant assassiné, sauva la soirée. Sarah Bernhardt réalisa de façon merveilleuse sa lente agonie, après que l'aspic l'eût piquée au bras.

C'est la dernière pièce que Sarah joua à la Porte-Saint-Martin et ce fut, aussi, le chant du cygne de Duquesnel. Après le départ de sa prestigieuse étoile, il monta quelques spectacles, des tons les plus divers. Aucun ne réussit. Alors il se retira, en juillet 1891, après une reprise du *Petit Faust,* l'opérette d'Hervé, que jouaient Jeanne Granier, Cassive, Cooper et Sulbac. Il avait cinquante-neuf ans et se consacrait, désormais, à la littérature. Duquesnel fit, d'ailleurs, une belle carrière d'auteur dramatique, qui se prolongea jusqu'à sa mort, en 1915.

La grande tournée mondiale de Sarah Bernhardt commença le 5 février 1891, à New-York, où elle débuta dans *La Tosca.* Son troisième séjour y fut, comme les précédents, de quatre semaines. Puis elle parcourait le Canada et tous les Etats-Unis et, pour la première fois, jouait dans l'Ouest, jusqu'en Californie et à San Francisco. De là, elle s'embarquait pour l'Australie, où elle arrivait fin octobre. Elle faisait un long séjour à Sydney, puis à Melbourne et s'embarquait pour la Turquie, où elle arrivait par Madagascar, la Mer Rouge et le Canal de Suez. Après Constantinople et Athènes, puis la Russie, elle parcourait, durant l'année 1892, toute l'Europe, puis gagnait l'Afrique du Nord, jouant en Egypte, en Tunisie et en Algérie. Elle se rembarquait alors à Dakar, à destination de l'Amérique Centrale, puis de l'Amérique du Sud, dont elle visitait, à nouveau, tous les pays durant le printemps, puis l'été de 1893. Elle rentrait enfin par Lisbonne, où s'achevait, en septembre 1893, cette colossale expédition, qui avait duré trente-deux mois et au cours de laquelle elle avait fait le tour du monde.

Sa troupe était, comme de coutume, d'une trentaine d'acteurs, en tête desquels Duquesne — qui dès son retour, allait créer le rôle de Napoléon dans *Madame Sans-Gêne* — son fidèle Angelo, Fleury, Jeanne Méa et Suzanne Seylor. Et son répertoire comprenait plus de vingt pièces.

C'est au cours de cette tournée qu'elle joua pour la première iois *Gringoire*, l'acte immortel de Théodore de Banville, dans lequel elle tenait le personnage du poète-gueux, créé par Coquelin aîné à la Comédie-Française, en 1866 et qui fut, dit-on, l'une des plus géniales incarnations de Sarah Bernhardt.

A son retour, Coquelin lui dit : « Je t'avais juré que si jamais tu jouais *Gringoire*, où que ce soit, je prendrais le train pour te voir, car tu dois y être prodigieuse. Mais tu vas le jouer en Australie ! Ce ne sont pas des farces à faire à un ami !... »

Cette tournée fut la plus belle affaire d'argent que Sarah Bernhardt eût jamais faite. En deux ans et huit mois, tous frais de troupe et de voyage déduits, elle gagnait, net, trois millions et demi de francs-or. Il faut reconnaître qu'un tel effort méritait ce brillant résultat. Et puis, c'est uniquement à son génie qu'elle le devait maintenant et non plus, comme jadis, en partie à la réclame. Sa tournée de 1880-81 avait été surtout un succès de curiosité. On ne saurait en dire autant de sa tournée de 1891-92-93. Sauf l'Australie, tous les pays où elle passait, l'avaient déjà applaudie à deux ou trois reprises et c'est parce qu'elle avait laissé un souvenir ineffaçable que, partout, on se ruait pour la voir de nouveau.

\*
\*    \*

A son retour, Sarah Bernhardt devenait, enfin, sa propre directrice. Depuis longtemps déjà, à la Porte-Saint-Martin, elle faisait à peu près ce qu'elle voulait, mais, malgré la complaisance infinie — et bien normale — de Duquesnel, elle n'était tout de même pas la maîtresse absolue de la situation. Lorsqu'elle quittait Paris, par exemple, il fallait bien qu'en son absence, il assurât les spectacles de son théâtre et souvent, lorsqu'elle revenait, elle trouvait, sur l'affiche de la Porte-Saint-Martin, un succès qu'on ne pouvait pas interrompre. Il lui fallait alors attendre ou aller jouer ailleurs. C'est ainsi qu'elle avait dû monter *Léna* aux Variétés qui, depuis quatre-vingts ans, était classé théâtre d'opérettes et de comédies gaies. Sa médiocrité mise à part, ce sombre drame n'y était pas du tout dans son cadre.

Le 1ᵉʳ avril 1893, le Théâtre de la Renaissance était mis en adjudication. Il est situé exactement à côté de la Porte-Saint-Martin. Et c'était, à l'époque, le quartier des théâtres. Dans un rayon de cinq cents mètres, étaient groupés l'Eldorado, la Scala, Les Menus-Plaisirs (qui allaient devenir le Théâtre-Antoine), La

Renaissance, la Porte-Saint-Martin, l'Ambigu, les Folies-Drama-
tiques, Déjazet et à proximité, se trouvaient aussi Le Gymnase
et la Gaîté. La scène de la Renaissance n'est pas grande et elle manque
totalement de dégagements. Mais l'édifice était alors admirablement
situé, à l'angle des grands boulevards et de la rue de Bondy. Bref,
Sarah fut tentée et télégraphia une offre. Elle ne fut pas aussitôt
acceptée, car il y avait beaucoup de compétiteurs. Elle envoya
alors à Paris son impresario, Maurice Grau, qui se mit en relations
directes avec la société propriétaire. Et en juin 1893, les journaux
annonçaient que Sarah Bernhardt devenait directrice de la Renaissance.

La nouvelle fut accueillie avec joie par la presse, qui s'écria
avec ensemble :

« Peut-être, ayant maintenant son théâtre à Paris, Mme
Sarah Bernhardt s'absentera-t-elle, à l'avenir, moins souvent !... »

Cet espoir n'était logique qu'en apparence. Lorsqu'elle fut
directrice, Sarah Bernhardt voyagea tout autant que par le passé.
L'habitude était prise. Elle la garda jusqu'à sa mort. Et puis, elle
était devenue la plus grande vedette internationale. Autant qu'à
la France, elle se devait au reste du monde.

D'autre part, le besoin d'argent la força souvent à repartir
encore. Car malgré l'éclat de son nom et les distributions, toujours
parfaites et souvent éclatantes, qu'elle réunit autour d'elle, sa
direction de la Renaissance, financièrement, ne fut pas heureuse.
Loin de là. Elle dirigea ce théâtre durant cinq ans, jusqu'en décembre 1898. Au cours de cette période et parmi de nombreuses
reprises, elle créa douze pièces nouvelles. Une seule atteignit la
centième : *Gismonda*. Deux autres, *Izéil* et *Lorenzaccio*, dépas-
sèrent à grand'peine soixante-dix représentations, ce qui était loin
d'être brillant. Ses neuf autres créations furent toutes des catastrophes, sans compter plusieurs autres pièces, qu'elle ne jouait pas
elle-même, mais qu'elle monta à son compte et qui s'effondrèrent
aussi.

Par un étrange caprice du sort, le seul très grand succès que
connut la Renaissance, sous la direction de Sarah Bernhardt, fut
une pièce dans laquelle elle ne jouait pas : *Amants* de Maurice
Donnay.

C'est pourtant avec un grand soin qu'elle choisit toujours ses
spectacles, s'appliquant à renouveler son répertoire, à monter des
œuvres de jeunes et aussi, à s'entourer de jeunes. Renonçant aux
acteurs qui, jusqu'alors, avaient été ses partenaires et dont le jeu,
maintenant, datait peut-être un peu, Marais, Philippe Garnier et
même Pierre Berton, elle commença par s'attacher, comme tête de

troupe, trois acteurs de la nouvelle école et tous trois à l'aurore de leur carrière. Deux étaient remarquables et le troisième excellent : Lucien Guitry, De Max et Abel Deval.

Lucien Guitry, qui allait devenir le grand, le magnifique comédien que l'on sait, avait alors trente-trois ans. Mais il avait passé neuf années en Russie, engagé à l'année au Théâtre Michel de Saint-Pétersbourg et, n'étant revenu qu'en 1891, n'avait pas encore eu le temps de conquérir à Paris une brillante situation. C'est par les rôles qu'il joua à la Renaissance, sous la direction de Sarah Bernhardt, qu'il se fit une place importante, qui devint prépondérante lorsqu'à son tour, il devint directeur du même théâtre, en 1902.

Plus jeune encore, Edouard De Max n'avait que 24 ans quand Sarah Bernhardt prit la Renaissance. Et lui aussi fut lancé par Sarah, sous la direction de laquelle il joua — avec quelques interruptions — jusqu'en 1910. De Max fut l'un des plus admirables acteurs de son époque. Pendant trente ans, il stupéfia Paris par cinquante créations successives, toutes magistrales et prodigieusement variées. A la Renaissance, puis au Théâtre Sarah Bernhardt, puis à l'Odéon, puis à la Comédie-Française, où il entra en 1915, il fit une carrière éblouissante. D'ailleurs, et beaucoup plus que Guitry, acteur supérieur, mais sobre et sans lyrisme, De Max était idéalement fait pour jouer avec Sarah Bernhardt. Son talent était en complète harmonie avec celui de sa géniale directrice. Après Mounet-Sully, De Max fut certainement son meilleur partenaire. Fastueux, impérial, splendidement beau, il incarnait surtout, à merveille, les grands héros de tragédies et de pièces d'époque, rois, princes de légendes, seigneurs des temps passés. Dans Néron de *Britannicus,* Pétrone de *Quo Vadis,* Marc-Antoine de *Jules César,* notamment, tous ceux qui l'ont vu considèrent comme irremplaçable.

En 1893, Abel Deval avait trente ans. Il ne fut jamais un acteur de la classe de Guitry et de De Max, loin de là, mais il avait une superbe prestance, une belle voix, de l'autorité, du mordant et joua parfaitement de nombreux rôles, notamment, après Pierre Berton, le Baron Scarpia dans *La Tosca.* Abel Deval devint, en 1899, directeur du Théâtre de l'Athénée. Il était le père de Jacques Deval, l'auteur de *Tovaritch.*

Après avoir fait effectuer dans le théâtre d'importants travaux de réfection et d'embellissement, c'est entourée de ces trois comédiens que Sarah Bernhardt inaugura sa direction de la Renaissance, le 5 novembre 1893, en créant *Les Rois,* cinq actes de Jules Lemaître.

Ce n'était pas une pièce d'époque, au contraire. L'action se passait en 1900, c'est-à-dire dans les temps à venir. Noble, sévère, magnifiquement écrite, mais plus littéraire que dramatique, la pièce ne réussit pas du tout. Il est, d'ailleurs, à remarquer que jamais, ou presque, un ouvrage dramatique qui montre une époque future n'est un succès. Plus récemment, combien de comédies se déroulant en l'an 2000 ou même en 1950 ont-elles échoué de même ! Il y a là un phénomène psychologique singulier, mais qui s'est cent fois vérifié : le public ne veut pas voir « demain » en scène. Je crois qu'on peut l'expliquer par le fait que l'avenir étant le seul espoir de l'homme, quelle que soit la façon dont on le lui présente, elle le déçoit, parce que cet avenir, il le souhaite encore plus beau. « Eh bien, si c'est ça qui nous attend !... » pense-t-il, et il en veut à l'auteur de ne pas se montrer plus optimiste. Peut-être aussi une pièce, située dans le futur, donc dans le domaine de l'hypothèse, apparaît-elle d'une irréalité plus grande encore que ces nombreuses œuvres dramatiques qui se passent « dans un pays imaginaire » et qui, elles aussi, réussissent bien rarement. *Les Rois* firent tout juste trente représentations, avec de toutes petites recettes et le résultat fût largement déficitaire.

Sarah n'en garda nulle raucune à l'auteur qui, au contraire, devint pour elle, un ami très tendre et pour lequel Sarah conserva jusqu'à sa mort, en 1914, une immense affection.

De quelques années plus jeune que Sarah Bernhardt, Jules Lemaître marqua, très nettement, le tournant de l'existence sentimentale de la grande artiste. Jusqu'alors, ses nombreuses aventures, comme son mariage, avaient été bruyantes et passionnées. J'ai cité les plus importantes, celles que tout Paris a connues, qu'il est positivement impossible d'ignorer. Retraçant la vie de Sarah Bernhardt, je ne pouvais pas les passer sous silence, alors que tous les journaux de l'époque en parlèrent ouvertement.

Mais je n'oublie pas que, pendant ses deux dernières années, Sarah Bernhardt fut ma « belle grand'mère » et, par déférence pour sa mémoire, je me suis strictement abstenu de révéler tout ce qui dans son existence fut secret ou, en tout cas, moins officiel. J'ai tâché de concilier les devoirs de l'historien et ceux du petit-fils. D'ailleurs, chacun sait, avec plus ou moins de précision, que les trente premières années de sa vie de femme furent exceptionnellement mouvementées. Il était inutile d'y insister. C'est à l'époque où elle prit la Renaissance et où elle connut Lemaître que tout changea. Elle avait alors 49 ans. Et nous avons vu qu'elle était loin d'oublier et son âge et la dignité qu'il lui commandait de conserver.

Calme, paisible, presque froid, rangé dès sa jeunesse, la barbe en pointe, pas très beau, un peu pédagogue, mais d'une intelligence lumineuse, Jules Lemaître était exactement l'homme qui devait intéresser une femme raisonnable, aux abords de la cinquantaine. De son côté, s'il l'avait parfois sévèrement critiquée, Lemaître avait pour Sarah une admiration sans bornes et disait souvent:

« Ce n'est pas seulement une actrice de génie, c'est une femme de génie. Rien ne lui échappe. Quelques moments d'attention lui suffisent pour être au fait des sujets qui lui étaient le plus étrangers. Etonnante d'esprit et de clairvoyance, elle aurait aussi bien réussi dans n'importe quel autre art, dans les sciences ou dans la politique. Il lui suffisait de le vouloir. »

Durant les représentations des *Rois,* Sarah avait repris, en matinées classiques, *Phèdre,* qu'elle n'avait pas jouée à Paris pendant treize ans, depuis son départ du Théâtre-Français. Puis, elle donna la pièce en soirée, quotidiennement, pendant deux semaines, du 2 au 15 décembre. Une tragédie de Racine en spectacle régulier! il fallait être Sarah Bernhardt pour oser cela. Elle avait demandé à De Max de jouer Hippolyte, mais jamais il n'y consentit.

— Mounet-Sully a été et est encore trop merveilleux dans ce rôle, disait-il. Tant qu'il sera vivant, ce serait une inconvenance de ma part, de le jouer. Et puis, je ne veux pas risquer une comparaison qui m'écraserait.

De Max joua donc le rôle de Thésée avec noblesse, mais qui pourrait remporter un succès personnel dans ce personnage pompeux et crédule? Par contre, Sarah, dans *Phèdre,* eut un triomphe plus grand qu'en ses plus beaux jours à la Comédie-Française. A propos de cette reprise, Francisque Sarcey écrivait dans ses *Quarante ans de Théâtre:*

« Cela est étrange, stupéfiant, inexplicable, mais il est pourtant indéniable que Mme Sarah Bernhardt est plus jeune et plus belle qu'elle ne l'a jamais été. Sa beauté est devenue, si j'ose dire, plus artistique. L'admiration qu'elle inspire est celle que l'on éprouve en face d'une statue antique. Sa *Phèdre* est le comble de l'art. Une telle interprétation tient presque du miracle. »

Le 16 décembre, pour être sûre de faire de belles recettes pendant les fêtes de Noël et du Jour de l'An, Sarah reprenait *La Dame aux Camélias.* C'était la troisième série qu'elle en donnait à Paris. Après Marais et Damala, c'est Lucien Guitry qui jouait Armand Duval. Comme de coutume, la comédie d'Alexandre Dumas fils faisait des salles combles, mais il ne fallait pas l'user: en d'autres occasions, Sarah pouvait être forcée de reprendre, en toute hâte, cette pièce bénie, source d'argent certaine.

Elle l'arrêtait donc, à la cinquantième, pour créer, le 24 janvier 1894, une pièce nouvelle d'Eugène Morand et Armand Silvestre, *Izéil,* qu'elle jouait avec Guitry et De Max.

A leurs trois noms, elle avait ajouté celui de Marie Laurent, une très grande actrice de drame qui avait alors près de soixante-dix ans et dont Sarah, courtoisement, avait placé le nom, sur l'affiche, avant le sien. Ayant pour cadre l'Inde, six siècles avant Jésus-Christ, *Izéil* était une œuvre pittoresque, mais un peu grise et sa carrière ne fut que de deux mois.

Sarah Bernhardt terminait alors sa saison à Paris en reprenant, le 3 avril, *Fédora,* avec Lucien Guitry dans Loris Ipanoff et fermait le Renaissance le 29 mai. Le résultat d'ensemble de ces premiers essais était plutôt médiocre. En juin, elle allait jouer à Londres *Les Rois, Izéil* et *Phèdre.*

A son retour, elle engageait comme administrateur de son théâtre, Victor Ullmann dont, pour la première fois le nom apparut sur les programmes de la Renaissance en 1894. Pendant ses trente dernières années, il allait rester le directeur commercial de toutes les entreprises de Sarah Bernhardt à Paris, cependant que Maurice Grau se consacrait uniquement à ses tournées.

\*
\*  \*

La seconde saison de Sarah Bernhardt, à la Renaissance, commença le 17 septembre 1894, par une reprise de *La Femme de Claude,* une comédie d'Alexandre Dumas fils, créée par Aimée Desclée au Gymnase en janvier 1873. Guitry, De Max et Abel Deval l'entouraient. Sarah Bernhardt y fut admirable. Je l'ai vue, dans *La Femme de Claude,* à une autre reprise de la pièce, en janvier 1905, et jamais je n'oublierai son royal cynisme dans l'espionne Césarine. Mais la pièce ne fut jamais un succès d'argent. Et la reprise de 1894 ne fit que six semaines.

Ce fut ensuite *Gismonda,* pièce nouvelle de Victorien Sardou, qui fut représentée pour la première fois le 31 octobre 1894, et que Sarah Bernhardt joua avec ses trois partenaires habituels.

Meilleure que *Cléopâtre,* mais beaucoup moins puissante que les précédentes pièces que le maître avait écrites pour elle, sa nouvelle œuvre eut une carrière honorable. Elle fit cent trois représentations. Le spectacle était pourtant fastueusement monté. L'action se passe à Athènes en 1450. Dès le lever du rideau, le premier décor, qui représentait l'Acropole, dominant la mer, au loin, avait été longuement applaudi. Mais le rôle de Sarah Bernhardt était plus touchant que dramatique. Au dénouement, au lieu de mourir, elle épousait Lucien Guitry. Ce fut une déception. Sarah et Sardou avaient accoutumé le public à le « secouer » davantage.

Le 5 janvier 1895, après le spectacle, Sarah Bernhardt réunissait ses acteurs dans sa loge, pour fêter dans l'intimité la 75e représentation de *Gismonda*. Elle semblait pensive et préoccupée. Sardou la questionna. Le matin, dès huit heures, elle s'était levée, pour se rendre à l'Ecole militaire où, parmi quelques rares privilégiés, elle avait assisté à la dégradation du capitaine Dreyfus, condamné, trois semaines plus tôt, par le Conseil de Guerre. Il y avait là, notamment, Maurice Barrès, Léon Daudet, Henri Rochefort, tous convaincus de la culpabilité de l'officier. Mais elle s'était trouvée à côté du directeur du *Figaro*, Fernand de Rodays, qui était alors l'un des rares à douter de sa trahison. L'impassibilité de Dreyfus pendant sa dégradation, ses protestations d'innocence, avaient vivement impressionné Sarah.

— Et s'il n'était pas coupable? répétait-elle.

Ce soir-là, tout le monde éclata de rire en l'entendant formuler cette hypothèse. Dix officiers supérieurs français avaient jugé, « en leur âme et conscience ». Pouvaient-ils se tromper? Sarah, pourtant, resta pensive. Deux ans plus tard, elle devait se rappeler cette soirée et cette discussion: Elle seule, alors, avait pressenti la vérité!

A la même époque, la Renaissance fut tout à coup l'objet de l'attention générale, dans les milieux de théâtre.

En 1888, après vingt ans de services, Coquelin aîné avait pris sa retraite de sociétaire de la Comédie-Française. Il avait fait de nombreuses tournées, notamment aux Etats-Unis, puis était rentré au Théâtre-Français, comme pensionnaire, en 1891, pour créer *Thermidor* de Victorien Sardou. L'année suivante, il avait, à nouveau, quitté la Maison de Molière, mais n'avait pas encore joué à Paris. En principe, d'ailleurs, il n'en avait pas le droit.

Tout artiste qui signe l'acte de Société des Comédiens-Français, s'engage, même après avoir pris sa retraite, à ne jamais paraître, « sa vie durant », sur aucun théâtre de la capitale. Un sociétaire que la Maison renvoie, est libre de jouer à Paris. Un sociétaire qui prend la décision de se retirer, ne peut plus jouer qu'en province ou à l'étranger.

En décembre 1894, on annonça que l'illustre comédien était engagé par Sarah Bernhardt et débuterait à la Renaissance le mois suivant. Gros émoi. Les journaux commentent longuement la nouvelle. Comme c'était son devoir, la Comédie assigne l'acteur et sa directrice qui, pour la seconde fois de sa vie, reçoit la visite d'huissiers envoyés par le Théâtre-Français!

C'est elle qui avait persuadé à Coquelin de passer outre à l'interdiction que stipulaient ses anciens accords avec la Comédie-

Française. Il avait alors 54 ans. Il n'allait tout de même pas, jusqu'à la fin de ses jours, renoncer à jouer sur les Boulevards?... Il valait mieux risquer le procès et le perdre. On connaissait le tarif: cent mille francs et quelques frais accessoires. Reprendre le droit de jouer à Paris valait cette dépense. Coquelin s'était laissé convaincre. Et, à partir de janvier 1895, cependant que, le soir, *Gismonda* poursuivait sa carrière. Coquelin aîné donnait, en matinées seulement, une vingtaine de représentations à La Renaissance. Le premier spectacle dans lequel il parut fut *Amphytrion* de Molière, qui réunissait cette magnifique distribution:

Sarah Bernhardt: Alcmène; Coquelin aîné: Sosie; Lucien Guitry: Jupiter; Abel Deval: Amphytrion; Jean Coquelin: Mercure.

(Jean Coquelin, alors tout jeune, était le fils de Coquelin aîné, et le neveu de Coquelin cadet).

En lever de rideau, la troupe de la Renaissance jouait *L'Infidèle,* le ravissant acte en vers de Georges de Porto-Riche.

Le second «Spectacle Sarah Bernhardt-Coquelin» comprenait *Le Médecin malgré lui,* de Molière, où il jouait Sganarelle et *Jean-Marie,* la pièce en un acte d'André Theuriet, que Sarah Bernhardt avait créée à l'Odéon en 1871 et qu'elle reprenait, pour la première fois, à Paris. Avec elle, Lucien Guitry jouait le rôle de Jean-Marie, créé par Porel.

Evidemment, ces quelques représentations furent triomphales. Les deux grands artistes se retrouvant au boulevard, quinze ans après leurs derniers succès en commun à la Comédie-Française, quel amateur de théâtre aurait manqué cette aubaine?

Les spectacles du soir étaient malheureusement moins brillants. Pour succéder à *Gismonda,* Sarah Bernhardt créa, le 13 février 1895, *Magda,* une pièce d'Hermann Sudermann, traduite de l'allemand par Maurice Rémon. C'était un drame bourgeois, intéressant, mais qui la montrait sous un aspect trop familier, trop banal. A de rares exceptions près — *Froufrou* est la plus marquante — Sarah réussit moins dans les comédies dramatiques modernes. On voulait la voir dans des pièces d'époque. Comme le dit alors Sarcey, elle était « condamnée aux grandes héroïnes ». *Magda* fit vingt-sept représentations.

Elle tentait alors — pourquoi? — de reprendre *Izéil,* qu'il fallait arrêter au bout d'une semaine. Et le 5 avril, elle créait *La Princesse Lointaine* d'Edmond Rostand.

Ce n'étaient pas les débuts au théâtre du grand poète. La saison précédente, il avait déjà donné *Les Romanesques* à la Comédie-Française. *La Princesse Lointaine* était donc sa seconde œuvre. Dans ses interviews avant la première, Sarah Bernhardt avait dit :

« La pièce ne fera peut-être pas un sou, mais ça m'est égal. Je la trouve superbe. Une artiste ne peut pas ne pas monter *La Princesse Lointaine*. »

Et elle la monta, avec un soin, un amour, un luxe et une ingéniosité inimaginables, réalisant, sur le petit « plateau » de la Renaissance, de véritables prodiges de mise en scène. Présentée par Sarah Bernhardt, *La Princesse Lointaine* n'était pas seulement une pièce admirable, un poème d'une haute envolée, mais aussi un spectacle de toute beauté. L'interprétation était hors ligne avec Sarah Bernhardt, merveilleuse Mélissinde, Guitry, splendide Bertrand et surtout De Max, incomparable dans le poète moribond Geoffroy Rudel.

Et *La Princesse Lointaine* fit trente et une représentations, coûtant à Sarah Bernhardt plus de deux cent mille francs.

Ecœurée, elle reprenait, le 2 mai, *La Dame aux Camélias,* avec Guitry... et faisait quarante fois le maximum !

*
*  *

Mais ces échecs successifs, ces deux saisons si onéreuses l'avaient, pour un temps, dégoûtée de la Renaissance. Elle confia la direction artistique de son théâtre à Guitry et se prépara à repartir, pendant dix mois, pour l'Amérique : il lui fallait gagner de l'argent !

— Quoi ?... s'écria-t-on, déjà ?... Deux ans plus tôt, elle avait rapporté trois millions et demi !...

Oui, mais la Renaissance lui avait déjà coûté sept cent mille francs... Belle-Isle presqu'autant... Et puis, et surtout, il y avait son train de vie, toujours plus fastueux, plus extravagant : cette « maison » qui employait d'innombrables intendants, secrétaires, valets et servantes, trois ou quatre voitures, six chevaux, deux cochers et où, recevant, pour ainsi dire, à table ouverte, Sarah Bernhardt avait, presque à chaque repas, de dix à vingt convives autour d'elle.

Dès le début d'octobre 1895, elle était affichée en Belgique et dans les grandes villes de France. Cependant qu'en son absence, Guitry montait, à la Renaissance, *Amants,* la magnifique comédie de Maurice Donnay, qu'il jouait lui-même, à partir du 5 novembre, avec Jeanne Granier et qui était, enfin !... un triomphe. Traversant Paris, Sarah assista à une représentation de la pièce, vit la salle comble et sourit mélancoliquement :

— Il suffit que je m'en aille pour qu'on fasse de l'argent, ici !...

Pour prendre congé de Paris, à la fin de décembre, elle jouait à la Renaissance, une fois *Phèdre* et une fois *La Dame aux Camélias* et, le 3 janvier 1896, elle s'embarquait au Havre pour les Etats-Unis. Son répertoire qui comprenait les pièces qu'on lui redemandait toujours sur le Nouveau Continent : *Phèdre, Adrienne Lecouvreur, La Dame aux Camélias, Froufrou, Fédora, La Tosca,* etc... s'augmentait de quatre « nouveautés » inédites pour l'Amérique : *Gismonda, Izéil, Magda* et *La Femme de Claude.*

Cette fois, elle commençait sa tournée par Chicago et après avoir joué dans l'Ouest, n'était à New-York qu'en mai 1896. Son plus grand succès était encore *Fédora,* qu'elle devait garder sur l'affiche deux semaines de suite.

En son absence, le triomphe d'*Amants* se poursuivait à la Renaissance. Puis, dans la seconde partie de la saison, Guitry monta et joua encore deux pièces, mais qui ne réussirent ni l'une ni l'autre : *La Figurante* de François de Curel et *La Meute* d'Abel Hermant.

Rentrant en France fin juillet, Sarah, sans passer par Paris, se rendait directement du Havre à Belle-Isle où, déjà, tous les siens étaient installés pour l'été. Sa famille était plus nombreuse, à présent. La seconde fille de Maurice Bernhardt, Lysiane, était née l'année précédente. L'aînée, Simone, avait maintenant sept ans. D'autres intimes encore attendaient, impatiemment, son retour.

Ces quelques semaines de repos à Belle-Isle étaient, chaque année, la récompense de Sarah. Belle-Isle la payait de toutes ses fatigues, de ses soucis, de ses pertes à la Renaissance. Belle-Isle qui, pour un temps, ramenait sous son toit Maurice, avec ses deux petites-filles. Belle-Isle était la joie de sa vie.

Elle rentrait à la Renaissance le 30 septembre 1896, en reprenant *La Dame aux Camélias* qui, cette fois, faisait une série plus longue et plus magnifique encore que de coutume : plus de deux mois, on jouait à bureaux fermés.

C'est que, pour cette reprise, Sarah Bernhardt avait eu l'idée de remonter la comédie de Dumas fils dans des décors et des costumes du temps de la création de la pièce. Jouée dans l'atmosphère de 1896, elle commençait à vieillir un peu : quarante-quatre ans s'étaient écoulés depuis sa première représentation. Remise à la mode de 1852, la pièce « rajeunit » de façon extraordinaire et son succès rebondit plus haut que jamais.

Cette nouvelle présentation de *La Dame aux Camélias* devait rendre éternel le succès de la pièce, qui, en France, aujourd'hui encore, reste aussi éclatant, quatre-vingt-dix ans après sa création !

Le 8 octobre, la Renaissance faisait relâche pour permettre à Sarah Bernhardt de paraître à une soirée, donnée à Versailles, en l'honneur du Tzar Nicolas II, en visite officielle à Paris. Au nom du Ministre des Beaux-Arts, l'Ambassadeur de France avait demandé au Tzar, avant son départ de Saint-Pétersbourg, si, concernant le programme de cette représentation, il avait un vœu à formuler. L'Empereur de Russie n'avait répondu que par un nom : « Sarah Bernhardt ».

Le 3 décembre 1896 était une grande date pour la Renaissance. C'est celle de la première de *Lorenzaccio*, la pièce d'Alfred de Musset, écrite en 1834 et qui n'avait jamais été représentée. A la demande de Sarah, Armand d'Artois l'avait adaptée pour la scène, ne se livrant, d'ailleurs, qu'à quelques respectueuses transpositions, destinées à réduire à cinq actes et un épilogue seulement, l'œuvre de Musset qui, dans sa forme originale, comporte trente-neuf tableaux.

*Lorenzaccio* fut l'un des plus grands triomphes personnels de Sarah Bernhardt, l'un de ses cinq ou six succès de haute qualité et qui dépassent tous les autres de sa merveilleuse carrière. Victoire d'autant plus éclatante que, pendant soixante ans, on avait toujours jugé absolument injouables la pièce de Musset et surtout le personnage si singulier, si complexe, de Lorenzo de Médicis. C'est une sorte d'*Hamlet* moins courageux, plus inquiétant, plus énigmatique encore. Sarah, qui avait bien souvent étonné Paris, trouva le moyen de stupéfier ceux qui croyaient le mieux savoir ce dont elle était capable. Voici ce qu'écrivait Jules de Tillet dans *La Revue Bleue* de décembre 1896 :

« Cette fois, c'était le triomphe, sans restrictions et sans réserves. Elle a dépassé le sommet de l'Art. Elle a donné la vie à ce personnage de Lorenzo, que personne n'avait osé aborder avant elle. Admirable d'un bout à l'autre, sans procédés et sans « déblayage », sans excès et sans cris, elle nous a émus jusqu'au fond de l'âme. Elle a atteint le sublime. Jamais je n'ai rien vu, au théâtre, qui égalât ce qu'elle a donné dans *Lorenzaccio*. »

Autour d'elle, la distribution de la pièce était quelconque. Aucun nom connu. A elle seule, elle était tout le spectacle.

L'œuvre de Musset ne s'adressait pas au grand public. Sarah le savait avant de la monter. Elle ne fut donc ni surprise, ni déçue, d'en arrêter la carrière après soixante et onze représentations. Mais certainement, *Lorenzaccio* fit autant, pour la renommée de Sarah Bernhardt, que les drames de Sardou qu'elle avait joués trois cents fois.

\*
\* \*

Six jours après la première de *Lorenzaccio*, le 9 décembre 1896, avait lieu, à Paris, la première glorification officielle de Sarah.

Un éminent journaliste de l'époque, Henry Bauer, organisa *La Journée Sarah Bernhardt*, une sorte d'apothéose de la grande artiste, de couronnement public de sa carrière. Un banquet de cinq cents couverts eut d'abord lieu, à midi, au Grand Hôtel, rue Scribe. Toutes les célébrités de Paris, dans le monde des arts et des lettres, étaient là. Autour des tables, pas une place qui ne fût occupée par une personnalité. Sarah Bernhardt présidait, ayant à sa droite le Ministre des Beaux-Arts et à sa gauche le représentant personnel du Président de la République. A l'issue du banquet, un seul discours fut prononcé, par Victorien Sardou. Il retraça sa carrière, ses triomphes et rendant un éclatant hommage à son génie, lui exprima, en termes affectueux, l'admiration de Paris et de toute la France. Sarah répondit par une courte allocution. Des acclamations sans fin la saluèrent lorsqu'elle se rassit.

A deux heures et demie, à la Renaissance, devant une salle bondée, dont les places avaient été enlevées à prix d'or, elle jouait le deuxième acte de *Phèdre* et le quatrième acte de *Rome vaincue*, le drame d'Alexandre Parodi, qu'elle avait créé à la Comédie-Française, vingt ans plus tôt. Entre les deux pièces, elle prit place, en scène, sur une sorte de trône et successivement, François Coppés, Catulle Mendès, André Theuriet, Edmond Rostand et Edmond Haraucourt vinrent, eux-mêmes, lui dire chacun, un sonnet qu'ils avaient écrit à sa gloire. Puis l'orchestre des Concerts Colonne exécuta l'*Hymne à Sarah Bernhardt*, spécialement composé pour la circonstance, paroles d'Armand Silvestre, musique de Gabriel Pierné.

Par le simple récit de cette manifestation, on peut se rendre compte de ce qu'était, à l'époque, la situation de Sarah Bernhardt. Une reine, un chef d'armée victorieux. Pasteur ou Victor Hugo, eux-mêmes, n'eussent pas été l'objet d'honneurs plus grands. Et elle n'avait alors que cinquante-deux ans. Mais déjà, son nom, peu à peu, entrait dans la légende. En France, elle devenait une gloire nationale. C'était une personnalité unique, exceptionnelle, une sorte d'être à part, au-dessus de l'humanité et que Paris traitait comme tel.

Et pendant vingt-sept ans encore, plus d'un quart de siècle, elle devait conserver ce prestige inouï, invraisemblable, sans autre exemple dans le monde. Dans tous les pays, elle allait être, périodiquement, l'héroïne de Journées ou de Soirées Sarah Bernhardt de ce genre, comparables, dans une certaine mesure, aux triomphes des anciens empereurs romains.

Cependant que, par une incroyable ironie du Destin, les deux dernières années de sa direction, à la Renaissance, allaient n'être qu'une suite ininterrompue d'insuccès !

Le 8 février 1897, elle créait une pièce nouvelle de Victorien Sardou, intitulée *Spiritisme*. Les plus grands hommes ont leurs petites faiblesses. Sardou croyait aveuglément aux relations de ce monde avec l'au-delà. Il croyait aux tables tournantes, aux médiums, aux influences occultes exercées sur notre subconscient, à l'intervention constante des morts dans tous nos actes. Et il avait écrit, le plus sérieusement du monde, une comédie dramatique moderne, dont la scène principale provoqua des « mouvements divers ». Elle se déroulait entre ses deux héros : Simone, que jouait Sarah Bernhardt et son mari, d'Aubenas. Celui-ci, sur un rapport erroné, croyait que sa femme avait été tuée, la veille, dans un accident de chemin de fer. La voyant reparaître, il ne s'en étonnait pas du tout et au lieu d'en conclure, avec logique, qu'elle avait échappé à l'accident, s'entretenait paisiblement avec ce qu'il croyait être le fantôme de son épouse !... La situation ne fut pas acceptée et *Spiritisme* fit vingt représentations.

Ce fut le seul échec de Sardou avec Sarah Bernhardt, mais il fut retentissant. Pendant des années, à Paris, lorsqu'on voulait donner l'exemple d'un four noir, on citait *Spiritisme*.

Le 3 mars, Sarah Bernhardt reprenait *La Tosca*, avec, pour la première fois, Abel Deval, dans le rôle de Scarpia.

Et le 13 avril, pour les fêtes de Pâques, elle créait *La Samaritaine* d'Edmond Rostand, qu'elle avait montée pour quelques matinées seulement, ne croyant pas possible de donner en série, en soirées régulières, un « évangile ». C'est ainsi que l'auteur, lui-même, avait intitulé son œuvre. L'avenir devait lui montrer qu'heureusement, elle s'était trompée. En effet, si la création de *La Samaritaine* ne fut qu'un brillant succès littéraire, ses fréquentes reprises devaient être de plus en plus fructueuses. Il faut ajouter qu'après la création de *Cyrano de Bergerac* et de *L'Aiglon,* la vogue d'Edmond Rostand fut telle que toute pièce, signée de lui, attirait le public.

\*
\* \*

Vers la fin d'avril, on annonçait qu'Eléonora Duse, la grande artiste italienne, viendrait, à la fin de la saison, donner une série de représentations à Paris. Elle avait déjà joué dans toute l'Europe et aussi aux Etats-Unis, mais la France ne l'avait encore jamais applaudie.

Son impresario, Joseph Schurmann, était en négociations avec différentes scènes du boulevard. En ayant été prévenue, Sarah Bernhardt le fit mander et lui dit qu'elle serait heureuse de mettre, à titre gracieux, son théâtre à sa disposition. C'est-à-dire que les recettes, au lieu d'être, comme d'usage, partagées, suivant des proportions fixées, entre la Renaissance et la troupe étrangère, seraient entièrement acquises à sa jeune et illustre camarade. La Duse avait alors trente-huit ans, quinze ans de moins que Sarah. Celle-ci ne la connaissait pas personnellement, mais, en raison de sa renommée déjà considérable, elle se faisait un devoir et une joie de l'accueillir dans ces conditions exceptionnelles.

Consultée par télégramme, La Duse accepta naturellement l'offre de Sarah et un contrat fut signé, stipulant que La Duse donnerait à la Renaissance, entre le 1er et le 30 juin 1897, dix représentations, au cours desquelles elle se produirait dans quatre spectacles différents, dont la liste serait envoyée à l'administrateur du théâtre, quelques jours plus tard. Ces représentations de la Duse auraient lieu en alternance avec des représentations de Sarah Bernhardt elle-même, qui, jusqu'à la fin juin, et les soirs où la troupe italienne ne jouerait pas, continuerait la reprise en cours de *La Tosca.*

Vers le 15 mai, comme il avait été convenu, la liste des pièces que jouerait Eleonora Duse chez Sarah Bernhardt était publiée et dans les milieux de théâtre, c'était une stupéfaction générale. Cette liste comprenait *La Dame aux Camélias, La Femme de Claude* de Dumas fils, faisant affiche avec *Cavalleria Rusticana* de Verga, *Magda* de Sudermann et *La Locandiera* de Goldoni, faisant affiche avec *Le Songe d'une Matinée de Printemps* de Gabriele d'Annunzio.

Quand ce programme fut communiqué à Sarah Bernhardt, elle crut d'abord à une erreur. Elle savait que le répertoire de la Duse se composait essentiellement des pièces d'Ibsen, *Maison de Poupée, Hedda Gabbler, Rosmersholm, La Dame de la Mer* et parmi ses autres auteurs habituels, Schurmann lui avait cité surtout Goldoni, Gherardi de Testa et Marco Praga, dont *La Femme Idéale* avait été l'un de ses plus grands succès. Si, jouant à Paris, elle tenait à se produire dans des pièces françaises, ce qui était parfaitement admissible, elle avait à son répertoire *L'Abbesse de Jouarre* d'Ernest Renan, dont elle seule avait fait un triomphe. *Divorçons, Fernande* et *Odette* de Sardou, *Denise* et *Le Demi-Monde* de Dumas fils et combien d'autres pièces encore, que n'avait jamais jouées Sarah Bernhardt.

Mais, alors qu'à la Renaissance, la Duse allait être « l'invitée » de sa directrice, qu'elle eût justement choisi, pour s'y produire,

*La Dame aux Camélias* qui, depuis seize ans, était, moralement, la propriété exclusive de Sarah et en outre, *Magda* et *La Femme de Claude,* deux pièces qu'elle venait de jouer, depuis moins de trois ans, sur son théâtre, vraiment, cela avait l'air d'un défi, d'une sorte de provocation. Le moins qu'on puisse dire est que c'était un manque de tact.

Cependant, Sarah ne souleva pas la moindre objection, même lorsqu'elle apprit que c'est avec *La Dame aux Camélias* que la Duse avait décidé de donner sa première représentation à Paris.

Mais la presse fut moins généreuse et commenta assez sévèrement la composition du répertoire de l'actrice italienne. Rien que par l'annonce des titres de ses pièces et, dès avant son arrivée, elle avait indisposé la critique à son égard. C'était là une faute grave et assez surprenante. Que s'était-il donc passé et pourquoi ce changement de la dernière heure, dans son programme?

C'est qu'à cette époque, la liaison, qui fut retentissante, d'Eleonora Duse avec Gabriele d'Annunzio, venait de commencer. En 1897, elle n'avait encore joué qu'une seule pièce de lui, ce très court *Songe d'une Matinée de Printemps,* qui était au répertoire de ses représentations à Paris. Ce n'est qu'à partir de l'année suivante que commença la série des œuvres importantes qu'il écrivit pour elle: *La Gioconda, La Gloria, La Fille de Jorio, Plus que l'Amour, La Torche sous le Boisseau,* etc... Mais déjà, elle avait voué au poète des *Laudi,* l'amour éperdu qui fut le malheur de son existence et le moindre désir qu'il exprimait, un mot qu'il prononçait avec indifférence, étaient pour elle des ordres qu'elle exécutait servilement.

Lorsque d'Annunzio avait appris que la Duse allait jouer à Paris, chez Sarah Bernhardt, son imagination, constamment en effervescence, y avait vu aussitôt l'occasion d'un tournoi entre les deux grandes artistes, d'une manière de concours, dont il ne doutait pas que, ne serait-ce qu'en raison de sa jeunesse, la Duse sortirait triomphante. Si l'on peut lui trouver une excuse, c'est en ajoutant qu'à cette époque, il n'était pas encore venu à Paris et n'avait jamais vu jouer Sarah Bernhardt. Déjà, il se représentait tous les critiques français, éblouis par le génie de sa maîtresse, lui décernant la palme en de longues chroniques extasiées et déclarant vaincue, écrasée et finie, celle qui, dès lors, cesserait aussitôt d'être l'idole de l'Europe. C'est pour rendre plus nette, plus éclatante la victoire de son interprète et amie qu'il l'avait persuadée de se produire, à Paris, dans les pièces même que jouait Sarah Bernhardt. En perpétuelle admiration devant son amant, La Duse s'était laissée convaincre. Elle comprit vite combien sa docilité avait été maladroite.

Indiscutablement, la Duse obtint un grand succès de curiosité et toutes ses représentations eurent lieu devant des salles combles. D'ailleurs, ne donnant prudemment que dix soirées, non consécutives, ce qui était bien peu pour Paris, son nom seul assurait les recettes durant un séjour aussi court.

Mais, dans la presse, une comparaison entre elle et Sarah Bernhardt ne fut même pas esquissée. Par le choix de ses pièces, il était visible qu'elle avait cherché, sollicité ce rapprochement. Ce n'est pas seulement pour se soustraire à cette suggestion, un peu impérative, que la critique s'abstint de mettre les deux artistes en balance. C'est parce qu'en fait, aucun parallèle entre elles n'était possible. Je ne citerai pas les articles de Jules Lemaître. Son intimité avec Sarah pouvait le rendre suspect de partialité. Ce qu'il faut en retenir, c'est qu'avec infiniment de bon sens, il remarqua que, s'il y avait une actrice française à laquelle la Duse pouvait être comparée, c'était, non pas Sarah Bernhardt, mais Réjane.

Rien de plus exact. Et les études comparatives qui, par la suite, furent faites, dans divers pays, des talents respectifs de la Duse et de Sarah Bernhardt n'ont jamais eu ni sens commun, ni raison d'être. Les deux actrices étaient toutes deux très célèbres. L'une était la plus illustre artiste française, l'autre la plus illustre artiste italienne. Mais là, exactement, se limitaient tous points communs entre elles. L'idée de les opposer l'une à l'autre était aussi absurde que l'eût été le dessein d'un journaliste qui se serait avisé de mettre en concurrence Mounet-Sully et Coquelin aîné, par exemple. L'un était un tragédien, dont l'art s'élevait très haut, jusqu'aux sommets d'*Oedipe* et de *Polyeucte*. L'autre était un admirable comédien, dont le répertoire allait de Scapin à Cyrano, mais qui, évidemment, ne se serait jamais risqué à jouer Corneille ou Sophocle.

De même, Sarah était d'abord une tragédienne et, parce que son talent était d'une diversité infinie, elle triomphait aussi dans des drames romantiques et modernes. La Duse était une magnifique comédienne dramatique, mais qui ne pouvait pas se hausser jusqu'aux grandes héroïnes classiques, et qui d'ailleurs, ne les interpréta jamais.

Dans *La Dame aux Camélias,* la critique parisienne jugea La Duse intéressante, pathétique, surtout au troisième acte, mais physiquement, trop bourgeoise, trop loin de la demi-mondaine qu'est Marguerite Gautier. Dans *Magda,* elle plut davantage, mais la pièce restait aussi terne en italien qu'en français. Très applaudie dans *La Femme de Claude,* elle ne fit pourtant oublier ni Sarah, ni même Desclée. C'est dans *La Locandiera* qu'elle remporta son plus grand succès. Et voilà qui prouve éloquemment combien tout parallèle était impossible entre la Duse et Sarah Bernhardt, qui elle, n'aurait jamais pu jouer la joyeuse Mirandolina de Goldoni. Gaie, malicieuse et spirituelle, La Duse ravit par la spontanéité et la vie intense qu'elle conférait à l'espiègle aubergiste. Dans l'ardente Santuzza de *Cavalleria Rusticana* et dans *Le Songe d'une Matinée de Printemps,* où elle jouait une démente douce, une sorte d'Ophélie moderne, elle intéressa vivement et sans autre enthousiasme particulier, on conclut qu'en somme, « elle était à la hauteur de sa réputation ».

On peut se faire une idée assez exacte de ce que fut le ton des journaux français à l'égard de la Duse, par ces quelques lignes qui terminent un article d'Emile Faguet, dont l'autorité était alors considérable :

« Mme Duse n'est qu'une actrice de mélodrame, mais, reconnaissons-le, au-dessus du premier ordre. Qu'elle ne s'avise pas de jouer *Andromaque,* surtout. Le style étant absent de son jeu, qu'elle sache bien que la grandeur et la poésie lui sont interdites. Elle doit s'en rendre compte, du reste. Elle n'affronte même pas *Bérénice* et se limite à *Magda.* Mais, dans ce genre d'ouvrages, elle est merveilleuse. Elle est exclusivement vouée au mélodrame, je le répète, mais elle en tire toujours tout ce qu'il contient, elle y ajoute et elle l'ennoblit, car sa puissance, d'une part, à donner la sensation du vrai, et d'autre part, à remuer le public, est incomparable. »

Le 14 juin, une représentation extraordinaire avait lieu, à la Renaissance, au profit de la souscription pour la statue d'Alexandre Dumas fils (mort deux ans plus tôt) qu'on allait ériger Place Malesherbes. Dans la même soirée, Eléonora Duse joua le deuxième acte de *La Femme de Claude,* et Sarah Bernhardt joua le quatrième et le cinquième actes de *La Dame aux Camélias.* La recette, colossale pour l'époque, fut de trente et un mille francs. C'est la seule fois où Sarah Bernhardt et la Duse parurent dans le même spectacle.

C'est le matin de cette représentation que d'Annunzio arriva à Paris. Il avait trente-quatre ans, quatre ans de moins que la Duse et parlait un français absolument impeccable. C'est en français qu'après sa rupture définitive avec son illustre interprète, il écrivit ses trois dernières pièces, *Le Chèvrefeuille,* pour Le Bargy, *La Pisanelle* et *Le Martyre de Saint-Sébastien,* pour Ida Rubinstein.

Il ne lui fallut que quelques heures pour se rendre compte de ce qui se passait à Paris et que, bien loin d'avoir « écrasé sa rivale », la Duse, en jouant le répertoire de Sarah et surtout *La Dame aux Camélias,* avait tout juste réussi à faire proclamer, une fois de plus, l'immense supériorité de l'interprète française de Marguerite Gautier.

D'Annunzio en fut très frappé et le soir même, voulut assister à ce gala, où Sarah allait jouer les deux derniers actes de la pièce de Dumas fils. Au plus tôt, il voulait s'expliquer les préférences indéniables du public français, en comprendre les raisons, voir pourquoi et comment, après que s'était révélée à Paris sa jeune rivale italienne, cette femme de cinquante-trois ans gardait cette inexplicable puissance.

Pour la première fois, il vit jouer Sarah Bernhardt et comprit très vite. Confondu, bouleversé d'admiration, il rentra à l'hôtel et, à minuit, disait à la Duse :

— Vous êtes complètement folle, ma chère, d'avoir tenté de vous mesurer avec cette créature de génie. C'est la plus grande artiste que j'aie jamais vue et aucune ne saurait lui être comparée. Quant à moi, dès ce soir, je n'ai plus qu'une ambition au monde : l'avoir pour interprète. Et c'est pour elle que je vais écrire ma prochaine pièce.

Cette simple anecdote permet de comprendre comment la Duse est presque morte des chagrins et des déceptions continuelles que lui apporta sa liaison avec d'Annunzio, qui dura onze ans, et à la suite de laquelle, en 1909, à cinquante ans, elle se retira du monde et abandonna la scène, d'une façon qu'elle croyait définitive. Contrainte de gagner sa vie, elle ne rentra au théâtre qu'en 1921, après douze ans de retraite, et mourut à Pittsburg, en 1924. Elle avait soixante-cinq ans.

D'Annunzio vit son rêve réalisé et c'est, en effet, Sarah Bernhardt qui créa la pièce qu'il écrivit durant l'été de 1897, La Ville Morte. Traduite par G. Hérelle, elle fut jouée d'abord en français à Paris, à la Renaissance et ce n'est que quelques mois plus tard qu'Eléonora Duse joua, en italien, La Citta Morte. Mais l'injure bien gratuite que le grand poète italien avait ainsi faite à sa maîtresse, ne lui porta pas bonheur : à Paris, La Ville Morte fut un insuccès total. Le sujet de la pièce — l'amour incestueux d'un frère pour sa sœur — choqua profondément, et d'Annunzio mit longtemps à reconquérir en France son prestige, que cette seule pièce avait gravement compromis.

*
* *

Au début d'octobre 1897, Sarah allait donner une série de représentations à Bruxelles et dans les grandes villes de Belgique, cependant qu'à la Renaissance, Lucien Guitry créait, le 2 octobre, une pièce américaine de William Gillette, Service Secret, adaptée par Pierre Decourcelle. C'était encore un insuccès complet. Après trente représentations, Sarah devait rentrer précipitamment et reprendre, au début de novembre... *La Dame aux Camélias,* bien entendu.

La pièce faisait cinquante représentations superbes, qui lui permettaient de répéter, sans hâte, sa prochaine création, *Les Mauvais Bergers* d'Octave Mirbeau. Cette œuvre nouvelle devait passer dans le courant de décembre, jouée par Sarah Bernhardt, Lucien Guitry et Abel Deval.

A son retour, Sarah avait été surprise de l'atmosphère houleuse qui régnait dans tous les milieux. Paris semblait en proie à une sorte de fièvre. C'est qu'en son absence, l'Affaire Dreyfus avait rebondi et entrait alors dans sa phase aiguë.

En septembre de l'année précédente, le journal *l'Eclair* avait révélé que le Conseil de Guerre de 1894 avait jugé sur la communication d'un dossier secret, dont n'avaient eu connaissance ni l'accusé ni son avocat, Mᵉ Demange. En présence de cette irrégularité injustifiable, Mathieu Dreyfus, le frère du Capitaine, multipliait, depuis des mois, ses démarches pour obtenir la révision du procès.

En novembre 1896, Bernard Lazare avait publié sa première brochure: *Une erreur judiciaire: La vérité sur l'Affaire Dreyfus.* Son deuxième mémoire, beaucoup plus précis, paraissait à la fin d'octobre 1897, troublait profondément l'opinion et insensiblement, la France se divisait en deux camps: les Dreyfusards et les Antidreyfusards.

Durant les deux ou trois années suivantes, le pays entier fut secoué par cette colossale affaire. Cinq ministres de la Guerre et trois Présidents du Conseil durent successivement démissionner. Du haut en bas de l'échelle sociale, chacun se passionnait, suivant ses convictions personnelles, politiques ou religieuses. Des familles furent divisées, des frères se fâchèrent, des époux divorcèrent uniquement à cause de l'affaire Dreyfus. Jamais, dans l'histoire de la France, on n'avait vu un scandale judiciaire prendre de telles proportions.

L'entourage et la famille même de Sarah Bernhardt donnaient l'image exacte des dissensions qui se produisaient alors.

Jules Lemaître, son doux et sage conseiller, avait, dès le principe, pris parti pour l'armée, contre Dreyfus. Il allait bientôt fonder la *Ligue de la Patrie Française,* constituée uniquement pour rallier les Antidreyfusards. L'autre chef de ce mouvement était François Coppée, l'auteur du *Passant,* l'ami de Sarah Bernhardt depuis vingt-huit ans. Et à cette ligue adhérait, l'un des premiers, son propre fils, Maurice Bernhardt.

Par contre, son maître et ami, Victorien Sardou, avait été bouleversé par les révélations de Bernard Lazare et devait jouer un rôle actif en faveur de Dreyfus, en signant, le premier, la protestation publique contre l'arrestation du lieutenant-colonel Picquart, le courageux défenseur du condamné. D'autre part, Sarah retrouvait tous les jours, aux répétitions de sa pièce, le plus enragé dreyfusard que comptât alors le monde des lettres : Octave Mirbeau.

Ecrivain et pamphlétaire d'une violence souvent voisine de la frénésie, Octave Mirbeau était une sorte de fauve. Il ne discutait pas, il fonçait littéralement sur son interlocuteur. Ses pièces, — à l'exception des *Affaires sont les Affaires* — sont aujourd'hui assez oubliées, mais nul n'ignore ses romans, *l'Abbé Jules, Le Journal d'une Femme de Chambre, Le Calvaire, Sébastien Roch,* et combien d'autres. Tout sont des attaques furieuses contre les individus ou les milieux auxquels il s'en prend. Autant que des œuvres de haute classe, ce sont des exécutions. On devine ce que pouvait être Mirbeau, aux prises avec la plus énorme iniquité du siècle !... Les yeux exorbités, l'écume aux lèvres, tonnant et vociférant, les répétitions des *Mauvais Bergers* se passaient, pour lui, à insulter les juges du Conseil de Guerre, à vouer aux pires châtiments du Paty de Clam, le Colonel Henry, Gonse, Mercier ou de Boisdeffre. La pièce ne fut pas vite prête !... Et jamais la paisible Renaissance n'avait retenti de pareilles imprécations.

Mais il y avait une haute intelligence et une complète lucidité derrière ces hurlements de chacal. Et peu à peu, à force de l'écouter, Sarah qui, toujours, avait douté de la culpabilité de Dreyfus, acquit la conviction que son innocence n'était pas discutable.

Le 15 novembre, sur le conseil de Scheurer-Kestner, Vice-Président du Sénat, Mathieu Dreyfus, en une lettre ouverte au Général Billot, Ministre de la Guerre, dénonçait Esterhazy comme l'auteur du bordereau attribué au capitaine Dreyfus, seule base de l'accusation dirigée contre lui et seule raison officielle de sa condamnation.

Dans Paris, c'était un coup de tonnerre. Les Dreyfusards ne pouvaient pas rester inactifs. Mais ils n'étaient pas organisés, groupés, comme l'étaient déjà leurs adversaires. La *Ligue pour la Défense des Droits de l'Homme et du Citoyen,* qui rallia tous les partisans du Capitaine et que présida Yves Guyot, ne fut constituée que plus tard. Jusque-là, pour que leurs efforts fussent efficaces, il fallait que le mouvement fût dirigé par un homme éminent, admiré, respecté, connu pour sa sagesse et aussi pour sa pondération.

Fulminant, Mirbeau avait déjà rédigé un manifeste, qu'il voulait publier dans la presse et faire afficher sur les murs de Paris. Mais c'était un tissu d'injures et de violences, par là-même sans valeur. Et puis, la personnalité de son signataire n'était pas assez importante pour que sa proclamation eût le retentissement suffisant. Alors, Sarah Bernhardt eut une idée. Par William Busnach, qui était pour elle un ami de jeunesse, elle avait connu Emile Zola, dont Busnach était le disciple et l'admirateur, ayant adapté pour la scène, avec autant de dévotion que d'adresse la plupart de ses romans : *Nana, Pot-Bouille, L'Assommoir, Germinal,* etc... Elle se dit que Zola était le seul homme, en France, qui eût le prestige suffisant pour prendre la tête du mouvement révisionniste et faire éclater l'innocence de Dreyfus. Mais le voudrait-il ? Et, d'abord, quel était son avis sur l'Affaire ?

Le 15 novembre, à l'issue de la répétition des *Mauvais Bergers,* Sarah allait voir Zola chez lui, rue de Bruxelles et lui faisait connaître en détail, son point de vue, c'est-à-dire qu'elle lui répétait exactement les arguments de Mirbeau, en retranchant seulement les invectives.

Travailleur infatigable, sortant peu, se consacrant uniquement à son œuvre Zola n'avait jamais prêté aucune attention à l'Affaire Dreyfus. La façon claire, lumineuse, irréfutable dont Sarah lui exposa les faits, fut pour lui une révélation. Dès le lendemain, il rencontrait Scheurer-Kestner et trois jours plus tard, son parti était pris : interrompant toute autre activité, il n'aurait plus d'autre but, maintenant que de faire libérer l'innocent. Le 25 novembre, paraissait dans *Le Figaro* son premier article sur l'Affaire, qui se terminait par la phrase célèbre : « *La vérité est en marche et rien ne l'arrêtera.* »

Le 14 décembre, après trois autres articles dans *Le Figaro,* Zola faisait paraître, en brochure, sa *Lettre à la Jeunesse,* l'adjurant de se ranger du côté de la justice. Elle suscitait des commentaires passionnés.

Et le lendemain, 15 décembre 1897, avait lieu, à la Renaissance, la première représentation des *Mauvais Bergers !...* C'était une pièce sociale. Le titre désignait les patrons égoïstes et durs pour les travailleurs. Abel Deval jouait un directeur d'usine, Guitry était le meneur des ouvriers grévistes. Médiocre dans son ensemble, la pièce contenait pourtant de belles scènes. Mais les esprits étaient tellement surexcités par l'Affaire que l'anecdote laissa le public indifférent. Seules, les répliques qui pouvaient être interprétées comme des allusions aux événements, furent soulignées. Cette simple phrase : « Il n'est pas à la portée de tout le monde d'être juste », souleva des tonnerres d'applaudissements, auxquels répondaient des sifflets et des cris. Vingt autres phrases anodines provoquèrent des incidents similaires.

Arpentant la scène, derrière le décor, Octave Mirbeau, congestionné, guettait les manifestations. Il avait complètement oublié que c'était une pièce de lui, dont le sort se décidait en ce moment. Une seule chose le préoccupait : les démonstrations contre le Conseil de Guerre étaient-elles nettement les plus vigoureuses ? En d'autres termes, les dreyfusards étaient-ils dans la salle de la Renaissance, en majorité ? Quant aux *Mauvais Bergers,* il ne s'en souciait pas plus que le public !

Jouée dans une semblable atmosphère, il était difficile à une pièce de connaître une carrière normale. Durant les soirs qui suivirent, la Renaissance ressemblait plus à une salle de réunion publique qu'à une salle de spectacle.

Le 10 janvier 1898, Esterhazy avait été jugé et acquitté et le 11, Picquart arrêté et conduit à la forteresse du Mont-Valérien. Le 13, Emile Zola publiait dans *l'Aurore* sa fameuse lettre : *J'accuse,* dans laquelle il désignait par leurs noms tous les officiers supérieurs dont les machinations avaient abouti à la condamnation de Dreyfus.

C'était un événement. Le lendemain, déchaînés, les antidreyfusards demandaient l'arrestation immédiate de Zola. Certains réclamaient sa tête. Des manifestations violentes avaient lieu dans les principales villes de France, notamment Marseille, Lyon et Nantes, mais surtout à Paris, où, vers six heures du soir, une colonne de furieux montait jusqu'à la rue de Bruxelles, hurlant : « A mort, Zola !... » et assiégeait le petit hôtel du romancier. En toute hâte, il fallait appeler la police. Tout à coup, au premier étage, une fenêtre s'ouvrit et Sarah Bernhardt apparut. Elle était venue féliciter Zola de sa courageuse campagne, dont elle avait été, deux mois plus tôt, l'instigatrice. Les cris de ces forcenés la révoltaient, et par sa seule présence, en cet instant, chez lui, elle prenait parti.

En la reconnaissant, les manifestants se turent, déconcertés. Et bientôt, la police accourue les dispersait. Mais le lendemain matin, les journaux antidreyfusards annonçaient, en gros caractères :

« Sarah Bernhardt chez Zola. La grande artiste est avec les Juifs contre l'Armée. »

Aussitôt, de nouvelles manifestations, cette fois contre elle, se produisaient autour de son théâtre. Pour éviter des batailles, le Préfet de Police priait Sarah Bernhardt de fermer la Renaissance, qui dut faire relâche pendant huit jours. Et c'est ainsi que brusquement, la carrière des *Mauvais Bergers* s'interrompait, après trente représentations.

Mais sa visite à Zola avait un autre résultat, plus douloureux pour elle : rallié à la Ligue des Patriotes, Maurice Bernhardt avait acclamé l'acquittement d'Esterhazy et considérait les articles de Zola comme autant d'outrages à l'honneur de la France. Il fut consterné, lorsque les journaux lui apprirent l'attitude prise par sa mère. Et le soir même, il partait avec sa jeune femme pour Monte-Carlo, sans avoir prévenu Sarah, sans même l'avoir revue. Pendant des mois ils restèrent sans se parler. Il fallut le suicide du colonel Henry, qui faisait apparaître aux yeux de tous les gens de bonne foi, l'innocence de Dreyfus et de Picquart et la culpabilité certaine d'Esterhazy, pour ramener Maurice, repentant et convaincu.

De ce jour, plus jamais, en présence de Sarah, on ne parla de l'affaire Dreyfus qui, seule, était parvenue à désunir momentanément cette mère et ce fils, dont rien, jusque-là et rien, par la suite, n'entama jamais la réciproque adoration.

\*
\* \*

Le 21 janvier 1898, Sarah Bernhardt rouvrait la Renaissance en créant *La Ville Morte,* la pièce que Gabriele d'Annunzio l'avait suppliée de jouer en français, avant ses représentations en italien. Ses partenaires étaient Abel Deval, Brémont et Blanche Dufrène. Sarah, acclamée, était jugée sublime dans le rôle, hérissé de périls, d'Anne, l'aveugle, mais unanimement exécutée par la presse, la pièce faisait, à grand'peine, treize représentations. Encore un ruineux échec, succédant à ceux de *La Princesse Lointaine,* de *Spiritisme,* de *Service Secret* et des *Mauvais Bergers.*

Découragée, Sarah essayait alors ce qui lui avait déjà réussi, deux ans plus tôt, avec *Amants* : donner une pièce nouvelle de Maurice Donnay et ne pas la jouer elle-même. Et la Renaissance créait *L'Affranchie,* avec Guitry. Mais la pièce, médiocre, s'effondrait au bout de deux semaines.

Faisant encore une nouvelle tentative, Sarah Bernhardt créait elle-même le 20 avril 1898, avec Lucien Guitry et Abel Deval, une nouvelle pièce de Romain Coolus, que celui-ci, par une délicate attention pour sa directrice et interprète, avait intitulée *Lysiane,* du nom de la seconde petite-fille de Sarah. Mais c'était encore un insuccès complet. Comédie dramatique sans intérêt, *Lysiane* ne dépassait pas vingt-quatre représentations.

Que faire, sinon reprendre, pour un mois, l'inépuisable *Dame aux Camélias* ?... C'est à quoi Sarah Bernhardt se résignait, le 12 mai, et dès le milieu de juin, elle partait pour Belle-Isle.

Avant son départ, elle assistait à la première représentation du grand acteur italien Ermete Novelli qui, avec sa troupe, venait jouer à la Renaissance, pendant quinze jours, *La Mort Civile, Les Revenants, Le Père Lebonnard, Michel Perrin* et *Don Pietro Caruso.*

Puis, en juillet, c'était les deux admirables comédiens espagnols, Maria Guerrero et Diaz de Mendoza qui, à leur tour, prenaient possession de la Renaissance, où ils donnaient une vingtaine de représentations.

A la rentrée, Sarah Bernhardt tentait encore un effort. Mais elle s'était promis que ce serait le dernier. S'il échouait, elle abandonnerait la partie. Et le 28 octobre 1898, elle créait une pièce nouvelle de Catulle Mendès, *Médée.* Elle l'avait montée avec luxe, elle incarnait elle-même, avec puissance, la magicienne légendaire. Et la pièce fit vingt-trois représentations !...

Alors elle en eut assez. Convaincue qu'on avait jeté un sort à ce théâtre, que rien ne pourrait jamais réussir à la Renaissance, elle mit son bail en vente et demanda à la Ville de Paris de lui concéder le Théâtre des Nations. C'était une très grande salle, située sur les quais de la Seine, en face du Théâtre du Châtelet. Le Conseil municipal accepta ses offres avec empressement et lui signa un bail de vingt-cinq ans, commençant le 1er janvier 1899.

Pour quitter la Renaissance « en beauté », elle y fit, le 18 novembre 1898, une dernière reprise de *La Dame aux Camélias,* avec un nouvel Armand Duval, Pierre Magnier, qu'elle engageait pour plusieurs années.

Et le 11 décembre 1898, Marguerite Gautier mourait, pour la dernière fois, sur la scène de la Renaissance, que Sarah Bernhardt quittait définitivement : elle y avait perdu deux millions-or en cinq ans.

Quelques semaines plus tard, elle ouvrait le Théâtre des Nations, qui prenait le nom de Théâtre Sarah Bernhardt.

# CHAPITRE VIII

# LE THÉÂTRE SARAH-BERNHARDT.

Quatre raisons essentielles avaient décidé Sarah à abandonner la Renaissance et à prendre le Théâtre Sarah Bernhardt. D'abord, nous l'avons vu, sa conviction que la Renaissance lui portait malheur. Ensuite, le désir de posséder une salle plus vaste qui, en cas de succès, lui donnât la possibilité d'effectuer de plus grosses recettes. La Renaissance comptait neuf cents places, le Théâtre Sarah Bernhardt en comptait mille sept cents. La capacité de recette de la Renaissance était de six mille francs, soit quarante-huit mille francs par semaine, celle du Théâtre Sarah Bernhardt était de onze mille cinq cents francs, soit quatre-vingt-douze mille francs par semaine.

Un spectacle comme *Gismonda,* par exemple, comportait, à la Renaissance, trente-deux mille francs de frais par semaine. Donc, même si la salle était comble tous les soirs, le bénéfice hebdomadaire ne pouvait pas dépasser seize mille francs. Le même spectacle, monté avec les mêmes artistes au Théâtre Sarah Bernhardt, reviendrait peut-être à quarante mille francs par semaine. Mais, si l'on faisait quotidiennement le maximum, le gain net pouvait atteindre cinquante-cinq mille francs par semaine. La différence était énorme.

D'ailleurs, les grands théâtres sont toujours d'une exploitation meilleure, car leurs frais n'augmentent pas en proportion des recettes. Le prix des acteurs, par exemple, ne varie pas suivant le théâtre où ils jouent : à l'époque, un artiste tel que Guitry était payé mille francs par représentation. Mais il aurait demandé ce cachet aussi bien pour jouer aux Bouffes-Parisiens, où il y a sept cents places, que pour jouer au Châtelet, où il y en a trois mille deux cents. Ce qui est plus cher dans une grande salle. c'est la lumière, le chauffage, les machinistes parce qu'ils sont plus nombreux et les décors parce qu'ils sont plus grands. Mais cela est infime, par rapport aux autres frais, qui restent immuables, tandis que les recettes peuvent être tellement plus importantes.

D'autre part, le nouveau théâtre de Sarah Bernhardt possédait une scène immense, avec des dégagements considérables. On pouvait y conserver, en même temps, les décors de quatre ou cinq pièces et, de la sorte, faire « de l'alternance », un mode d'exploitation que Sarah aimait particulièrement et dont elle avait pu apprécier les bienfaits à l'Odéon et au Théâtre-Français.

Enfin et peut-être était-ce là la raison principale, elle se sentait vieillir et, sur la scène de la Renaissance, elle se trouvait en contact trop direct avec le public. Les dimensions du Théâtre Sarah Bernhardt allaient lui permettre de prendre du recul, en repoussant à une prudente distance, les spectateurs les plus proches.

En effet, elle avait cinquante-cinq ans lorsqu'elle prit le Théâtre Sarah Bernhardt. Trente-sept ans s'étaient écoulés depuis ses débuts à Paris, au Théâtre-Français. Elle savait qu'elle faisait encore illusion, mais à la condition de ne pas être regardée de trop près.

Elle fut, d'ailleurs, heureusement inspirée en quittant une salle pour l'autre. Son exploitation de la Renaissance avait été, dans l'ensemble, désastreuse. Au Théâtre Sarah Bernhardt, certes, elle ne connut pas une réussite constante, loin de là, mais elle monta plusieurs très grands succès et un triomphe : *L'Aiglon*. Au total, les résultats de son entreprise furent, sans comparaison possible, infiniment meilleurs.

Sa direction du Théâtre Sarah Bernhardt, le seul théâtre de Paris où elle joua durant les vingt-trois dernières années de sa vie, se divise en deux périodes bien distinctes.

La première dura quinze années, de 1899 jusqu'à la guerre de 1914 pendant lesquelles elle dirigea elle-même son théâtre, y jouant constamment et y déployant, comme actrice et comme directrice, une activité inlassable. Durant ces quinze ans, elle parut au Théâtre Sarah Bernhardt dans une quarantaine de rôles différents, parmi lesquels on en trouve une quinzaine seulement, qu'elle eût déjà joués auparavant, soit à la Comédie-Française, soit à la Porte-Saint-Martin, soit à la Renaissance. Au Théâtre Sarah Bernhardt et jusqu'en 1914 seulement, elle joua donc environ vingt-cinq pièces nouvelles, ou qu'elle interprétait pour la première fois.

A partir de 1915, elle abandonna entièrement la gestion de l'entreprise à son fils, associé avec Victor Ullmann et c'est sous leur direction qu'elle reparut au Théâtre Sarah Bernhardt, dans les quatre pièces qu'elle y joua encore, à la fin de sa vie. En guise de cachet, elle touchait alors quinze pour cent de la recette brute, mais elle n'était, en rien, intéressée aux bénéfices et aux pertes de l'exploitation, qu'assuraient à leur compte, Maurice Bernhardt et Ullmann seuls.

Quand elle prit le Théâtre des Nations, il était bien vieux, bien laid et bien sale, et la nécessité de le remettre à neuf se faisait impérieusement sentir. Mais elle était pressée d'ouvrir. Elle décida donc de n'effectuer ces travaux que pendant l'été suivant et inaugura sa direction du Théâtre Sarah Bernhardt dès le 21 janvier 1899, en faisant une reprise de *La Tosca,* qu'elle joua avec André Calmettes dans Scarpia et Pierre Magnier dans Mario.

Présentée dans un cadre plus vaste que la Renaissance, plus vaste même que la Porte-Saint-Martin, où elle avait été créée, la pièce de Sardou sembla prendre une vigueur nouvelle et cette reprise fut infiniment meilleure que celle de 1897. Enchantée, Sarah se trouvait à l'aise dans ce grand théâtre :

— Enfin, je respire, ici !... disait-elle. Et se rappelant la Renaissance qu'à présent, elle exécrait rétrospectivement : comment ai-je pu garder aussi longtemps cette cage à poules où l'on ne pouvait pas ouvrir les bras sans se cogner aux murs !

Chaque soir, après l'acte de la soirée chez le Marquis Attavanti, Ullmann lui apportait le bordereau de la recette, qui était des plus satisfaisants. Décidément, toutes choses, dans sa nouvelle demeure, se présentaient aussi favorablement que possible. A la fin de cette brillante reprise, *La Tosca* atteignait sa 300ᵉ représentation à Paris.

Pourquoi l'idée singulière lui venait-elle alors de reprendre *Dalila,* qu'elle avait jouée sans aucun succès au Théâtre-Français, vingt-six ans plus tôt ?... C'est que Sarah Bernhardt était une étrange nature, volontaire, mais surtout incroyablement obstinée. Elle n'admettait pas les échecs. On se rappelle que, malgré la chute de *Macbeth,* elle avait tenu, trois mois plus tard, à rejouer la pièce, dont la reprise avait été plus fâcheuse encore que la création. Sans doute un sentiment semblable l'avait-elle poussée à remonter *Dalila.* Elle y avait échoué dans sa jeunesse. Raison de plus pour rejouer le rôle et y obtenir, à présent, le succès que son talent mûri devait lui assurer.

Mais, en 1899, la pièce d'Octave Feuillet avait plus de quarante ans, et paraissait largement son âge. Et c'est un drame intime, à huit personnages, que les dimensions du Théâtre Sarah Bernhardt devaient fatalement écraser. C'est ce qui se produisit. Du jour au lendemain, des salles vides se substituaient aux belles salles de *La Tosca.* Et *Dalila,* reprise le 8 mars, disparaissait déjà de l'affiche le 20.

Alors, pour les fêtes de Pâques, elle reprenait, le 25 mars, *La Samaritaine.* Et le 9 avril, *La Dame aux Camélias* prenait possession du Théâtre Sarah Bernhardt où elle allait, désormais, reparaître chaque année, sans exception.

Dès cette première reprise, la pièce de Dumas fils s'affirmait aussi solide, aussi « sûre », au Théâtre Sarah Bernhardt que partout ailleurs. Grâce à elle — et bientôt aussi, à *l'Aiglon* — Sarah allait pouvoir se permettre de monter tout ce qui lui plairait, les pièces les moins « public », mais dont le rôle la tentait. En deux répétitions, *La Dame aux Camélias* pouvait être prête et accourir au secours de toutes les catastrophes.

Parallèlement et pour enseigner, dès les premiers mois de son exploitation, le chemin de son nouveau théâtre aux jeunes gens et aux écoliers, elle avait repris *Phèdre,* en matinées classiques. Mais *Phèdre* ne pouvait plus être considérée comme une reprise. Depuis plusieurs années déjà, elle jouait régulièrement la tragédie de Racine à Paris, en moyenne une dizaine de fois par an.

*
* *

A la suite du triomphe qu'elle avait remporté dans *Lorenzaccio,* Sarah Bernhardt, depuis deux ans, avait résolu de jouer *Hamlet.* Avec raison, elle se disait qu'ayant réussi, de façon éclatante, dans ce Lorenzo de Médicis qui n'est, en somme qu'une contrefaçon *d'Hamlet,* elle devait réussir aussi bien dans l'original. Mais l'adaptation officielle française de la pièce de Shakespeare ne lui plaisait pas. C'est celle qui était et qui est encore au répertoire de la Comédie-Française : une version en cinq actes et en vers, d'Alexandre Dumas père et Paul Meurice, qui s'écarte assez sensiblement du texte anglais et dont la qualité est assez médiocre. Dès le première scène, sur la terrasse d'Elseneur, Bernardo remarque :

« La bise est âpre et coupe en sifflant le visage. »

Et ce n'est pas le vers le plus singulier de cette adaptation.

— Et puis, pensait justement Sarah Bernhardt, pourquoi modifier, « arranger » Shakespeare ? Il n'a nul besoin d'un collaborateur. Une traduction bien écrite de sa pièce vaut mieux que n'importe quelle transposition.

Elle avait donc demandé à Marcel Schwob, un très fin lettré, et à Eugène Morand, l'un des auteurs *d'Izéil,* d'écrire pour elle une adaptation en prose *d'Hamlet,* qui suivrait exactement l'œuvre anglaise originale. Ils lui avaient apporté leur manuscrit durant l'été de 1898, mais, à ce moment déjà, Sarah Bernhardt songeait à quitter la Renaissance et elle avait préféré garder cet *Hamlet* pour l'époque où elle serait mieux et plus grandement installée.

Elle en donna la première représentation au Théâtre Sarah Bernhardt, le 20 mai 1899. Et comme *Lorenzaccio,* ce fut un immense succès. Son *Hamlet* restera l'une de ses plus étonnantes réalisations. Maurice Baring estime que c'est en voyant Sarah Bernhardt dans le rôle, que le public français eut enfin, pour la première fois, la notion exacte de ce qu'est la pièce de Shakespeare. Son interprétation était, en effet, absolument personnelle et

provoqua des discussions passionnées. Catulle Mendès se battit
en duel avec l'un de ses confrères, uniquement à propos de leurs
opinions respectives et contradictoires sur Sarah dans *Hamlet*.
Dans certaines scènes, elle arracha des cris d'admiration : le fameux
monologue « Etre ou n'être pas !... » qu'au lieu de dire au public,
elle murmurait assise, presqu'à mi-voix ; la scène avec Ophélie :
« Au couvent !...» et surtout la scène des comédiens, où elle avait
eu l'idée d'un jeu de scène inédit et extraordinaire.

En général, Hamlet est placé au milieu du théâtre, regardant
fixement le Roi qui, à droite, assiste à la représentation du
*Meurtre de Gonzague* qui a lieu à gauche. Sarah, au contraire,
pendant que les comédiens jouaient, disparaissait presque de la vue
du public, cachée derrière les courtisans. Puis elle s'approchait
insensiblement du Roi, et, tout à coup, debout derrière lui et le
doigt tendu vers les acteurs, lui criait, presque dans l'oreille :
« Regardez !... » Le public sursautait, en même temps que le Roi, à
sa soudaine réapparition. L'effet était saisissant.

On avait dit à Mounet-Sully l'énorme succès qu'elle remportait dans le rôle du Prince de Danemark, qu'il jouait lui-même
à la Comédie-Française, depuis des années. Il était allé la voir et
très frappé. était revenu le lendemain. Et dix fois, au cours de
l'année 1899, il assista, d'un bout à l'autre, à la représentation,
étudiant attentivement le jeu de Sarah Bernhardt. Puis, après
le spectacle, il montait la voir dans sa loge et la questionnait :

— Sur tel mot, dis-moi donc pourquoi tu fais ceci.

Elle riait et lui fournissait les explications qu'il désirait.
Souvent il ne se déclarait pas d'accord avec elle.

— Cette peur nerveuse, que tu indiques dans la scène avec
Rosencrantz et Guildenstern, n'est pas justifiable. A ce moment,
Hamlet ne sait pas encore que le Roi a décidé de le faire tuer.

— Pardon, répliquait Sarah, il en est sûr, justement depuis la
scène des comédiens, depuis qu'ayant lui-même acquis la conviction
que le Spectre a dit vrai et que le Roi est bien l'assassin de son
père, il a résolu de le venger. Dès cet instant, il a la certitude
que le Roi le redoute et que, par conséquent, il le supprimera à
la première occasion.

— C'est bien subtil !.. disait Mounet.

— Et tu ne crois pas qu'*Hamlet* soit la subtilité même ?...

Souvent, à deux heures du matin, dans la loge de Sarah, ils
discutaient encore.

*
* *

Pour permettre aux entrepreneurs de prendre possession de
son théâtre, Sarah Bernhardt fermait le 15 juin et allait jouer

*Hamlet* à Londres, où son interprétation suscitait les mêmes polémiques qu'à Paris.

A la fin de l'été, elle ne s'attardait pas à Belle-Isle et rentrait dès septembre, pour surveiller elle-même les travaux. Ceux-ci furent plus importants et plus longs qu'il n'avait été prévu. Elle ne put rouvrir, avec *Hamlet,* que le 16 décembre 1899, en une brillante soirée d'inauguration. Le Tout-Paris des premières était là. Et l'avant-scène était occupée par le nouveau Président de la République, Emile Loubet, qui avait succédé, quelques mois plus tôt, à Félix Faure.

Sarah Bernhardt avait promis que son théâtre serait le plus beau de Paris. Elle tint parole. Ce fut un cri d'admiration, lorsqu'on vit l'énorme salle du vieux Théâtre des Nations, entièrement refaite, brillamment illuminée et — innovation remarquable — tendue du haut en bas, de velours jaune. Tous les théâtres de Paris avaient toujours été rouges. Nul n'aurait alors imaginé une salle de spectacle qui fût d'une autre couleur. Cette rupture avec les traditions constitua un petit événement.

Dans le grand foyer du public, dont les fenêtres donnent sur la place du Châtelet, une dizaine de hautes peintures murales par Georges Clairin, Louise Abbéma et Mucha, représentaient Sarah Bernhardt, grandeur nature, dans quelques-unes de ses créations les plus marquantes : *Lorenzaccio, Gismonda, Phèdre, Théodora, La Princesse Lointaine, La Tosca.*

D'autre part, prévoyant que, plus que jamais, elle allait passer la majeure partie de son temps au théâtre, c'est avec un soin particulier que Sarah avait fait aménager sa loge, qui était un véritable appartement, ne comprenant pas moins de cinq pièces, sur deux étages.

Communiquant directement avec la scène, dont elle n'était séparée que par une double porte et trois marches, il y avait, d'abord, une antichambre, de six à sept mètres de long sur quatre de large. Puis, c'était un vaste salon Empire, tendu de satin jaune, avec un immense divan d'angle, de nombreuses bibliothèques et un magnifique mobilier d'époque. Enfin venait la loge proprement dite de Sarah, avec une haute coiffeuse, des armoires pouvant contenir une cinquantaine de costumes, un lavabo monumental, une baignoire et une gigantesque glace à trois faces. Ces trois pièces, en enfilade, étaient au premier étage du théâtre et leurs fenêtres donnaient sur l'avenue Victoria.

En outre, de l'antichambre partait un étroit escalier, qui descendait au rez-de-chaussée, jusqu'à une salle à manger assez grande pour qu'autour de la table, une douzaine de convives pussent tenir à l'aise. A côté, il y avait encore un office et une petite cuisine.

Pendant vingt-trois ans, tout le Paris théâtral défila, les soirs de première, dans la loge de Sarah Bernhardt, dont le luxe et les vastes proportions étaient célèbres. Et dans la salle à manger du rez-de-chaussée, chaque dimanche, entre la matinée et la soirée, elle réunissait à dîner ses amis, ses auteurs et ses plus importants pensionnaires.

A partir de 1915, lorsqu'elle cessa de marcher et pour éviter la descente par l'étroit escalier, la salle à manger du rez-de-chaussée fut abandonnée et les repas furent pris dans le salon Empire du premier étage. C'est là que, de 1920 à 1922, lorsque Sarah Bernhardt était à Paris, j'ai dîné à peu près tous les dimanches.

Dans son cadre nouveau et embelli, *Hamlet* était mieux accueilli encore qu'au printemps. Et en alternance avec *La Dame aux Camélias,* Sarah joua la pièce de Shakespeare pendant près de trois mois, jusqu'au 10 mars 1900.

Le lendemain de la réouverture, le 17 décembre 1899, à une heure et demie, sur la scène du Théâtre Sarah Bernhardt, Edmond Rostand faisait la lecture aux artistes de *L'Aiglon.*

Deux ans plus tôt, le 28 décembre 1897, avait eu lieu, à la Porte-Saint-Martin la première retentissante, inouïe, fabuleuse. de *Cyrano de Bergerac,* le triomphe le plus extraordinaire auquel Paris eût jamais assisté. En une soirée, Edmond Rostand qui, avec *Les Romanesques, La Princesse Lointaine* et *La Samaritaine,* n'avait remporté que trois jolis succès d'estime, devenait, du jour au lendemain, le premier auteur dramatique de son époque, en même temps que « le » poète national français.

De toutes manières et même si *L'Aiglon* n'avait pas été le chef-d'œuvre qu'il est, la vogue prodigieuse de *Cyrano* assurait à la pièce nouvelle qu'allait donner Edmond Rostand, un immense succès de curiosité. Avant la lecture, on avait visité avec soin les cintres de la scène, afin de s'assurer qu'aucun journaliste indiscret ne s'y était caché, pour noter au vol, et publier le lendemain, quelques vers de *L'Aiglon,* à peine annoncé et déjà fiévreusement attendu.

Rostand lisait admirablement, aussi bien, dans un tout autre genre. que Sardou. Lui aussi aurait pu faire un acteur extraordinaire et pendant vingt ans, Sarah Bernhardt le supplia de jouer, au moins une fois, le rôle de *Cyrano.* Mais Rostand n'y consentit jamais. Se maquiller, se costumer, faire, même à titre exceptionnel, ce métier encore un peu décrié, lui semblait inadmissible. On ne l'a vu en scène, disant des vers de lui, qu'en de très rares occasions, au cours de galas tout à fait sensationnels.

\*

\* \*

Parmi tous les hommes illustres que j'ai connus, certainement, Edmond Rostand était le plus merveilleusement français, dans le sens complet et brillant du terme. De taille moyenne, très mince, d'une parfaite mais sobre élégance, sa calvitie célèbre rendait peut-être plus intéressant encore son visage délicat, racé, aux traits si fins, auquel la légère moustache brune, relevée en crocs, donnait aussi tant de caractère.

Distant, sans être hautain, de l'allure sans morgue, obligeant et généreux, mais à bon escient, vraiment il était le descendant direct des grands seigneurs d'autrefois, tels que nous les représentent leurs plus flatteuses images. Rostand n'était pas de naissance noble, mais il était impossible d'imaginer un homme plus parfaitement aristocrate, dans le maintien, dans les gestes et dans le langage. Vers 1900, ressembler à Edmond Rostand était le rêve de tous les jeunes gens de vingt à trente ans, pour peu qu'ils eussent le goût de la distinction et de la « classe ».

De santé délicate, Rostand, dès cette époque, cessa d'habiter Paris et acheta à Cambo, à une cinquantaine de kilomètres de Biarritz, une magnifique propriété, nommée Arnaga, où il passait dix mois de l'année. Il ne souffrait pas de cette retraite forcée, car, peu à peu, il avait pris le monde en aversion et dédaignait sincèrement la vie fiévreuse des villes, à quoi il avait dû renoncer. Il n'était pas, à proprement parler, misanthrope, mais s'isola de plus en plus. On ne l'approchait pas facilement. Lorsqu'on annonçait son arrivée à Paris, des invitations lui parvenaient aussitôt par dizaines, mais il les refusait à peu près toutes. Ses innombrables admiratrices, surtout, l'exaspéraient :

— Les femmes légères sont bien ennuyeuses, disait-il, mais les femmes honnêtes sont assommantes.

Parfois, il ajoutait, avec son petit sourire désabusé et ironique :

— Sans les plaisirs, la vie serait supportable !...

Il n'avait pas beaucoup d'estime pour les milieux de théâtre, artistes et dramaturges. Parlant, un jour, de son ami Léon Bourgeois, un vieil homme politique qui, pendant vingt-cinq ans, eut successivement tous les ministères, il disait :

— C'est seulement le jour où il a pris l'Instruction Publique qu'il a su, au juste, jusqu'où peuvent aller la bassesse, la haine, la jalousie et la laideur morale.

Au théâtre, les deux grands amis de Rostand étaient Charles Le Bargy, l'admirable comédien qui, après la mort de Coquelin aîné, quitta la Comédie-Française pour reprendre *Cyrano* à la

Porte-Saint-Martin, et Sarah Bernhardt, pour laquelle il avait une véritable vénération.

Certaines gens, qui se croient bien renseignés, ont insinué qu'une tendre idylle avait momentanément uni le poète de *L'Aiglon* et sa divine créatrice. On associe ainsi volontiers les grands auteurs et leurs illustres interprètes. Mais que ces collectionneurs d'informations piquantes ou sensationnelles se donnent donc la peine d'ouvrir un dictionnaire!... Ils y verront qu'Edmond Rostand avait vingt-quatre ans de moins que Sarah Bernhardt. Il aurait pu aisément être son fils. (D'ailleurs, Maurice Bernhardt avait quatre ans de plus que Rostand.) Ni lui, ni elle, surtout, n'auraient pu l'oublier.

Dans le même ordre d'idées, parcourant récemment l'un des nombreux livres consacrés à la vie de Sarah Bernhardt, j'ai pu constater que son auteur affirme, avec le plus grand sérieux, que Sarah tutoyait familièrement Victor Hugo, et lui avait enseigné le dessin et la peinture!!! Dans cet ouvrage, le grand poète et son interprète nous sont présentés comme deux camarades à peu près du même âge. Or, Victor Hugo avait simplement quarante-deux ans de plus que Sarah Bernhardt, qui jamais ne lui adressa la parole qu'avec un respect terrifié. Comment ces fabriquants d'historiettes, avant de les colporter, ne songent-ils jamais à vérifier les dates où se placent les faits auxquels ils font allusion? Cette simple précaution limiterait peut-être leurs trouvailles aux aventures pour le moins vraisemblables et nous épargnerait la lecture de déconcertantes puérilités.

L'admiration totale et la tendresse à toute épreuve qu'Edmond Rostand éprouvait pour Sarah Bernhardt furent toujours inséparables du plus profond respect. Mais son dévouement pour elle n'en était peut-être que plus complet et plus attentif. Jamais il n'aurait manqué une soirée, un gala quelconque, organisés en son honneur. Dès qu'il en était prévenu, il prenait le train et accourait à Paris, ne fût-ce que pour vingt-quatre ou quarante-huit heures. Et jamais non plus elle ne l'appelait en vain, pouvant, en toute occasion, réclamer de lui un poème, un conseil, ou sa présence. Définitivement, le triomphe de *L'Aiglon* les avait liés l'un à l'autre.

Un peu avant la guerre de 1914, Rostand rêvait d'un *Faust* pour Sarah Bernhardt, mais en 1915, elle fut amputée de la jambe droite et Rostand mourut, en 1918, de la grippe espagnole. Il avait cinquante ans. Ce jour-là, Sarah perdit le plus dévoué, le plus fidèle et le plus délicat de ses amis, et la France entière fut en deuil, un deuil plus grand, plus irréparable qu'on ne le crût d'abord : depuis vingt-trois ans, nul ne l'a remplacé. Edmond Rostand a été le dernier grand poète dramatique français.

*
* *

Parce qu'il lisait à la fois très bien et très rarement, le régal de l'entendre était double. La lecture aux artistes de *L'Aiglon* fut inoubliable. Ravis, émus, les acteurs s'essuyaient les yeux, s'embrassaient, fous de joie de créer une pareille œuvre. De ce jour, le triomphe était certain.

Et pourtant, Sarah n'était pas entièrement satisfaite. Edmond Rostand avait conçu *L'Aiglon* pour elle et pour Coquelin aîné, auquel était destiné le rôle de Flambeau. Coquelin, dès le principe et sur le scénario de l'œuvre, s'était déclaré d'accord. Et Sarah avait déjà arrêté avec lui, les conditions de son engagement : quinze cents francs par représentation.

Mais lorsque la pièce fut terminée, Coquelin constata que non seulement son personnage ne paraissait ni au premier acte ni au dernier, mais encore qu'il était infiniment moins important que celui de Sarah. Alors il se montra réticent, embarrassé, prétexta des tournées, les reprises que *Cyrano* allait faire, annuellement, à Paris et que *L'Aiglon* l'empêcherait d'assurer... bref, il refusa le rôle. Et devant la défection de Coquelin, c'est Lucien Guitry qui allait créer Flambeau.

Mais ceci ne plaisait pas du tout à Sarah. Elle aimait beaucoup Guitry, comme acteur et comme homme, mais, mieux que personne elle connaissait son talent qu'elle venait, pendant cinq ans, d'employer à la Renaissance. Admirable dans *Amants,* parfait dans *Les Mauvais Bergers,* excellent dans *Fédora, La Femme de Claude* et *La Dame aux Camélias,* Guitry avait été discuté dans *Amphytrion,* dans *Izéil,* et dans *Gismonda,* et, dans *La Princesse Lointaine,* il s'était montré très inférieur à De Max.

Guitry fut un acteur essentiellement moderne. Emmanuel Arène prétendait qu'il n'était pas à son aise dans ce qu'il appelait « les déguisés », c'est-à-dire les personnages d'époque. C'était d'ailleurs inexact. Ce n'est nullement le costume qui le gênait. Il fut inouï dans *Le Juif Polonais,* prodigieux dans *Le Misanthrope.* Ce qui lui manquait, c'était le lyrisme. Il joua mal *Chantecler* et, prudemment, n'osa jamais toucher à *Cyrano.* Et Sarah devinait qu'il ne jouerait pas bien Flambeau. Dans le rôle, elle redoutait la présence de Guitry, en même temps qu'elle ne se consolait pas de l'absence de Coquelin, auquel, d'ailleurs, elle gardait rancune de sa décision. Coquelin, son vieux camarade, son partenaire au Théâtre-Français, vingt-cinq ans plus tôt, dans tant de pièces, celui auquel elle avait ouvert les portes de la Renaissance, en 1895, le décidant à commencer sur les boulevards, une **carrière** qui devait être si brillante, Coquelin n'aurait pas dû refuser de jouer *L'Aiglon* avec elle.

Mais, entêtée comme nous la connaissons, elle devait, par la suite, avoir gain de cause et, employant un moyen ingénieux pour parvenir à ses fins, décider « quand même » Coquelin à jouer Flambeau, dès la première reprise de la pièce à Paris.

La première représentation de *L'Aiglon* eut lieu le 15 mars 1900. Et ce fut un triomphe égal à celui de *Cyrano*. D'acte en acte, le succès grandit jusqu'au tableau de Wagram, qui fut le point culminant de la soirée et où Sarah fut sublime. Au 6e acte, dans la mort du duc de Reichstadt, elle atteignit les plus hauts sommets de son art. Des ovations sans fin saluèrent l'auteur, lorsqu'il parut en scène aux côtés de sa géniale interprète. Après trente rappels, la salle réclamait encore et toujours Edmond Rostand et Sarah Bernhardt.

Il serait vain d'analyser ici, en détail, l'interprétation de *L'Aiglon* par Sarah Bernhardt. Sa création de ce personnage fut un tel événement, que tous les plus éminents critiques de toutes les villes du monde où, pendant quatorze ans, elle joua la pièce, lui ont consacré d'innombrables chroniques. Dans la longue liste des rôles qu'elle a créés ou repris, *L'Aiglon* reste l'un de ses trois plus célèbres succès, les deux autres étant *Phèdre* et *La Dame aux Camélias*.

André Calmettes était excellent dans Metternich. Par contre, ainsi qu'elle l'avait prévu, Sarah Bernhardt m'a dit que Guitry fut au-dessous de sa tâche, dans Flambeau. Jamais, d'ailleurs, il ne reprit le rôle, dont il assura seulement la première série de représentations.

Cette série fut longue et parfaitement triomphale. Interrompue seulement pendant le mois d'août, pour permettre à Sarah de se reposer, la pièce se joua jusqu'au 30 octobre, fournissant deux cent trente-sept représentations, avec un total de recettes de 2,677,000 francs, soit une moyenne de onze mille trois cents francs par représentation, à peu près le maximum. C'était, pour l'époque, l'un des plus gros succès d'argent qui eussent jamais été enregistrés à Paris.

\*
\*  \*

Sa carrière s'arrêtait, d'ailleurs, sur des salles aussi combles à la dernière représentation qu'à la première. Facilement, Sarah aurait pu continuer à jouer *L'Aiglon* encore aussi longtemps, et conduire la pièce jusqu'à la cinq-centième. Mais, à la suite de ce triomphe, elle avait été redemandée par l'Amérique et s'était

engagée pour une nouvelle tournée de six mois aux Etats-Unis,
de novembre 1900 à avril 1901. Elle reprendrait *L'Aiglon* à Paris
dès son retour. Et comme, pour cette reprise, elle conservait l'idée
fixe d'avoir Coquelin dans Flambeau, elle eut recours à un
stratagème.

D'accord avec elle, son impresario Maurice Grau s'entendit
avec le représentant à Paris des managers américains de Sarah
Bernhardt, lui fit la leçon et, un soir, cet agent alla voir le créateur
de *Cyrano* dans sa loge, à la Porte-Saint-Martin, et lui dit :

— Nous sommes en pourparlers avec Mme Sarah Bernhardt
pour la faire venir à nouveau, en Amérique. Mais sa popularité
commence à diminuer là-bas. Ce sera la cinquième fois, en vingt
ans, qu'elle paraîtra aux Etats-Unis. Nous craignons que, désormais, elle soit, à elle seule, insuffisante à assurer les recettes. Ah !
si vous consentiez à jouer avec elle !... Votre nom, si glorieux,
soutiendrait le sien, qui chancelle. Etayée par Coquelin, Sarah
Bernhardt peut encore tenir. Sans lui, l'affaire est douteuse.
Pourrions-nous compter sur vous ?

Coquelin était assez vaniteux et la question de son intelligence
n'a jamais été résolue. En 1888, il avait fait, avec Jane Hading,
aux Etats-Unis, une tournée qui avait été brillante, mais dont
le succès n'avait eu aucun rapport avec les triomphes indescrip-
tibles que Sarah y avait remportés. En aucun cas, son nom, accolé
à celui de Sarah Bernhardt, ne pouvait augmenter les recettes
d'un dollar. Mais quel acteur, à sa place, aurait eu la lucidité de
s'en rendre compte ? Formulée dans ces termes, que Sarah avait
dictés, la proposition devait le flatter à l'extrême.

— La chose n'est pas impossible, répondit-il.

— Quel bonheur !... Ah ! Monsieur Coquelin, vous nous
sauvez !

— Mais, ajouta-t-il aussitôt, je ne consentirai à venir qu'à
la condition de jouer *Cyrano*. Les soirs où l'on donnera cette pièce,
Sarah se reposera, voilà tout.

L'impresario fit mine de réfléchir :

— Et pourquoi se reposerait-elle ?

— Parce qu'elle ne voudra jamais jouer Roxane, dit Coquelin.
A côté du mien, le rôle est trop peu important.

— Et si je la décidais à jouer Roxane, dit tout à coup
l'Américain, joueriez-vous Flambeau dans *L'Aiglon* ?

— Loyalement, je ne pourrais pas faire autrement, concéda
Coquelin.

— En ce cas, laissez-moi faire. Je me charge de la convaincre.

Il était d'autant plus certain d'y parvenir que Sarah, d'avance, avait deviné la scène, que Coquelin exigerait de jouer *Cyrano* et qu'elle « l'aurait » dans Flambeau, à condition de jouer Roxane, — à quoi elle ne voyait nul inconvénient.

Et voilà comment Sarah Bernhardt décida Coquelin à jouer non seulement Flambeau dans *L'Aiglon,* mais aussi Scarpia de *La Tosca,* qu'il apprit spécialement pour cette tournée. Il joua même, le croirait-on?... le père Duval dans *La Dame aux Camélias,* un rôle qui n'a qu'une scène et, dans *Hamlet,* le premier fossoyeur, qui a vingt lignes au dernier acte!...

Coquelin était tellement heureux, tellement fier de s'épanouir dans son *Cyrano,* cependant que la grande Sarah s'effaçait modestement dans Roxane, qu'il eût accepté bien d'autres « pannes ». Il serait allé jusqu'à jouer Panope de *Phèdre,* si la pièce avait été au répertoire de cette tournée. Suivant les acteurs dont on dispose, le rôle très court de Panope peut, en effet, être joué indifféremment par un homme ou par une femme.

C'est seulement avec cinq pièces que s'effectua toute la tournée Sarah Bernhardt-Coquelin. Ils débutèrent à New-York, au Garden Theatre, le 26 novembre 1900, dans *L'Aiglon* qu'ils jouèrent deux semaines. Puis, le 10 décembre, ils jouèrent *Cyrano,* une semaine; le 17, *La Tosca;* le 18, *La Dame aux Camélias* et le 24, *Hamlet.* Ils terminèrent leurs représentations à New-York, le 2 janvier 1901. A partir du 3, ils faisaient toutes les grandes villes des Etats-Unis et reparaissaient à New-York au Metropolitan Opera, le 8 avril 1901, dans *L'Aiglon,* qu'ils rejouaient pendant quinze jours. Puis, après quelques représentations à Washington et Philadelphie, Sarah Bernhardt et Coquelin faisaient leurs adieux au public américain en jouant, une seule fois, le 29 avril 1901, au cours d'un programme de gala, au Metropolitan Opera, une pièce en un acte de Léon Gozlan, du répertoire de la Comédie-Française, *La Pluie et le Beau Temps.*

Le 30, ils s'embarquaient pour l'Angleterre et, du 15 mai à la fin de juin 1901, ils jouaient à Londres *Cyrano* et *L'Aiglon.* Au début de juillet, ils étaient de retour à Paris.

Pendant l'absence de sa directrice, le Théâtre Sarah Bernhardt n'était pas resté fermé, loin de là. La belle salle toute neuve avait été brillamment utilisée.

Le 8 mars 1900, avait eu lieu l'incendie de la Comédie-Française. Pendant les travaux de reconstruction, les Comédiens-Français avaient dû demander asile à d'autres salles de Paris. Et après avoir joué, de mars à octobre, sur diverses scènes, ils s'étaient installés au Théâtre Sarah Bernhardt qui, pendant les mois de novembre et décembre 1900, fut le refuge momentané de la Maison de Molière. La grande artiste et ses anciens camarades avaient oublié leurs querelles, qui remontaient maintenant à vingt ans. Le 14 juillet 1901, jour de la Fête Nationale, Sarah Bernhardt ouvrait, pour un soir, son théâtre, en donnant une seule représentation de *L'Aiglon* avec Coquelin. Edmond Rostand, qui n'avait pas encore vu le créateur de *Cyrano* dans le rôle de Flambeau, assistait à la représentation et à minuit, disait à Sarah :

— Evidemment, aucun rapport !...

Il parlait de Coquelin, qui était étourdissant dans Flambeau, tellement magistal que Guitry ne pouvait même pas lui être comparé.

A partir du 7 septembre, Sarah reprenait *La Dame aux Camélias* avec Pierre Magnier, pendant six semaines. Le 17 octobre, elle reprenait, en série, *L'Aiglon,* avec Coquelin aîné.

— Maintenant que tu sais le rôle, lui avait-elle dit, et que tu y as eu un triomphe, tu ne peux plus me refuser de le jouer aussi à Paris.

Il en avait convenu et avait accepté. Enfin !... Dans les journaux, d'ailleurs, ce n'était qu'un cri : « Pourquoi ne l'a-t-il pas créé ?...» Et la reprise, aussi brillante que la création, faisait exactement le maximum pendant cent représentations.

Sarah Bernhardt était ravie. Vivant constamment dans le paroxyme, elle passait, à l'égard des mêmes êtres et suivant les circonstances, de la haine féroce à la tendresse la plus débordante. Quelques mois plus tôt, lorsque Rostand lui avait annoncé que, décidément, il ne fallait pas compter sur Coquelin et qu'il avait refusé Flambeau, elle en avait voulu à mort au grand comique, elle l'aurait volontiers étranglé dans ses mains. Depuis qu'il jouait enfin le rôle — et avec quel succès ! — elle s'était prise pour lui d'une sorte d'adoration, — toute artistique, bien entendu — et ne savait qu'inventer pour lui faire plaisir et lui témoigner sa joie.

Mascarille, des *Précieuses Ridicules* de Molière, avait été, au Théâtre-Français, l'un des meilleurs rôles de Coquelin. Un beau soir, Sarah Bernhardt lui offrit de monter la pièce pour lui au Théâtre Sarah Bernhardt et de jouer elle-même l'une des précieuses, Madelon. Coquelin crut d'abord qu'elle plaisantait. Madelon est un personnage charmant, mais tout à fait indigne de Sarah Bernhardt. Avec Cathos, il est, en quelque sorte, une moitié de rôle, les deux personnages étant toujours en scène ensemble et donnant, alternativement, la réplique à Mascarille. Pourquoi Sarah voulait-elle se donner le mal d'apprendre et de jouer cela ?

— Mais pour te faire plaisir, mon « Coq », lui dit-elle. Tu es admirable dans la pièce. Je veux que tu y trouves chez moi ton succès habituel.

Et avec Coquelin aîné dans Mascarille, Sarah Bernhardt joua Madelon, des *Précieuses Ridicules,* en matinées classiques, à partir du 12 décembre 1901. Le spectacle commençait par *L'Aveu,* la pièce en un acte de Sarah Bernhardt, créée à l'Odéon en 1888. Je ne prétendrai pas que Madelon des *Précieuses Ridicules* fût le triomphe de sa carrière. En tout cas, elle s'y amusait énormément.

Les fêtes de Noël et du Jour de l'An passées, Coquelin aîné dut retourner à la Porte-Saint-Martin, dont il était maintenant co-directeur. Pour suivre Sarah en Amérique, puis à son théâtre, il avait abandonné, depuis plus d'un an, sa propre maison. On l'y réclamait. Navrée de son départ et ne voulant pas jouer *L'Aiglon* sans lui, — au moins pendant quelque temps — Sarah Bernhardt arrêtait la pièce de Rostand, et pendant les trois premiers mois de l'année 1902, elle instaurait l'alternance en son théâtre, en jouant simultanément, *Théodora,* avec Desjardins dans Justinien et Pierre Magnier dans Andréas, *Phèdre, La Femme de Claude,* qui faisait affiche avec *Jean-Marie* et *La Samaritaine.* Ceci jusqu'à sa prochaine création qui eut lieu le 22 avril 1902.

C'était une pièce d'un dramaturge américain, Marion Crawford, intitulée *Francesca de Rimini,* dans une traduction française de Marcel Schwob, dont l'action se passait en Italie, sous la Renaissance. Ce ne fut pas une réussite. Vingt-cinq représentations seulement. Et le rôle de Francesca n'apporta pas un très grand succès personnel à Sarah Bernhardt. Les quelques privilégiés qui ont vu le spectacle ont surtout gardé le souvenir de De Max, auquel cette pièce servait de rentrée. Sept ans plus tôt, en effet, il avait cessé de jouer avec Sarah, après *La Princesse Lointaine.* Dans *Francesca de Rimini,* il fit une extraordinaire composition du boiteux Giovanni Malatesta, amoureux sans espoir de Francesca. Brillamment, il reprenait sa place auprès de Sarah Bernhardt, dont il allait, maintenant, rester le pensionnaire pendant huit ans.

A la fin de mai, Sarah donnait à Londres *Francesca de Rimini,* avec De Max et pour la première fois, jouait la fameuse *Sapho* d'Alphonse Daudet, créée par Jane Hading et Damala au Gymnase en 1885, et depuis, reprise par Réjane, qui y avait eu un grand succès. Pendant des années, *Sapho* allait être l'une des pièces que Sarah joua le plus souvent, la mettant au répertoire de toutes ses tournées. De toutes parts on lui demandait de la reprendre à Paris. Jamais elle n'en eut l'occasion.

*
*  *

La saison suivante, le Théâtre Sarah Bernhardt fit sa réouverture le 5 octobre 1902, avec *L'Aiglon*. Mais ce n'était pas Sarah Bernhardt qui jouait le duc de Reichstadt. C'était De Max. D'accord avec Edmond Rostand, elle avait confié son propre rôle à son magnifique pensionnaire, le lui faisant répéter elle-même, lui en indiquant  minutieusement tous les effets et tous les « trucs ». C'est, sauf erreur, la seule fois où le rôle du duc de Reichstadt fut joué par un homme. Quel acteur, en effet, peut avoir à la fois le talent et la jeunesse qu'exige ce personnage de vingt ans? Une femme de cinquante ans peut le représenter avec vraisemblance. Et Sarah Bernhardt l'a joué jusqu'à soixante-neuf ans. Mais un homme se marque infiniment plus vite qu'une femme. Dès qu'un acteur a passé vingt-huit ou trente ans, c'est-à-dire lorsqu'il commence à avoir assez d'acquit pour le bien jouer, le rôle, en raison de son âge, lui est interdit.

De Max avait alors trente-trois ans, mais il était étonnamment mince et svelte. Il avait fait teindre en blond ses magnifiques cheveux d'ébène. Physiquement, c'était le duc de Reichstadt lui-même. Et certainement, il fut, après Sarah Bernhardt, le meilleur *Aiglon* que Paris ait jamais applaudi. Depuis quarante ans, le rôle a été joué par beaucoup d'artistes, souvent remarquables. Jusqu'à sa mort, Sarah Bernhardt les a toutes vues. Elle adorait *L'Aiglon* et, ne pouvant plus, depuis son opération, le jouer elle-même, elle aimait le regarder revivre sous l'aspect de celles qui lui succédaient. Elle m'a toujours dit: « Je n'ai vu qu'un seul *Aiglon* parfait: De Max. »

Ce n'est pourtant pas uniquement pour lui céder son rôle que Sarah ne l'avait pas repris à cette époque. C'est parce que, pour la première fois de sa vie, elle avait accepté de faire une tournée en Allemagne.

On se rappelle combien la défaite de 1871 lui avait été douloureuse. Elle avait conservé, contre les vainqueurs, une rancune tenace et jamais elle n'avait voulu jouer en Allemagne. Sa première tournée d'Europe avait eu lieu en 1881. Depuis, il ne s'était pas passé six mois sans que des offres lui parvinssent de Berlin. Courtoisement, sans donner d'explication, elle les déclinait régulièrement. Et jouant constamment dans tous les pays voisins, en Suisse, en Italie, en Autriche, en Russie, au Danemark, elle excluait toujours l'Allemagne de son itinéraire.

Pourquoi, après avoir refusé pendant plus de vingt ans, avait-elle accepté cette fois? Pour une seule raison: parce que, maintenant, elle avait à son répertoire *L'Aiglon* qui, non-seulement était un triomphe, mais qui contient tant de répliques vengeresses, tant de vers qui exaltent les victoires de Napoléon, en rappelant les défaites des alliés européens et surtout des Austro-Germains. Grâce à cette pièce, ses représentations en Allemagne pouvaient prendre l'aspect d'une tournée de propagande officieuse, et en signant son contrat, elle avait exigé que, dans chaque ville, *L'Aiglon* serait joué au moins une fois. La condition avait été acceptée.

Toutefois, ne voulant pas donner à cette clause le caractère d'une provocation, elle n'avait pas demandé à débuter, dans chaque ville, par la pièce d'Edmond Rostand et c'est dans *Fédora* qu'elle apparut pour la première fois au public de Berlin, le 16 octobre 1902.

Il faut admettre que son succès fut relatif. Sarah Bernhardt avait alors 58 ans. Après avoir triomphé dans le monde entier, on jugea qu'elle avait un peu trop attendu pour permettre enfin aux Allemands de l'applaudir. Et la presse fut polie, sans plus. Mais, si elle ne trouva pas, en Allemagne, les ovations auxquelles elle était accoutumée, du moins y fit-elle des recettes considérables. Elle joua à Berlin dix-sept jours, chaque fois devant des salles combles. Le Kaiser Guillaume II vint l'applaudir à deux reprises et la convia à Postdam, où il donna, en son honneur, un grand déjeuner. Avant et après Berlin, elle parut également à Munich, Nuremberg, Dresde, Leipzig, Hambourg, Brême et Francfort, jouant en Allemagne au total six semaines.

Elle était de retour à Paris le 15 novembre et le 19, au Théâtre Sarah Bernhardt, reprenait *Fédora* avec Pierre Magnier dans Loris.

Le 23 décembre, elle créait *Théroigne de Méricourt,* une pièce en 6 actes, à grand spectacle, de Paul Hervieu, sur la Révolution Française de 1789. Sarah Bernhardt croyait beaucoup à cette pièce, qu'elle avait mise en scène avec une prodigalité inouïe. Elle comprenait un grand nombre de personnages, une abondante figuration, une succession de tableaux splendides. Autour de Sarah, l'interprétation était parfaite avec De Max, Desjardins et Pierre Magnier. Mais l'œuvre elle-même manquait d'ampleur. Traité par Sardou, le même sujet aurait probablement donné une œuvre considérable, un second *Thermidor*. Hervieu n'était pas l'homme de ces grandes fresques. Il a triomphé dans des comédies modernes, froides, incisives, mesurées : *L'Enigme, La Course du Flambeau, Les Tenailles,* où l'action, concentrée entre trois ou quatre personnages, ne s'embarrasse d'aucun accessoire épisodique ou spectaculaire. Dans *Théroigne de Méricourt,* il avait forcé son talent. Willy disait :

— C'est un drame de Victor Hugo, écrit par Jules Renard.

Rien n'est plus juste. Les tirades étaient étriquées, les personnages manquaient de souffle, les grandes scènes de passion étaient rédigées avec sagesse. Ce genre de pièces exige d'abord l'envolée. Elle n'y était pas. A l'occasion de *Théroigne,* se vérifièrent les espoirs que Sarah avait mis dans les dimensions de son théâtre. Les premières salles ayant été combles, les frais furent amortis en un mois et la pièce put être arrêtée après soixante-et-onze représentations, sur un déficit qui n'était pas grave.

Cependant, les matinées classiques étaient de plus en plus suivies. Souvent, certains jeudis après-midi et sans l'avoir prémédité, Sarah affichait *Phèdre,* alors que la tragédie de Racine était jouée au Théâtre-Français le même jour et à la même heure. En ce cas, et quelle que fût l'interprète du rôle à la Comédie-Française, ce n'était pas chez Molière qu'on faisait la plus belle salle. Sarah Bernhardt dans *Phèdre* était devenue une sorte d'institution nationale, l'une des merveilles de Paris. Il fallait avoir vu cela.

A partir du 7 février 1903, Sarah Bernhardt se livra à une prouesse professionnelle, qu'elle seule pouvait se permettre : elle reprit *Andromaque* de Racine, qui, on s'en souvient, avait été, trente ans plus tôt, l'un de ses premiers grands succès à la Comédie-Française. Et pendant quelques semaines, elle l'afficha tous les jeudis, mais en paraissant elle-même, alternativement, dans les deux rôles de la pièce. C'est-à-dire qu'un jeudi. elle était Andromaque et le jeudi suivant, Hermione. De Max jouait magnifiquement Oreste, où il égala Mounet-Sully. Peut-être même lui fut-il supérieur au dernier acte, dans la scène des fureurs. Et Blanche Dufrène jouait, chaque jeudi, celui des deux rôles que ne choisissait pas Sarah Bernhardt.

Ce spectacle fit courir Paris. Les deux personnages sont aussi dissemblables que possible : Andromaque, digne, chaste, douloureuse, Hermione, ardente, vindicative et passionnée. C'était miracle de voir Sarah Bernhardt aussi prodigieuse dans l'une que dans l'autre. Tous ceux qui l'avaient vue dans Hermione voulaient la voir dans Andromaque et réciproquement. Ces ingénieuses matinées eurent, à l'époque, un tel retentissement que plusieurs fois, par la suite et jusqu'en 1912, Sarah dut reprendre *Andromaque* dans les mêmes conditions.

En soirée, à *Théroigne de Méricourt* succédait, le 6 mars 1903, l'un des plus fâcheux spectacles que Sarah Bernhardt eût jamais joués et produits ; un détestable *Werther* de Pierre Decourcelle. Ce fut, peut-être, le plus pénible échec de toute la carrière de Sarah Bernhardt. Elle jouait le rôle de Werther, avec Blanche Dufrène dans Charlotte, Desjardins dans Albert et De Max dans un personnage épisodique, Gurth. On comprend qu'elle ait été tentée d'incarner le héros de Gœthe, d'un romantisme morbide, mais poétique. Mais le choix de l'auteur auquel elle s'était adressée pour adapter la pièce allemande était déjà incompréhensible. Pierre Decourcelle restera l'auteur des *Deux Gosses,* un gros mélodrame bien fait, mais sans aucune valeur littéraire. Etait-il raisonnable de lui demander d'écrire une version française de *Werther,* qu'eussent si bien réussie Marcel Schwob, Catulle Mendès, Jean Aicard et tant d'autres?

La tâche était noble et flatteuse, mais il y fallait un poète. Ce fut un feuilletoniste qui l'obtint. Sa pièce était ennuyeuse à périr et Sarah Bernhardt ne la joua pas bien. Dès son entrée, l'aspect, qu'elle avait donné au personnage, avait déçu. Le costume n'était pas heureux. Sa conception de Werther déconcerta davantage encore. Il serait de mauvais goût de s'attarder sur cette erreur de la grande artiste qui accumula tant de triomphes. *Werther* fit treize représentations devant des salles vides. Dès le 23 mars, elle reprenait *L'Aiglon,* avec son triomphe habituel, et trois jours plus tard, tout le monde avait oublié cette triste aventure.

L'annuelle saison à Londres de Sarah Bernhardt fut plus longue en 1903. Elle y resta six semaines, du 15 mai au 30 juin, à l'Adelphi Theatre, où elle joua *Phèdre, Werther, Sapho* et aussi *Plus que Reine,* un drame historique d'Emile Bergerat, créé en avril 1899 à la Porte-Saint-Martin, par Coquelin aîné dans le rôle de Napoléon Ier et Jane Hading dans Joséphine.

C'est avec De Max dans l'Empereur que Sarah, dans l'Impératrice, joua à Londres l'œuvre de Bergerat, qui était une nouveauté pour le public anglais et qui produisit une grande impression.

C'est, d'ailleurs, une pièce bien faite, qui retrace toute la vie de Bonaparte, puis de Napoléon et s'achève par la répudiation de Joséphine, dont le désespoir déchirant est noblement exprimé. Encore un des rôles, assez nombreux, que Sarah Bernhardt joua seulement en tournée, jamais à Paris.

\*
\* \*

Au début de la saison 1903-1904, le Théâtre Sarah Bernhardt rouvrait avec *La Dame aux Camélias,* mais sans Sarah Bernhardt. Pour la première fois depuis 1882, elle abandonnait le rôle à sa doublure habituelle, Blanche Dufrène, — qui allait bientôt jouer aussi *L'Aiglon,* — cependant qu'elle allait donner *Plus que Reine* à Bruxelles.

Grâce à Sarah, la pièce de Dumas fils avait acquis une telle réputation que, désormais, on pouvait, de temps en temps, l'afficher avec n'importe quelle interprète. Evidemment, les recettes n'étaient pas les mêmes qu'avec Sarah Bernhardt. Elles restaient néanmoins suffisantes. Vingt-cinq ans plus tôt, jamais un directeur n'aurait osé monter *La Dame aux Camélias* avec une distribution quelconque. Mais les innombrables reprises que Sarah en avait faites, le succès prodigieux qu'elle y avait remporté, avaient conféré à la pièce un tel prestige qu'à présent, son titre, seul, suffisait sur l'affiche. C'est peut-être là, l'un des plus étonnants tours de force qu'ait réalisés Sarah Bernhardt : trente ans après sa création, une pièce, jusqu'alors un succès honorable, fut lancée par elle, au point que sa valeur commerciale subsistait même lorsqu'elle ne la jouait plus !...

Le 5 novembre 1903, nouvel échec, encore avec une pièce allemande, moderne celle-là : *Jeanne Wedekind* de Félix Filippi, adaptée par Luigi Krauss. Drame campagnard sans intérêt où, pour la première fois, Sarah jouait une mère à cheveux gris. C'est à ce fait que certains de ses amis tentèrent d'attribuer l'insuccès de la pièce.

— On ne veut pas encore lui voir jouer une vieille femme, dirent-ils.

Pourtant Sarah Bernhardt avait alors 59 ans. Elle pouvait aborder l'emploi marqué, sans être accusée de vaine précipitation. La seule raison du four est que la pièce était mauvaise. Elle fit onze représentations.

Mais, éternel terre-neuve, *La Dame aux Camélias* était là. Dès le 16 novembre, Sarah Bernhardt reparaissait elle-même dans Marguerite Gautier, qu'elle donnait en alternance avec *La Tosca* et *Andromaque*. Et, durant la première quinzaine de décembre, elle poussait la coquetterie jusqu'à jouer la tragédie de Racine les jeudis en matinée et en soirée, ce qui lui permettait d'interpréter dans la même journée, tour à tour, Hermione et Andromaque.

Le 15 décembre 1903, Sarah Bernhardt prenait une superbe revanche de ses deux récents échecs successifs, en créant *La Sorcière* de Victorien Sardou. C'était la septième pièce de Sardou qu'elle jouait en vingt-et-un ans et ce devait être la dernière. Il fit encore représenter *La Piste,* avec Réjane, aux Variétés, en 1906, puis la triomphale *Affaire des Poisons,* avec Coquelin aîné, à la Porte-Saint-Martin, en 1907, et mourut en 1908. Il avait soixante-dix-sept ans.

*La Sorcière,* dont j'ai parlé au début de ce livre, n'était pas une pièce de la qualité et de la force de *Fédora,* de *Théodora* et de *La Tosca,* mais par endroits poignante, elle donnait néanmoins à Sarah Bernhardt, l'occasion de se montrer merveilleusement pathétique. Indiscutablement, ce fut une réussite. Dans l'ordre des succès Sardou-Sarah Bernhardt, elle tient la quatrième place. Ils eurent ensemble trois triomphes, un grand succès, *La Sorcière,*

deux demi-succès, *Cléopâtre* et *Gismonda* et un four, *Spiritisme.*
Le résultat total reste assez enviable.

Le 23 avril 1904, deux ans après *Théroigne de Méricourt,*
Sarah créait encore une pièce nouvelle sur la Révolution Française : *Varennes* de Henri Lavedan et Georges Lenôtre. Elle incarnait Marie-Antoinette, avec un style admirable. On eut dit le portrait fameux de la Reine de France, par Mme Vigée-Lebrun, descendu de son cadre. Mais, si elle était d'une exactitude scrupuleuse
dans les moindres détails, la pièce apparut plus ingénieuse et anec-
dotique que véritablement attachante. Elle ne fit que cinquante
représentations. Le 15 juin, Sarah jouait *La Sorcière* à Londres.

*
* *

Le 1ᵉʳ octobre suivant, elle reprenait *L'Aiglon* pour vingt
représentations puis, pendant les mois de novembre et décembre,
elle devait faire, à raison d'un très court séjour dans chaque ville,
la tournée des capitales d'Europe.

Pendant son absence, le Théâtre Sarah Bernhardt vit les
débuts d'auteur dramatique de Maurice Bernhardt, le fils de Sarah,
dont, avant son départ, elle monta et mit en scène elle-même, avec
la sollicitude qu'on devine, *Par le Fer et par le Feu,* une pièce en
5 actes qu'il avait tirée du roman célèbre d'Henry Sienckiewicz
et que jouaient Félix Huguenet, Desjardins et la belle Gabrielle
Robinne dont c'étaient les débuts au théâtre.

Par une coïncidence amusante, la première de cette pièce
eut lieu au Théâtre Sarah Bernhardt le 23 octobre 1904. exactement le jour où Sarah eut soixante ans ! C'est le cadeau que Maurice avait fait à sa mère pour son anniversaire. Ce fut, d'ailleurs,
un très gentil succès, dont elle eut lieu d'être fière. La pièce se joua
soixante-treize fois.

A son retour, le 24 décembre, Sarah Bernhardt instituait, à
nouveau, l'alternance, pour six semaines, en affichant simultanément *La Sorcière, L'Aiglon, La Dame aux Camélias, Magda* et *La
Femme de Claude.* Et le 7 février 1905, elle jouait, pour la première
fois, *Angelo, Tyran de Padoue,* le drame en prose de Victor Hugo,
créé au Théâtre-Français en 1835.

Vingt ans s'étaient écoulés depuis la mort du grand poète, mais
la place prépondérante qu'il avait occupée en France, pendant
presque tout le dix-neuvième siècle, était restée vide. Malgré les
triomphes de *Cyrano* et de *L'Aiglon,* Edmond Rostand, modestement, se disait lui-même le respectueux disciple du génial poète
d'*Hernani.* Et en 1905, le nom prestigieux d'Hugo gardait toute
sa puissance. Sarah Bernhardt joua, avec un art merveilleux, le
personnage redoutable de la Tisbé. Avec Desjardins et surtout

De Max, extraordinaire dans Homodei, la reprise d'*Angelo* fut un très grand succès.

Le 8 avril, pour les fêtes de Pâques, avait lieu la pittoresque reprise d'*Esther,* dont il a été question précédemment. La représentation reconstituait une soirée à Saint-Cyr, en 1689. Le rideau levé, De Max, costumé en Louis XIV, suivi de Mme de Maintenon et de sa Cour, entrait et s'installait sur un côté de la scène. Puis la tragédie de Racine était censée être jouée pour lui, comme à sa création, uniquement par des élèves de l'Ecole. Tous les personnages étaient incarnés par des femmes et Sarah Bernhardt avait choisi le rôle d'Assuérus.

Une dizaine de représentations suffirent à épuiser le succès de cette exhibition amusante, mais qui ne fut pas comprise. D'une manière générale, on avait oublié que les deux dernières tragédies de Racine, *Esther* et *Athalie,* écrites après douze ans de silence, furent créées, non pas sur un théâtre, mais à l'Ecole de Saint-Cyr, par une dizaine de jeunes filles, choisies parmi les élèves de cette Institution. La reconstitution échappa au grand public qui se demandait pourquoi l'oncle d'Esther, le vieux Mardochée et les officiers du Palais du Roi étaient représentés par de jeunes femmes. Plutôt que de le lui expliquer, il était plus simple d'arrêter la pièce. Cette reprise éphémère n'avait été qu'un divertissement d'artiste.

Trois semaines plus tard, Sarah Bernhardt repartait pour une longue tournée en Amérique du Sud et du Nord. Avant son départ, elle faisait une courte reprise de *L'Aiglon,* avec, pour la première fois, De Max dans le rôle de Metternich, créé par Calmettes et précédemment repris par Desjardins.

Après avoir incarné le duc de Reichstadt, si De Max se contentait, maintenant, d'apparaître sous les traits du Chancelier d'Autriche, c'est qu'il accompagnait Sarah Bernhardt dans sa tournée et qu'il allait jouer le rôle avec elle en Amérique.

Sarah Bernhardt quitta Paris le 26 avril 1905, se rendant d'abord à Londres, où, pendant le mois de mai, elle redonnait *Sapho,* puis, pour la première fois, jouait *Pelléas et Mélisande* de Maurice Mæterlinck. Elle interprétait le rôle de Pelléas et la grande actrice anglaise, Patrick Campbell, qui parlait parfaitement le français, jouait Mélisande. Elle avait, d'ailleurs, déjà joué le même rôle en anglais, aux Etats-Unis et en Angleterre.

Le 5 juin, Sarah Bernhardt s'embarquait à Southampton pour Buenos-Ayres. Elle emportait douze pièces : *La Sorcière, L'Aiglon, La Dame aux Camélias, Angelo, Sapho, La Femme de Claude, Phèdre, Magda, Plus que Reine, La Tosca* et une pièce nouvelle dont elle était l'auteur, *Adrienne Lecouvreur,* qu'elle allait créer au cours de son voyage.

C'est parce que sa dernière tournée, avec Coquelin aîné, avait brillamment réussi, qu'elle avait jugé opportun de placer, cette fois encore, à la tête de sa compagnie, un acteur de tout premier ordre, mais ce n'est pas sans peine qu'elle avait décidé De Max à l'accompagner. Il ne voulait jamais quitter Paris, qu'il adorait, et avait horreur des voyages. Il avait fallu toute sa vénération pour Sarah et aussi l'appât d'un très gros cachet, pour qu'il ne résignât à partir pendant plus d'un an. Quant aux rôles, nouvelle discussion : il ne consentait à jouer que ceux qu'il savait ! Pourtant, lorsque Sarah lui eut affirmé et prouvé que, quatre ans plus tôt, Coquelin avait accepté le fossoyeur d'*Hamlet* et le père Duval de *La Dame aux Camélias,* il ne put tout de même pas se montrer moins complaisant que l'illustre créateur de *Cyrano.* Alors, en soupirant, il consentit à apprendre Loris dans *Fédora,* Scarpia dans *La Tosca* et à jouer enfin Hippolyte dans *Phèdre.* Séparé de Mounet-Sully par l'Atlantique, il voulait bien se risquer timidement dans ce rôle, qu'en Europe, il s'était interdit à tout jamais. Dans *La Sorcière, Angelo* et *Plus que Reine,* De Max reprenait les rôles qu'il avait déjà joués. Et dans *L'Aiglon,* il faisait un remarquable Metternich, âpre, cinglant, impitoyable. En outre, dans l'*Adrienne Lecouvreur* de Sarah Bernhardt, il avait accepté le petit rôle de son confesseur, le père Dominique, qui ne paraît qu'au dernier acte.

Il y avait longtemps que Sarah rêvait de jouer une autre *Adrienne Lecouvreur* que celle de Scribe, qu'elle promenait partout depuis 1880. Elle la trouvait vieillotte, d'abord, et surtout, pas assez humaine. Il lui semblait que les amours de la fameuse tragédienne avec Maurice de Saxe pouvaient être plus douloureuses, plus déchirantes que Scribe ne les avaient contées. A différentes reprises, elle avait suggéré à plusieurs des auteurs qui « fournissaient » habituellement le Théâtre Sarah Bernhardt, d'écrire pour elle une nouvelle version de la pièce. Aucun, apparemment, ne s'y était décidé. Alors, au cours de l'été 1904, à Belle-Isle, elle l'avait écrite elle-même.

Son *Adrienne Lecouvreur* comprenait six actes et il faut bien reconnaître que sa supériorité sur celle de Scribe est contestable. Résumant l'opinion de la presse américaine, Hamilton Mason écrit dans son intéressant ouvrage, *French Theatre in New York:*

« Le « réarrangement » de la pièce de Scribe par Mme Sarah Bernhardt n'est pas particulièrement heureux. Cette version est prolixe et décousue, et le but n'en apparaît pas clair, sinon de se présenter elle-même dans le rôle de la grande actrice, laquelle est si imprégnée de classique qu'elle écrase sa rivale uniquement en lui lisant quelques passages de *Phèdre.* »

Lorsqu'en 1907, elle joua son *Adrienne Lecouvreur* à Paris, la presse ne fut pas beaucoup plus conciliante.

*<br>* *

Sarah Bernhardt débuta à Buenos-Ayres dans les premiers jours de juillet 1905 et joua, pendant trois mois et demi, en Argentine, en Uruguay et au Brésil. Puis, elle s'embarquait le 10 octobre, à Rio-de-Janeiro, pour New-York.

C'est le 9 octobre 1905, le jour de sa dernière représentation à Rio, qu'elle eut, sur le théâtre de cette ville, l'accident au genou qui, dix ans plus tard, devait entraîner l'amputation de sa jambe droite. Voici dans quelles circonstances il se produisit.

Pour sa soirée d'adieu devant le public brésilien, Sarah Bernhardt jouait *La Tosca*. Le sixième et dernier tableau de la pièce se passe sur la plate-forme du Château Saint-Ange. Floria découvre que son amant Mario est mort. Folle de désespoir, elle crie à ses gardiens qu'elle a tué Scarpia. Le capitaine des gardes, Spoletta, se rue sur elle pour l'arrêter. Elle lui échappe par le suicide : elle enjambe le parapet et se jette dans le vide.

Derrière le décor, naturellement, le sol est recouvert de matelas épais et Sarah tombait, dans la coulisse, sur une surface capitonnée, soigneusement préparée pour la recevoir. Que se passat-il, au juste, ce soir-là ? Les matelas avaient-ils été déplacés par l'inadvertance d'un machiniste ? Le fait est qu'elle tomba à faux et que son genou droit heurta violemment le plancher de la scène. La douleur fut si forte qu'elle s'évanouit et ne put revenir saluer le public. En quelques instants, sa jambe était extrêmement enflée et il fallait la ramener sur une civière, jusqu'à son hôtel. On la supplia de rester à Rio quelques jours, pour se faire soigner, mais jamais elle ne voulut y consentir. Sa tournée des Etats-Unis devait commencer dans les tout premiers jours de novembre. La traversée de Rio-de-Janeiro à New-York durait vingt jours. Elle avait juste le temps d'arriver. D'ailleurs, dit-elle, ce qu'il lui fallait surtout, c'était du repos ; nulle part, elle ne serait mieux que sur le bateau, où elle pourrait rester étendue, immobile, pendant près de trois semaines. Et certainement, elle trouverait, à bord, un médecin qui lui donnerait tous les soins nécessaires. Le lendemain, portée jusqu'au port, elle s'embarquait.

A peine était-elle installée dans sa cabine que le médecin du bord se présentait pour l'examiner. Elle le regarda : il avait les mains sales et les ongles noirs. Jamais elle ne consentit à se laisser toucher par cet homme !... Et sans même lui permettre de défaire son pansement, elle le congédia. Ses familiers protestèrent, jurant de faire prendre au docteur un bain complet, auquel ils assisteraient au besoin, pour être bien sûrs qu'il se laverait réellement... Elle ne voulut rien entendre. Jamais elle ne reverrait ce répugnant personnage, dont, par surcroît, l'intervention ne lui apparaissait pas à ce point nécessaire. Après tout, sa blessure n'était pas bien grave. Et puis, on la soignerait tellement mieux à New-York. Elle y trouverait les plus grands médecins du monde. D'ici là, d'ailleurs, elle serait sans doute guérie.

Mais à l'arrivée, elle n'était pas guérie du tout, au contraire. Le genou, resté pendant trois semaines sans autres soins que des lavages, avait pris un vilain aspect et, toujours très enflé, la faisait beaucoup souffrir. A ce point qu'il lui fut impossible de débuter à la date fixée. Il fallut remettre ses premières représentations aux Etats-Unis d'une bonne quinzaine de jours, durant lesquels les médecins firent de leur mieux. Vers le 15 novembre, elle pouvait marcher et le 20, elle commençait sa tournée à Chicago.

Mais ces trois semaines avaient été fatales. Par la suite, tous les traitements qu'elle subit, pendant des années, ne purent jamais réparer le mal que ces trois semaines avaient causé. Depuis lors, son état empira lentement, insensiblement, mais de façon implacable. Vers 1908, déjà, elle ne marchait qu'avec peine. Vers 1911, elle ne faisait plus un pas sans s'appuyer au bras de quelqu'un. Et vers 1913, en scène, il fallait, dans chaque décor, disposer les meubles de telle sorte qu'elle n'eût jamais, en jouant, plus de deux pas à faire. Tout devait être prévu pour qu'elle pût, à tout moment, s'aider du dossier d'un fauteuil, d'une table, d'un accessoire quelconque. Mais elle était si prodigieusement habile, à la fois d'une grâce et d'une adresse si parfaites que nul, dans le public, ne pouvait se douter de l'effort inouï qu'elle devait fournir, pour avoir l'air de marcher de façon normale. Dès qu'elle sortait de scène, elle tombait épuisée sur une chaise et souvent, ce n'est qu'après deux ou trois minutes d'immobilité, qu'elle pouvait regagner sa loge, avec l'aide de son régisseur ou de son habilleuse.

*
* *

La tournée de Sarah Bernhardt aux Etats-Unis, en 1905-06, fut, financièrement, la plus formidable. C'est que, d'accord avec elle, ses managers, Sam et Lee Shubert et William F. Connor, l'avaient annoncée : « Tournée d'Adieu » (Farewell American Tour).

Sur l'indication qu'après ce voyage, elle ne reviendrait plus en Amérique, le public se rua, plus nombreux que jamais. Elle avait soixante-et-un ans. On pouvait croire, en effet, que cette série de représentations sur le Nouveau Continent serait la dernière de son existence. Mais il n'en fut rien. Après celle-là, elle fit encore trois autres « Farewell Tours » en 1910-11, en 1912-13 et en 1916-17. A la fin, la presse américaine commençait à sourire un peu du nombre inusité de ces adieux définitifs.

Après Chicago, c'est au Garden Theatre que Sarah Bernhardt joua à New-York, où elle resta du 11 au 28 décembre 1905. Puis, après avoir fait, comme de coutume, tout le tour des Etats-Unis, jouant, cette fois, dans soixante-deux villes, elle reparut à New-York, les 12, 13 et 14 juin 1906, au Lyric, pour trois représentations au cours desquelles elle jouait, dans la même soirée, le 2e acte d'*Hamlet,* le 4e acte de *La Sorcière,* le 2e acte de *L'Aiglon* et le 3e acte de *Froufrou.* Et le 15 juin, elle se rembarquait pour la France, ayant gagné plus de deux millions en un an.

Mais son voyage en Amérique du Nord avait été bien mouvementé, et à son début, un extraordinaire incident avait failli l'interrompre.

Durant ses précédentes tournées aux Etats-Unis, Sarah Bernhardt avait réalisé de si grosses recettes que son passage avait, pour les directeurs américains, un résultat désastreux. Dès que, trois ou quatre semaines à l'avance, elle était annoncée dans une ville, le public, quoi qu'on lui offrît, cessait d'aller au spectacle : il attendait Sarah Bernhardt. Elle arrivait et jouait à des prix très élevés. Chacun se précipitait pour la voir et, en trois ou quatre jours, dépensait tout l'argent prévu pour trois mois de théâtre, dans le budget familial. Lorsqu'elle était partie, pendant trois ou quatre semaines à nouveau, les théâtres étaient vides, parce que personne n'avait plus le sou.

Evidemment, pendant ses représentations, la part des recettes réservée aux propriétaires des salles, leur assurait une jolie somme. Mais ces quelques jours de maximum étaient loin de compenser les deux ou trois mois de déficit qui en résultaient. Dans l'ensemble, son passage constituait pour eux une catastrophe.

Alors, en 1905, les directeurs de tous les théâtres de l'Ouest : Texas, Arizona, Kansas, Oklahoma, Colorado, Californie, etc... se mirent d'accord pour boycotter Sarah Bernhardt, c'est-à-dire pour refuser aux frères Shubert et William Connor de recevoir la grande artiste française, à quelques conditions que ce fût !... Que faire ?... C'étaient deux ou trois mois de l'itinéraire qui, brusquement, devenaient impossibles.

Sans s'émouvoir, Sarah Bernhardt suggéra alors à ses impresarios, de jouer « sous la tente ». Et c'est ce qui fut fait. Un théâtre transportable, contenant une salle de quatre mille huit cents places et une large scène, fut hâtivement construit. Il était manœuvré comme le cirque de Barnum et Bailey et tous les deux ou trois jours, déséquipé, transporté et rééquipé, de ville en ville. De la sorte, nul besoin de s'entendre avec les managers des théâtres. C'est aux maires que les impresarios de Sarah Bernhardt demandaient l'autorisation de planter sa tente sur une place de leur cité, ou simplement dans un champ voisin.

Cette extraordinaire randonnée et la façon ingénieuse dont Sarah Bernhardt avait eu raison du syndicat des directeurs américains, constitua pour cette tournée, une publicité inouïe. Jamais elle ne fit plus d'argent. Dans des villes comme Austin, Salt Lake City, Houston, Dallas, les recettes atteignaient huit mille et neuf mille dollars par représentation. Venus du fond de leurs campagnes, des ranchs les plus éloignés, des milliers de gens faisaient deux ou trois jours de voyage pour la voir. Sa renommée était telle que tous ces êtres accouraient de confiance, parce que, depuis des années, ils entendaient répéter son nom et parfois, sans savoir au juste, qui elle était !...

Un soir, à Omaha, Nebraska, la représentation était commencée depuis une demi-heure. La buraliste avait quitté son guichet et le secrétaire de la tournée faisait ses comptes au contrôle. Tout à coup, un cow-boy arrive, à cheval, attache sa bête par la bride à un arbre, entre et demande une place. Il n'y en avait plus. On avait dû ajouter deux cents chaises supplémentaires. L'homme s'entête :

— Je veux voir la Bernhardt. J'ai fait trois cent milles pour la voir. Je la verrai.

Et, déjà menaçant, il sortait son revolver. Le caissier le calme, lui vend un billet, mais le prévient qu'il sera très mal placé, au fond, dans un coin et debout.

— Ça m'est égal, dit l'homme, content, du moment que je peux la voir, c'est tout ce que je demande.

Et soulevant la toile, il va pour pénétrer dans la salle. Au moment d'entrer, il se retourne vers le caissier et le questionne :

— A propos, cette Bernhardt, est-ce qu'elle danse ou est-ce qu'elle chante ?

*

\* \*

Rentrée en France à la fin de juin, Sarah Bernhardt retournait encore, pour trois semaines, à Londres, puis, fatiguée, souffrant de sa jambe, partait pour Belle-Isle, où elle se reposait deux grands mois. Elle les employait à dicter ses *Mémoires*.

A l'automne, il était temps qu'elle fît sa rentrée à Paris, car, pendant son absence, son théâtre n'avait pas été prospère. Sous la direction intérimaire de l'acteur André Calmettes, on avait joué *Le Masque d'Amour,* un mauvais drame de Mme Daniel Lesueur, puis après une reprise de *Pour la Couronne* de François Coppée, on avait créé *Le Frisson de l'Aigle,* qui n'est pas la meilleure pièce de Paul Gavault. Le spectacle qui avait le mieux réussi était une reprise de *L'Aiglon,* joué, pour la première fois, par Blanche Dufrène et qui avait fait cent représentations honorables.

Le 10 novembre 1906, après un an et demi d'absence, Sarah Bernhardt faisait sa rentrée dans *La Vierge d'Avila,* pièce nouvelle de Catulle Mendès, où elle incarnait Sainte Thérèse. Sarah Bernhardt en religieuse, tout Paris voulut voir cela !... En outre, l'œuvre avait de la noblesse, une certaine grandeur, la mort de Sainte Thérèse était un tableau superbe. Le spectacle réussit et fit près de cent représentations. D'ailleurs, la saison toute entière devait être excellente.

Le 25 janvier 1907, Sarah Bernhardt créait une ravissante comédie en vers de Miguel Zamacoïs, *Les Bouffons.* C'était une fantaisie poétique et médiévale, toute pleine, à la fois, de comique et de lyrisme, et d'une grâce infinie. Au lendemain de cette pièce, l'auteur eut son heure de célébrité. « Un second Rostand nous est né !... » disait-on, un peu prématurément. Trois ans plus tard, une autre comédie en vers de Zamacoïs, *La Fleur Merveilleuse,* était créée à la Comédie-Française et ne réussit pas du tout. Il restera seulement l'auteur des *Bouffons.*

L'anecdote était charmante. Dans le vieux château de son père, la jeune Solange s'ennuie et dépérit. Pour la distraire, il fait annoncer dans le pays qu'on cherche un amuseur, un bouffon. Un tournoi a lieu. Un jeune seigneur voisin, amoureux de Solange sans l'avoir jamais approchée, se fait inscrire sur la liste des candidats sous le nom de Jacasse. Il se présente : il est bossu ! On se récrie à la vue de ce bouffon contrefait. Et l'on serait sur le point de lui préférer le beau Narcisse. Mais Jacasse est spirituel, gai, brave et tendre. Et surtout, il est si éloquent que sa verve l'emporte sur l'élégance de Narcisse. Non seulement Solange le choisit, mais elle l'épouse. Il apparaît alors, svelte, et droit : sa bosse était fausse. Le sujet n'est pas sans rapport avec celui de *Cyrano de Bergerac.* La beauté d'un homme n'est rien, s'il n'y joint pas d'abord les qualités de l'esprit.

Tour à tour lyrique et joyeuse dans le bouffon Jacasse, Sarah Bernhardt y remporta un succès étourdissant. La pièce fit salle comble pendant trois mois et devait être bientôt reprise.

Le 3 avril 1907, Sarah Bernhardt donnait une seule représentation de gala de sa pièce *Adrienne Lecouvreur,* qu'elle avait créée en Amérique au cours de sa dernière tournée. La salle, bourrée d'amis, lui faisait un succès qui l'engageait à jouer la pièce en série. Et au lendemain de la dernière des *Bouffons,* elle affichait *Adrienne Lecouvreur,* « pour trente fois seulement ». On avait pour Sarah Bernhardt un tel respect que, dans la presse, quelques journaux seulement furent cruels. Les autres exprimèrent leur opinion en ne parlant que de l'interprète et pas du tout de l'œuvre nouvelle. Mais le public s'abstint et la pièce ne put même pas faire le mois annoncé. Dès le début de juin, il fallait fermer le théâtre.

L'*Adrienne Lecouvreur* de Sarah Bernhardt, éditée par Eugène Fasquelle en 1908, est dédiée : « A ma chère belle-fille Terka Bernhardt » en tendre souvenir à la jeune mère de Simone et de Lysiane, qui allait être enlevée, deux ans plus tard, à leur affection. Elle mourut prématurément en 1910.

Le 11 juin 1907, avait lieu encore une « Journée Sarah Bernhardt », mais dont le programme était un peu différent. Quelques mois plus tôt, une souscription avait été ouverte pour offrir à la grande artiste un magnifique objet d'art, œuvre du sculpteur A. J. Hébrard. Pour le lui remettre avec quelque solennité, une matinée fut donnée, au Théâtre Fémina, pour laquelle Sarah apprit, monta et joua, pour une seule fois, une pièce en un acte d'Emile Moreau, écrite « dans la langue du temps », *Le Vert-Galant.* Elle jouait la reine Margot et son pensionnaire Maury figurait le Roi Henri IV. Après quoi, des hommages en vers étaient adressés à Sarah Bernhardt par Catulle Mendès, André Rivoire, Hélène Picard, Marie Leconte, Constance Maille, Henry Krauss et De Max.

A la rentrée, Sarah Bernhardt, directrice, montait une pièce de son vieil ami et ex-directeur Félix Duquesnel : *La Maîtresse de Piano,* une charmante comédie qui fut créée au Théâtre Sarah Bernhardt le 4 octobre 1907, et qui fut l'un des premiers succès de Gabrielle Dorziat.

Après quoi, Sarah Bernhardt rentrait elle-même, le 24 décembre 1907, dans *La Belle au Bois Dormant* de Jean Richepin et Henri Cain. Vingt-trois ans après *Nana-Sahib* et *Macbeth,* Sarah et Richepin, âgés maintenant de 63 et 58 ans, se retrouvaient pour la première fois et leur collaboration connut enfin un succès !... La pièce n'était autre chose que le conte de Perrault, adroitement mis à la scène. C'était une féerie, presqu'un spectacle pour enfants. Mais joliment écrite et somptueusement présentée, elle plut infiniment. La curiosité de la soirée était de voir Sarah Bernhardt jouer non pas la princesse endormie, dont les auteurs avaient peu développé le rôle, mais celui qui vient l'éveiller, le

Prince Charmant, qui, dans l'histoire, est « beau comme le jour et qui a vingt ans ».

Ce fut l'un des miracles de la carrière de Sarah Bernhardt. J'avais quatorze ans lorsqu'elle créa *La Belle au Bois Dormant* et mes souvenirs sont précis : il était impossible d'imaginer apparition plus radieuse, plus jeune, plus poétique, plus idéale. C'était le Prince Charmant lui-même, irréellement beau, une blonde et saisissante figure de légende. Grâce à Sarah Bernhardt, la soirée était un véritable enchantement.

Ce fut ensuite, le 8 avril 1908, *La Courtisane de Corinthe,* un drame assez médiocre de Michel Carré et Paul Bilhaud, que Sarah jouait avec De Max. La pièce échoua. On persuada à Sarah que c'était le titre qui effrayait. Pourquoi annoncer d'avance qu'une fois de plus, elle jouait « une femme de mauvaise vie » ? Alors, à la cinquième représentation, on changea les affiches et la pièce fut baptisée *Cléonice,* du nom de son personnage. Cela n'arrangea rien. Si le titre n'avait pas déjà été pris, le seul qui eût convenu à cette pièce était *Le Monde où l'on s'ennuie.* Cette fille galante, sans attraits, fit peu de conquêtes. Dès le 15 mai, Sarah jouait à Londres.

En septembre, c'était l'annuelle série de *La Dame aux Camélias,* plus solide que jamais. Puis, durant toute la saison 1908-09, elle ne faisait que des reprises. Pendant dix mois, son merveilleux répertoire, — dans lequel Sardou tenait toujours la première place, — lui permit de ne créer aucun rôle nouveau et de faire néanmoins d'excellentes recettes. Après *La Dame aux Camélias* et jusqu'à fin juin 1909, elle paraissait successivement dans *L'Aiglon, La Samaritaine, La Tosca, Fédora* et *La Sorcière.*

Le 5 mai 1909, Adeline Dudlay, sociétaire de la Comédie-Française, donnait sa représentation de retraite. Au cours d'un programme éclatant, le clou de la soirée était *La Nuit de Mai* d'Alfred de Musset, jouée par Sarah Bernhardt et Julia Bartet. Ce fut la seule fois de sa vie où Sarah reparut sur la scène de la Comédie-Française, qu'elle avait quittée vingt-neuf ans plus tôt.

Après avoir souvent joué, de 1873 à 1880, le rôle de la Muse, avec Mounet-Sully dans le poète, Sarah Bernhardt, ce soir-là, était le poète, adorablement moulée dans une longue redingote 1830 à col de velours. Avec Bartet, Muse idéale — de *la Nuit de Mai* comme de la *Nuit d'Octobre,* qu'elle jouait, tour à tour, au Théâtre-Français — le poème de Musset bénéficiait d'une interprétation inouïe.

A cette époque, en effet, Julia Bartet avait pris une place considérable dans la Maison. En 1909, Réjane, Julia Bartet et Jeanne

Granier étaient indiscutablement les trois premières actrices de
Paris. « Et Sarah Bernhardt ?...» dira-t-on. Je répondrai par ces
mots de Robert de Flers :
      « Sarah Bernhardt n'est plus une actrice. Il serait aussi ab-
surde de lui assigner une place sur la liste des comédiennes françaises que de ranger Molière parmi nos auteurs dramatiques.
Comme l'auteur du *Misanthrope,* Sarah est désormais au-dessus
de toute classification. »
      C'était vrai. Depuis une douzaine d'années déjà, la gloire
fabuleuse de Sarah Bernhardt était telle qu'on en arrivait presque
à oublier que, de son métier, elle était comédienne. Il paraissait
beaucoup plus normal de l'aligner avec les plus hautes figures de
l'histoire de la France et du Monde.

      En d'autres occasions, on demanda, plusieurs fois encore, à
Sarah Bernhardt de reparaître à la Comédie-Française, mais elle
refusa toujours. Elle n'avait pas gardé un bon souvenir de la
Maison de Molière dont, à quelques exceptions près, elle trouvait
tous les sociétaires de très mauvais acteurs. Une dizaine d'années
plus tard, je passais un jour avec elle, en voiture, devant l'entrée
des artistes du Théâtre-Français. C'était un dimanche, vers six
heures. La matinée venait de finir et, devant la porte de l'Administration, il y avait une centaine de personnes. Sarah Bernhardt
me dit :
      — Qu'est-ce que c'est que tout ce monde ?
      — Ce sont des gens qui attendent la sortie des artistes de la
Comédie-Française.
      Alors, éclatant de son petit rire argentin, elle scanda :
      — Pour les tuer ?...

*
*  *

      Le 28 mai 1909, à l'occasion de la mort de Catulle Mendès,
survenue quelques jours plus tôt, le Théâtre Sarah Bernhardt affichait une matinée de gala, où, pour honorer la mémoire du poète,
Sarah donnait deux actes de sa pièce *La Vierge d'Avila,* puis —
surprise !... — quelques scènes du 1er et du 3e actes de *Cyrano de
Bergerac,* où elle jouait Cyrano lui-même. C'est la seule fois où
Sarah Bernhardt parut dans ce rôle et ce ne fut, d'ailleurs, qu'un
essai pittoresque amusant, mais sans grande portée artistique.
*Cyrano* le mâle bretteur gascon, ne saurait être incarné par une
femme. Mais Sarah Bernhardt pouvait tout se permettre.
      Le 25 septembre 1909, elle jouait un autre rôle important,
mais à la ville : elle assistait au mariage de l'aînée de ses petite-

filles, Simone Bernhardt, qui devenait Mme Edgar Gross. Dès
l'année suivante, Sarah Bernhardt allait être arrière-grand'mère.
Le 25 novembre, — nouveau tour de force ! — elle incarnait encore une fois Jeanne d'Arc. Vingt ans après la pièce de
Jules Barbier, qu'elle avait jouée à la Porte-Saint-Martin, elle
créait une pièce nouvelle d'Emile Moreau, intitulée *Le Procès de
Jeanne d'Arc*. Et c'était un très grand succès.

Très habilement faite, la pièce ne faisait apparaître Sarah qu'à
deux actes : le deuxième, au tribunal et le troisième, dans la prison
de Jeanne. Au dernier, les personnages en scène assistaient au
supplice de la Sainte, dont le bûcher était censé être dressé en coulisse, hors de la vue des spectateurs. De Max jouait, magistralement, le principal rôle de la pièce, Bedford.

Je n'oublierai jamais la scène de l'interrogatoire, au début du
deuxième acte. Debout, seule et bien isolée au milieu de la scène,
Sarah répondait aux juges qui, du haut de leurs stalles, rangées le
long des murs du tribunal, la questionnaient de toutes parts.

— Quel est ton nom ?...
— Jeanne.
— Ton âge ?...

Sarah prenait un temps, se tournait insensiblement face au
public et regardant la salle, prononçait avec douceur, mais avec
fermeté :

— Dix-neuf ans.

Sur ce mot, chaque soir, la salle éclatait en applaudissements.
Ce jeu de scène, si habile et si discret, qui semblait soumettre sa
réponse à l'approbation des spectateurs, ne passait jamais inaperçu. *Le Procès de Jeanne d'Arc* fit tout près de cent représentations.

Cependant, Sarah Bernhardt faisait son troisième et dernier
essai d'auteur dramatique en donnant, le 22 décembre 1909, au
Théâtre des Arts, une pièce en quatre actes. Elle s'intitulait *Un
Cœur d'Homme* et était jouée par Henry Roussell, Blanche Dufrène
et Emmy-Lynn. Voici ce qu'en disait Raoul Aubry, le critique du
*Journal des Débats*.

« Il faut passer par-dessus bien des inexpériences et bien des
réminiscences, pour arriver, au dénouement, à une scène pathétique. C'est avec une déférence un peu... souriante que le public
du Théâtre des Arts a accueilli ce drame. Mais le génie de notre
grande Sarah ne souffrira pas de cette aventure. Ingres s'est-il
amoindri pour avoir essayé du violon ? Nous en serons quittes
pour retourner Place du Châtelet acclamer *Jeanne d'Arc* à l'acte
du tribunal. »

*Un Cœur d'Homme* fit quelques représentations et, heureusement, disparut des mémoires en même temps que de l'affiche.

Le 2 mars 1910, au Théâtre Sarah Bernhardt, nouvelle œuvre
de Jean Richepin, *La Beffa,* d'après un drame italien de Sem
Benelli, *La Cena del Beffe* (Le souper des railleries), Sarah
Bernhardt y jouait encore un travesti, le pittoresque Gianetto
Malespini, sournois, rageur, ironique et violent. « Une nouvelle
création qui comptera », avait-on dit. Mais la pièce ne réussit pas.
Elle avait été un grand succès en Italie. Au public français, elle
apparut décousue et sans intérêt.

Pour finir la saison, Sarah reprenait alors *Les Bouffons,* dont
elle avait arrêté la carrière un peu prématurément, pour jouer son
*Adrienne Lecouvreur.* Et concurremment, elle présentait l'une de
ses plus ingénieuses réalisations scéniques.

Quelques mois plus tôt, Edmond Rostand avait publié dans
*L'Illustration,* un adorable poème, *Le Bois Sacré,* d'une fantaisie
lyrique positivement éblouissante. L'auteur imagine un jeune
couple parcourant, en automobile, les routes de Grèce. Une panne.
Ils s'endorment sur l'herbe, auprès de la voiture. Pendant leur
sommeil, tous les dieux de l'Olympe, sortant du bois voisin, apparaissent et examinent l'auto avec étonnement. Vulcain remet
le moteur en état. Les dieux, ravis, vont faire un tour dans la
35 HP, puis la ramènent à ses propriétaires qui, en s'éveillant,
sont stupéfaits de trouver la voiture réparée. Ils ne sauront jamais
qu'une heure plus tôt, elle promenait Jupiter, Vénus, Mars et
Cupidon. Sarah Bernhardt eut l'idée de présenter *Le Bois Sacré* sur la
scène de son théâtre, sous forme de pantomime, tandis que l'acteur
Brémont, en habit, à l'avant-scène, récitait le poème de Rostand.
Ce fut un ravissement. Un merveilleux décor, des costumes exquis... l'arrivée de la grosse Pannard, dernier modèle de l'époque,
conduite par les deux jeunes gens... la ronde des dieux autour de
la voiture... leur fuite en auto sous la nuit tombante... Rarement
on vit plus joli tableau. Grâce à cette adorable « fin de spectacle »,
*Les Bouffons* firent une magnifique reprise. Comment, depuis
trente ans, n'a-t-on jamais remis à la scène le merveilleux *Bois
Sacré* de Rostand, suivant la réalisation qu'en fit Sarah Bernhardt?

\*
\* \*

En septembre 1910, Sarah apparaissait pour la première fois
de sa vie, au music-hall, en attraction. C'était à Londres, au Coliseum. Deux fois par jour, elle jouait le 2ᵉ acte de *L'Aiglon,* au
milieu d'un progamme de « variétés ». Elle s'adressait ainsi à un
autre public, donnait l'occasion de l'applaudir aux masses populaires qui ne pouvaient pas payer les prix de places élevés qu'on
affichait pour elle au Lyric, à l'Adelphi ou au Gaiety.

Et le 23 octobre 1910, — encore un anniversaire, le jour de ses soixante-six ans, — Sarah Bernhardt s'embarquait à nouveau pour l'Amérique pour son second « *Farewell Tour* ».

Son répertoire habituel s'augmentait des *Bouffons* et du *Procès de Jeanne d'Arc* et sa troupe, comme de coutume, était d'une trentaine d'acteurs. Mais, à leur tête et en guise de vedette, on lisait avec étonnement le nom d'un jeune comédien tout à fait inconnu, Lou Tellegen. Pendant trois ans, jusqu'en juin 1913, il allait être, en tournée et à Paris, le partenaire exclusif de Sarah, dans les principaux rôles masculins de toutes ses pièces.

J'aurais préféré ne pas mentionner son nom dans ce livre. L'intérêt que Sarah Bernhardt, presque septuagénaire, porta à Lou Tellegen, n'est pas un souvenir qu'il me soit agréable d'évoquer. Mais ai-je le droit de passer sous silence la carrière que Lou Tellegen fit auprès d'elle, alors que la plus large publicité lui a été donnée dans les journaux de France et d'Amérique? Tous les critiques de Paris l'ont commentée, déplorée. Beaucoup, même, croyaient devoir indiquer discrètement à leurs lecteurs, les raisons de la surprenante sollicitude dont ce médiocre comédien était l'objet de la part de la grande artiste qui, d'ordinaire, choisissait plus judicieusement ses partenaires. Dans son numéro du 3 décembre 1911, le *New York Times* annonçait le mariage de Sarah Bernhardt avec son jeune pensionnaire. L'événement fut démenti le lendemain, mais elle continua à ne jouer qu'avec lui.

Enfin et surtout, Lou Tellegen, lui-même, a consacré à ses relations avec Sarah Bernhardt, cent pages de ses Mémoires, publiées en 1931, et dont le titre est *Women Have Been Kind to Me*. Dans ces confessions confidentielles, tirées à vingt mille exemplaires, il précise notamment, avec une charmante discrétion, que durant les deux tournées qu'il fit aux Etats-Unis avec Sarah Bernhardt, en 1910-11 et 1912-13, elle avait pour lui une telle prédilection qu'elle ne voulut jamais qu'il voyageât avec le reste de la troupe. Elle insista pour qu'il « consentît » à occuper une cabine dans son wagon spécial, où ne couchaient, en outre, que son médecin particulier, le docteur Marot et sa dame de compagnie, Suzanne Seylor. Je ne suivrai pas Lou Tellegen dans ses insinuations subséquentes. Y faire seulement allusion, ce serait les approuver, alors que je reste confondu qu'un homme, quel qu'il soit, ait pu avoir l'idée d'écrire un pareil livre. Je veux espérer, je suis décidé à croire que tout ce qu'il laisse entendre est inexact et que Sarah Bernhardt n'a jamais eu pour Tellegen qu'une indulgence strictement artistique. C'est uniquement pour produire ici cette affirmation que j'ai, à regret, cité les extraordinaires *Mémoires* de cet acteur.

Né en 1883, Hollandais d'origine, Lou Tellegen était venu en France très jeune, avait fait ses études dramatiques au Conservatoire de Paris, dans la classe de Paul Mounet et avait joué quelques petits rôles à l'Odéon et au Théâtre des Arts. Là, au cours de la saison 1907-08, il était apparu notamment dans *La Tragédie de Salomé* de Robert d'Humières, avec Loie Fuller, dans *Le Grand Soir,* une pièce allemande sur le nihilisme, de Léopold Kampf, dont le principal rôle était joué par Véra Sergine, et dans *La Fille de Pilate* de René Fauchois, également avec Sergine.

*Le Grand Soir* avait été un très grand succès, mais Lou Tellegen, qui jouait, à cette époque, sous le nom de Lou Van Tel, y était passé tout à fait inaperçu. Alors, tout en continuant à faire du théâtre, de-ci de-là, quand il en trouvait l'occasion, il était devenu modèle. Etonnament beau, grand, mince, tout rasé, une petite tête très fine, avec des cheveux blonds, bouclés, merveilleusement plantés, un corps de jeune dieu, il était très recherché par les sculpteurs et posa, entre autres, pour Rodin, qui fit, d'après Tellegen, son admirable *Eternel Printemps*.

Durant l'été de 1910, Sarah Bernhardt insistait pour que De Max repartît avec elle, en octobre, pour l'Amérique, mais il s'y refusait avec obstination. Cinq ans plus tôt, il avait tenu à lui faire plaisir : il était allé aux Etats-Unis et pendant des mois, s'y était ennuyé à périr, loin de son cher rez-de-chaussée de la rue Caumartin. Pour dix mille francs par jour, il n'aurait pas recommencé.

— Alors, indique-moi quelqu'un, lui dit Sarah, je n'ai personne pour jouer les grands jeunes premiers de mon répertoire.

Et, par hasard, comme il lui en aurait amené un autre, De Max lui avait présenté Tellegen, dont il venait de faire la connaissance, jouant avec lui je ne sais quelle tragédie sur le théâtre antique d'Orange. Il ne se doutait pas qu'en guise de remerciement, le jeune comédien prendrait bientôt sa place sur l'affiche du Théâtre Sarah Bernhardt et s'emparerait même de ses rôles, notamment Bedford du *Procès de Jeanne d'Arc.*

Comme elle l'avait déjà fait, Sarah Bernhardt, en 1910, commença sa tournée des Etats-Unis par Chicago, où elle débuta le 10 novembre. Pendant qu'elle y jouait, son impresario, William Connor, lui demanda d'ajouter, pour New-York, une pièce à son répertoire.

Le 5 février précédent, une grande vedette américaine, Dorothy Donelly, avait joué dans Broadway, avec un énorme succès, une pièce affichée sous le titre de *Madame X.* C'était l'adaptation d'une pièce française d'Alexandre Bisson, *La Femme X,* créée par Jane Hading à la Porte-Saint-Martin, le 15 décembre 1908 et qui avait été, à Paris aussi, un triomphe. Connor pensait que le public américain aimerait voir Sarah jouer, en français, la pièce dans laquelle Dorothy Donelly, en anglais, avait fait courir New-York. Sarah Bernhardt y consentit volontiers et, tout en jouant chaque soir, apprit et monta *La Femme X*.

Le rôle est celui d'une femme de cinquante ans qui, jadis chassée par son mari, est devenue, de chute en chute, la maîtresse d'un forban, chef de bande. Les malfaiteurs méditent un « coup » contre son ex-mari. Pour le protéger, elle tue l'un des bandits. Elle passe en cour d'assises, et le jeune avocat, désigné d'office pour la défendre, est son propre fils, qui ne la connaît pas et croit que sa mère est morte. La scène du tribunal produit un effet énorme et Sarah Bernhardt y était, paraît-il, extraordinaire. Elle joua la pièce, pour la première fois, à New-York, le 12 décembre 1910. On la lui demanda ensuite dans toutes les grandes villes de son itinéraire, puis à Londres. Mais elle ne la joua jamais à Paris.

Infatigable, elle créait encore, à New-York quinze jours plus tard, le 29 décembre 1910, un *Judas* d'un auteur américain, John de Kay, traduction française de J. C. de Chassagne. Elle jouait le rôle de Judas, ayant produit la pièce pour une seule représentation.

Elle terminait sa saison à New-York le 31 décembre, puis partait pour son tour habituel des Etats-Unis. En route, elle donnait une représentation sur l'immense théâtre de plein-air de Berkeley, près d'Oakland, puis, en février, pendant qu'elle était à San Francisco, elle joua une fois à la prison de Saint-Quentin, devant deux mille condamnés. Jamais elle ne devait oublier l'impression que lui firent ces extraordinaires spectateurs, tous vêtus du même costume de toile à larges raies et dont plusieurs allaient être exécutés quelques jours plus tard.

Après trente-cinq semaines de tournée, elle reparaissait comme de coutume, à New-York, pendant trois jours, du 19 au 21 juin 1911 et se rembarquait le 22 pour Le Havre. En juillet, elle jouait à Londres.

\*
\* \*

Le 22 novembre 1911, Sarah faisait sa rentrée au Théâtre Sarah Bernhardt, dans une éclatante reprise de *Lucrèce Borgia*, le magnifique drame de Victor Hugo, créé à la Porte-Saint-Martin en 1833. Des acclamations sans fin saluaient son retour après sa longue absence. Sa composition du rôle de Lucrèce restera l'un des chefs d'œuvre de la seconde partie de sa carrière.

Mais, dans le rôle d'Alphonse d'Este, Lou Tellegen jouait pour la première fois avec Sarah, à Paris. Et c'était une consternation.

Car on ne le jugeait pas seulement un acteur quelconque, mais un très mauvais acteur, froid, gauche, une voix désagréable, un accent hollandais assez prononcé, aucune flamme, aucune autorité... bref, tolérable dans de petits rôles, mais, dans des personnages de premier plan, exactement impossible.

Discrètement, tout l'entourage de Sarah Bernhardt essayait de le lui faire comprendre. Elle haussait les épaules et, comme jadis Damala, le décrétait admirable. Bientôt, reprenant, comme chaque année, *Phèdre,* elle lui faisait jouer Hippolyte dont, moins modeste que De Max, Tellegen s'emparait sans hésitation. Mais cette belle confiance n'était pas du goût du public et au cinquième acte, c'est avec soulagement qu'on entendit Théramène faire le récit de la mort d'Hippolyte : on ne le verrait donc plus ! Déjà, à l'acte précédent, lorsque Tellegen avait affirmé :

« Le jour n'est pas plus pur que le fond de mon cœur »,
il y avait eu, dans la salle, quelques éclats de rire ironiques.

Vexée, Sarah Bernhardt interrompait alors les matinées de *Phèdre* et, pour faire diversion, montait *Tartuffe,* de Molière, jouant elle-même — étrange idée !... — le rôle de Dorine. Pourquoi avait-elle choisi ce personnage de bonne grosse soubrette, comique, épanouie et plantureuse ? Un mauvais plaisant écrivit que, depuis sa dernière tournée d'Amérique, Mme Sarah Bernhardt avait décidément résolu d'étonner Paris et pour ses prochaines matinées classiques, suggéra une reprise de *La Surprise de l'Amour* de Marivaux.

Le 4 janvier 1912, elle reprenait *Le Procès de Jeanne D'Arc,* et Lou Tellegen jouait le rôle de Bedford, créé par De Max. En février, elle n'hésitait pas à lui donner Oreste d'*Andromaque.* Et le 11 avril 1912, elle créait, toujours avec lui, une pièce nouvelle d'Emile Moreau, *La Reine Elisabeth.* Cette fois, la presse fut à ce point terrible pour le malheureux garçon, que le spectacle s'effondra. Tout le génie de Sarah Bernhardt, admirable dans Elisabeth d'Angleterre, ne parvint pas à conjurer l'effet désastreux produit par Tellegen dans Essex. Et la pièce fit douze représentations.

Dans cinq rôles de suite, il venait d'être positivement exécuté par la critique et par le public. N'importe quel acteur, à sa place, aurait, dès la seconde pièce, feint de tomber malade, se serait, d'une manière quelconque, arrangé pour disparaître... Mais Lou Tellegen n'y songeait pas. La place était bonne. Il n'aurait eu garde de la quitter. Quant à Sarah Bernhardt, obstinée comme toujours, plus on le critiquait, plus elle s'entêtait à ne jouer qu'avec lui.

Reprenant, pour finir sa saison, *La Dame aux Camélias,* puis *Lorenzaccio,* elle lui confiait encore Armand Duval et Alexandre de Médicis.

A propos de cette dernière reprise, j'extrais de l'article d'Edmond Stoullig, dans *Les Annales du Théâtre et de la Musique,* ces quelques lignes :

« Jamais peut-être la grande artiste n'a atteint si haut. Aussi quelles acclamations, quels rappels, quel triomphe !... Et comme elle a bien fait de reprendre, même pour si peu de temps, ce *Lorenzaccio.* Quel dommage qu'elle y soit si mal entourée ! Il y a, notamment, un acteur auquel a été distribué le rôle d'Alexandre de Médicis, qui est vraiment au-dessous du médiocre. « Piochez les larmes », disait à une jeune élève certain professeur de diction. « Piochez le rire », pourrait-on dire à M. Lou Tellegen, dont les perpétuels éclats de gaieté sont aussi insupportables qu'anti-naturels. »

De fait, le jeune comédien s'était montré tellement insuffisant que, le soir de la première, un incident minuscule, mais éloquent, se produisit : à la fin de la soirée, aux deux premiers rappels, Sarah Bernhardt vint saluer seule et fut acclamée. Au troisième, comme Tellegen reparaissait avec elle, les applaudissements s'arrêtèrent net et ne reprirent que lorsque Sarah, ayant compris, reparut seule à nouveau.

Ainsi, lui ayant fait jouer sur son théâtre, en huit mois, sept rôles principaux, dont une création, Sarah Bernhardt n'était pas parvenue à imposer Tellegen à Paris. Elle en conçut une sorte d'exaspération. Puisque les Parisiens ne voulaient pas la voir avec lui, eh bien, ils ne la verraient plus du tout. Alors qu'elle laissait toujours s'écouler quatre ou cinq ans, entre deux tournées d'Amérique, elle signa un nouveau contrat, s'engageant à repartir dès le début de la saison suivante. Ayant quitté les Etats-Unis en juin 1911, elle allait y reparaître en novembre 1912, moins d'un an et demi plus tard. Ce qui fit dire à la presse américaine qu'on ne voyait jamais tant Sarah Bernhardt que depuis qu'elle avait annoncé qu'elle se retirait de la scène.

Au cours de la saison qui s'achevait, Paris avait encore assisté à l'un des « triomphes », maintenant habituels, de Sarah Bernhardt. Je relate celui-ci surtout parce qu'il fait l'objet de l'un de mes premiers souvenirs personnels sur elle.

J'avais dix-huit ans, je sortais du lycée et pour mes débuts dans la vie théâtrale, j'étais secrétaire de Robert Trébor, aujourd'hui Président de l'Association des Directeurs de Théâtres de Paris. Il était alors courriériste théâtral du journal *Excelsior* et en outre, directeur des *Vendredis de Fémina,* spectacles hebdomadaires qui avaient lieu de cinq à sept.

Le vendredi 19 janvier 1912, eut lieu un « Gala Sarah Bernhardt » qui, suivant la coutume établie, consistait en une longue glorification de Sarah par ses poètes habituels, s'interprétant eux-mêmes ou dont les vers étaient lus par quelques artistes éminents. En raison de mes fonctions auprès de Trébor, c'est moi qui ai « conduit » le spectacle, faisant office de régisseur. Et j'eus l'honneur d'aider Sarah Bernhardt, s'appuyant d'une main sur mon épaule et de l'autre au bras de Tellegen, à descendre de sa loge jusqu'à la scène du Théâtre Fémina, où elle prit place sur le trône d'usage, avant le lever du rideau.

Ce jour-là, les poètes qui vinrent eux-mêmes lire des vers à Sarah Bernhardt furent : Edmond Rostand, La Comtesse de Noailles, Lucie Delarue-Mardrus, Jean Aicard, Henri de Régnier, Jean Richepin et Edmond Haraucourt. Les artistes étaient Mounet-Sully, Silvain, Dessonnes, Decœur, Jeanne Delvair, Madeleine Roch, René Alexandre, Louise Silvain et Lou Tellegen. Seize successifs « Hommages à Sarah Bernhardt » lui furent adressés. Et pour terminer la matinée, elle joua deux scènes de Phèdre.

A ce gala, Edmond Rostand dit, une fois de plus, le célèbre « Sonnet à Sarah » qu'il avait composé quelques années plus tôt. Je ne résiste pas au plaisir de le citer intégralement. J'entends et je vois encore le grand poète, monocle à l'œil, merveilleusement racé et élégant, vêtu d'une longue jaquette grise, disant, — et de quelle façon ! — ce sonnet que, de la coulisse, j'écoutais avec ravissement, mes jeunes yeux éblouis allant, inlassablement, de l'auteur de *l'Aiglon* à sa divine interprète :

> En ces temps sans beauté, seule encor tu nous restes,
> Sachant descendre, pâle, un grand escalier clair,
> Ceindre un bandeau, porter un lys, brandir un fer,
> Reine de l'attitude et princesse des gestes.
>
> En ces temps sans folie, ardente, tu protestes,
> Tu dis des vers, tu meurs d'amour, ton vol se perd,
> Tu tends des bras de rêve et puis des bras de chair,
> Et quand *Phèdre* paraît, nous sommes tous incestes.
>
> Avide de souffrir, tu t'ajoutes des cœurs,
> Nous avons vu couler, car ils coulent, tes pleurs,
> Toutes les larmes de nos âmes sur tes joues.
>
> Mais aussi tu sais bien, Sarah, que, quelquefois,
> Tu sens furtivement se poser, quand tu joues,
> Les lèvres de Shakespeare aux bagues de tes doigts.

ᴴᴱᴿᴴᴬᴿᴰᵀ 269

*

\* \*

En juin et juillet 1912, Sarah Bernhardt tourna son premier film, — muet naturellement. Le scénario était tiré de la pièce qu'elle venait de jouer sans aucun succès, *La Reine Elisabeth*. Et son partenaire fut, bien entendu, Lou Tellegen dans Essex. On avait eu beaucoup de peine à décider Sarah à tourner. Très rares étaient alors les grands acteurs de théâtre qui fissent aussi du cinéma. Et, quoi que très curieuse de tout ce qui était inédit, original, elle ne croyait guère à l'avenir de cette nouvelle forme de spectacle. Comme d'habitude, c'est parce qu'elle avait besoin d'argent qu'elle se laissa convaincre. La pièce d'Emile Moreau, à grand spectacle, avait été un échec particulièrement coûteux. En douze représentations, elle avait perdu deux cent mille francs. La perspective de les regagner en quelques semaines eut raison de ses préventions contre le cinéma.

Le film *La Reine Elisabeth* fut un énorme succès. Il avait été produit par la compagnie américaine *The Famous Players,* dont le directeur était Adolphe Zukor. Ce fut l'origine de sa fortune.

Par la suite, Sarah Bernhardt parut encore dans trois ou quatre films, l'un tiré de *La Dame aux Camélias* et mis en scène par André Calmettes, un autre tiré de *Jeanne Doré* et un film de guerre intitulé *Mères Françaises*. Mais plus elle tournait, plus elle détestait cela, et il fallait qu'elle fût véritablement harcelée par ses créanciers pour consentir à s'exhiber dans « ces ridicules pantomimes photographiées ».

Sarah Bernhardt se rembarqua pour l'Amérique, avec Lou Tellegen, le 21 novembre 1912. Mais, cette fois, elle n'avait qu'une petite troupe, d'une douzaine de comédiens, car elle ne jouait que des pièces en un acte ou un seul acte de ses grands rôles. Recommençant ce qu'elle avait déjà tenté à Londres, au Coliseum, en septembre 1910, la tournée des Etats-Unis, qu'elle entreprenait cette fois sous la direction de Martin Beck, la faisait apparaître dans des music-halls, en attraction, et pendant une demi-heure ou trois quarts d'heure seulement. Elle jouait un acte de *Théodora,* un acte de *Phèdre,* un acte de *Lucrèce Borgia,* etc... et un drame en un acte que son fils, Maurice Bernhardt, avait écrit en collaboration avec Henri Cain, *Une Nuit de Noël sous la Terreur*. Cette tournée dura six mois et s'acheva à New-York, au Palace Theatre, sur une série de deux semaines qui prit fin le 28 mai 1913.

Ce fut la dernière fois que Sarah Bernhardt parut en scène avec Lou Tellegen. Le lendemain, avec sa troupe, elle prenait le bateau pour la France. Il restait en Amérique, pour y commencer une carrière d'acteur de langue anglaise.

Pendant l'absence de Sarah Bernhardt, son théâtre avait été dirigé momentanément par Lucien Guitry, qui y joua sucessivement *Kismet* d'Edward Knoblauch, adaptation française de Jules Lemaître, puis *Servir,* une magnifique comédie d'Henri Lavedan.

Sarah Bernhardt faisait sa rentrée à Paris le 15 décembre 1913, en créant *Jeanne Doré,* un drame de Tristan Bernard, qui fut un grand succès, et dont le dernier tableau contenait une situation dramatique saisissante.

Pour un meurtre qu'il a commis par amour, le fils de Jeanne Doré a été condamné à mort. La veille de l'exécution, elle obtient la permission de lui parler quelques instants, à travers le judas de la porte de sa cellule. Lorsqu'il entend le petit volet s'ouvrir, le jeune homme qui ne pense qu'à celle qu'il adore, est persuadé que c'est elle qui vient le voir et dans la pénombre, il murmure passionnément son nom. Déchirée. Jeanne se tait et, stoïque, écoute son fils redire son amour à celle qui a fait de lui un criminel et qui l'a déjà oublié.

Je revois encore le visage torturé de Sarah Bernhardt, silencieuse, n'osant pas se nommer, pour que son fils connaisse une dernière joie. C'était prodigieux !

Le rôle du jeune assassin était joué par Raymond Bernard, le second fils de l'auteur, qui est aujourd'hui, au cinéma, l'un des meilleurs metteurs en scène français.

A l'issue de la première représentation, c'est lui qui annonça le nom de son père et au lieu d'employer la formule habituelle : « La pièce que nous avons eu l'honneur d'interpréter devant vous pour la première fois est de M. Tristan Bernard », il dit : « La pièce qui a eu l'honneur d'être interprétée par Mme Sarah Bernhardt est de... »

*Jeanne Doré* fit cent belles représentations. C'est vers la trentième de cette pièce, le 15 janvier 1914, que Sarah Bernhardt fut — enfin !... — décorée de la Légion d'Honneur.

Le 15 mars 1914, elle faisait une dernière reprise de *La Dame aux Camélias,* avec Romuald Joubé dans Armand Duval. Elle joua la pièce un mois, éprouvant, à marcher, des difficultés de plus en plus grandes. L'état de son genou s'était beaucoup aggravé depuis un an, Dans *Jeanne Doré,* déjà, elle bougeait à peine. La mise en scène de la pièce avait été méticuleusement établie pour réduire au minimum le nombre des pas qu'elle devait faire à chaque tableau.

Le 16 avril 1914, elle créait encore une autre pièce nouvelle : *Tout à coup,* une étrange comédie dramatique de Paul et de Guy de Cassagnac, qu'elle jouait avec Dumény et qui était un insuccès total. La pièce fit six représentations. Dès le 23 avril, elle reprenait

*Jeanne Doré* qu'elle joua à Paris jusqu'au 15 mai. Ce furent les dernières fois où Sarah Bernhardt parut sur son théâtre debout, ayant encore ses deux jambes.

Le 10 mai, en matinée, elle avait fait une conférence, pleine de verve, intitulée *Les Trois Hamlet*, au cours de laquelle elle comparait spirituellement les personnages qu'elle avait interprétés dans *L'Aiglon, Lorenzaccio* et *Hamlet,* tous trois à la fois si semblables et si différents.

Le 17 mai, elle partait en tournée en France avec *Jeanne Doré.* La guerre interrompit ses représentations à Lille, près de la frontière de Belgique. Elle revint à Paris le 28 juillet. Le 1er août 1914, la mobilisation générale était affichée. Et c'est ainsi que prenait fin la grande carrière de Sarah Bernhardt, qui avait alors tout près de soixante-dix ans.

Elle ne devait faire une nouvelle création, sur son théâtre, que six ans plus tard, amputée, immobile, vieillie, mais plus acclamée que jamais, au faîte d'une gloire qui, jusqu'à son dernier jour, resta intacte.

# CHAPITRE IX

## DERNIÈRES ANNÉES

Sarah Bernhardt passa à Paris tout le mois d'août 1914, souffrant énormément de son genou et ne sortant, pour ainsi dire, pas de son hôtel du boulevard Péreire. Chaque jour, matin et soir, elle lisait fiévreusement les communiqués officiels, d'abord optimistes, puis réservés, puis de plus en plus inquiétants : successivement, ils avaient dû annoncer l'invasion de la Belgique, puis la retraite de Charleroi, puis l'avance allemande jusqu'à Saint-Quentin, jusqu'à Compiègne...

Le 1er août, la capitale regorgeait de monde. Les hommes mobilisés partaient chaque jour, par dizaines de milliers, mais leurs familles restaient à Paris. Nul ne songeait à passer l'été à la campagne. Mais les armées françaises ayant reculé, dès le 15 août, l'exode commençait. Des trains bondés emmenaient les Parisiens vers Bordeaux et Biarritz, vers Toulouse, vers Marseille et Nice... La pression ennemie s'accentuant, les départs, bientôt, se multipliaient. Par toutes les portes, des autos, des camions, voire des taxis évacuaient Paris que, le 1er septembre, le Président de la République, Raymond Poincaré et le gouvernement, allaient quitter aussi, pour s'installer provisoirement à Bordeaux.

Vers le 25 août, sa famille conseilla à Sarah Bernhardt de partir. Mais elle ne voulait rien entendre. Elle avait passé à Paris toute la guerre de 1870. Elle ne s'en irait pas davantage pendant celle-ci. On insistait, on la suppliait... sa décision restait inébranlable. C'est Georges Clémenceau qui parvint à la faire changer d'avis.

Momentanément éloigné de la politique, il était alors directeur du journal L'Homme Libre (que, pour protester contre les rigueurs de la censure, il nomma bientôt ironiquement L'Homme Enchaîné) et ne fut appelé à la Présidence du Conseil qu'en 1917. Depuis des années, il était l'ami de Sarah Bernhardt, pour laquelle il avait une admiration sans bornes. Par des amis, il apprit sa résolution de rester. Et il avait été prévenu par le service du contre-espionnage français que, si les Allemands s'emparaient de Paris, Sarah Bernhardt figurait sur la liste des otages qui seraient aussitôt pris et envoyés à Berlin. Or, à la fin d'août, nombreux étaient ceux qui croyaient l'occupation de Paris inévitable.

Clémenceau alla voir Sarah Bernhardt et lui communiqua les renseignements que le Deuxième Bureau lui avait fournis. Avait-elle le droit de risquer d'être faite prisonnière? Elle était l'une des plus grandes gloires françaises, peut-être la plus grande. Elle avait un fils, deux petites-filles, et aussi un théâtre qui employait deux cents personnes, acteurs et ouvriers. Pour son personnel, qui ne vivait que grâce à elle, pour les siens, et avant tout, pour son pays, elle avait le devoir de se mettre en sécurité. L'intelligence, l'autorité et les arguments de Clémenceau eurent raison de son entêtement. Elle céda. Et le 31 août, elle partait par la route, dans sa voiture, vers le Sud.

Quelques jours plus tard, elle louait une villa à Andernos, à une quarantaine de kilomètres de Bordeaux et, avec sa famille et quelques intimes, s'y installait pour une durée indéterminée, dans l'attente des événements.

Dès septembre, c'était la victoire de la Marne, le miraculeux redressement du front, les armées allemandes arrêtées, Paris sauvé. Et vers la fin d'octobre. Sarah aurait voulu rentrer. Mais l'état de son genou s'était terriblement aggravé. A présent, le moindre mouvement lui arrachait des cris de douleur. Elle ne pouvait presque plus marcher et plus du tout plier la jambe droite que, bientôt, il fallait mettre dans le plâtre.

Après trois mois d'immobilité complète, aucune amélioration ne s'était produite, au contraire. Lorsqu'on enleva le plâtre, on constata avec effroi que, n'étant plus localisé au genou, le mal gagnait, menaçant l'état général, la vie même de Sarah Bernhardt. Plusieurs consultations eurent lieu, auxquelles prirent part les docteurs Denuce et Arnozan, de Bordeaux et son grand ami, le professeur Pozzi, venu spécialement de Paris. On hésita deux ou trois jours... la décision qui s'imposait était tellement grave!... Et puis, il fallut bien lui dire la vérité: couper sa jambe était nécessaire, inévitable. Sarah Bernhardt accueillit la nouvelle sans broncher. Et comme Pozzi lui demandait ce qu'elle décidait:

— Puisqu'il n'y a pas moyen de faire autrement, répondit-elle, pourquoi prendre mon avis?

On la transporta à Bordeaux, et le 22 février 1915, le docteur Denuce procédait à l'amputation de la jambe droite de Sarah Bernhardt.

Le matin, lorsqu'on vint la chercher pour l'endormir, Maurice Bernhardt, Simone, Lysiane, Louise Abbéma, Georges Clairin, tous, consternés, désespérés, faisaient des efforts inouïs pour ne pas pleurer devant elle. Elle l'avait bien remarqué et c'est en riant et en chantant que Sarah, étendue sur le chariot, les quitta pour être conduite à la salle d'opération. En cet instant si terrible, au moment où, pour toujours ,elle devait renoncer à marcher, cette femme, admirable d'énergie, ne pensait qu'à rassurer, à réconforter ceux qu'elle aimait !

Sa convalescence fut longue. A soixante-et-onze ans, évidemment, elle ne pouvait supporter que difficilement une opération aussi grave. Ce n'est qu'au bout de deux grands mois qu'on fut certain qu'elle résisterait. Cinq ou six mois plus tard, résignée à ne plus faire un pas, accoutumée à « sa chaise », elle commençait déjà à faire des projets.

Sans doute, elle aurait dû se reposer quelque temps encore, mais elle ne pouvait pas se le permettre. Comme toujours, Sarah Bernhardt avait besoin d'argent. Non plus pour régler mille dépenses extravagantes. A son âge, pendant la guerre, et depuis son opération, elle avait considérablement réduit son train de vie. Pourtant, elle avait toujours son hôtel à Paris, son château à Belle-Isle, et sept ou huit personnes attachées à son service. Il fallait nourrir tout ce monde et faire face à tous ces frais : il fallait travailler.

*<br>* *

Un matin de 1922, à Belle-Isle, Sarah Bernhardt, pour s'amuser, a fait avec moi un compte approximatif de ce qu'elle avait gagné au cours de son existence. Elle estima le total à plus de quarante-cinq millions de francs-or, soit neuf millions de dollars et au cours de 1939, environ quatre cent cinquante millions de francs-papier.

Et en 1915, après son opération, elle vivait de la vente de ses bijoux et d'emprunts !... Chaque mois, il lui passait toujours vingt ou vingt-cinq mille francs par les mains, mais elle ne possédait pas dix mille francs à elle !... Imprévoyance tragique, mais qu'on peut aussi juger admirable. Toute sa vie, elle avait eu en son génie, en sa puissance de travail et aussi en son étoile, une telle confiance que jamais elle n'avait pensé à économiser. D'ailleurs, y serait-elle jamais parvenue ?... Quarante ans de faste et de prodigalité et tant de coûteux échecs sur ses deux théâtres, lui avaient toujours interdit de se soucier du lendemain.

Au début de la Guerre, après cinq ou six mois de fermeture, la plupart des théâtres de Paris rouvrirent, un par un, entre décembre 1914 et mai 1915. Le Théâtre Sarah Bernhardt rouvrit le 1er avril, avec *La Dame aux Camélias,* jouée par Blanche Dufrène.

Puis ce fut une pièce nouvelle, « d'actualité », d'Auguste Villeroy. *La Vierge de Lutèce,* qui ne réussit guère. Deux reprises, *Le Bossu,* l'inépuisable drame de Paul Féval, avec Romuald Joubé et *L'Aiglon,* joué pour la première fois, par Mary Marquet, furent meilleures.

Rentrée à Paris en octobre 1915, Sarah, d'abord, voulait, dans toute la mesure de ses moyens, se dévouer à ceux qui se battaient là-bas... D'accord avec son fils et Ullmann qui, maintenant, étaient, en nom et en fait, directeurs de son théâtre, elle composa un spectacle, monté pour quelques matinées seulement et dont les recettes seraient intégralement versées à la caisse d'un comité d'assistance.

Ce spectacle comprenait un acte de Joseph Schwoebel, *L'Enfant Vainqueur,* une pièce en un acte de Maurice Donnay, *L'Impromptu du Paquetage,* que jouait Jeanne Granier et une sorte de long tableau dialogué, en vers, d'Eugène Morand, *Les Cathédrales.* Ce « poème scénique » faisait parler les principales cathédrales de France : Reims, Bourges, Arles, Amiens, etc... Sarah Bernhardt représentait Strasbourg et Mary Marquet figurait Notre-Dame, la cathédrale de Paris.

C'est certainement l'œuvre de guerre à laquelle étaient destinées les recettes, qui intéressa quelques centaines de spectateurs, plutôt que l'œuvre d'Eugène Morand, d'un patriotisme certain, mais d'un intérêt contestable. Seule, la gravité des temps fit accueillir avec courtoisie cette allégorie un peu puérile.

Durant les mois qui suivirent, le Théâtre Sarah Bernhardt reprenait *Le Chemineau* de Jean Richepin, *La Tour de Nesle* d'Alexandre Dumas père et *La Dame aux Camélias* qui, en 1916, était jouée, pour la première fois, par Madeleine Lély. Cependant, Sarah Bernhardt tournait un film d'actualité, *Mères Françaises,* dans lequel on la voyait sur le front, en infirmière.

Puis, au printemps de 1916, elle se rendait réellement au front et à plusieurs reprises, figura dans certains programmes du Théâtre aux Armées. Tour à tour dans le Nord, en Champagne, dans les Vosges, elle disait des vers pour les poilus, qui, sachant son opération et la voyant désormais condamnée à cette tragique immobilité, acclamaient, plus que jamais, son courage et son indomptable énergie.

Durant la guerre, l'un des poèmes que, soit au front, soit à Paris, Sarah Bernhardt récitait le plus souvent, était *La Vitre* d'Edmond Rostand, qui a paru dans un recueil intitulé *Le Vol de la Marseillaise.* L'idée est superbe. La mobilisation a surpris un paysan dans son village des Basses-Pyrénées, tout près de la frontière d'Espagne. Il part en rechignant. Pourquoi me dérange-

t-on pour aller faire la guerre là-haut ? pense-t-il. Moi, Basque, je
me soucie peu de la défense des Ardennes. Il monte dans le train
et par la vitre du compartiment, il voit défiler sous ses yeux, du
Sud au Nord, toute la France, que Rostand décrit avec une
sublime éloquence. Alors le paysan comprend pourquoi il va se
battre : ce pays-là mérite qu'on aille se faire tuer pour lui. Et
terminant son récit, il murmure :

> Et je vois encor le visage
> Qu'auprès de moi fit un dragon,
> Quand je baisai le paysage
> À la vitre de mon wagon.

Sarah Bernhardt disait cet admirable poème d'une façon prodigieuse. On ne pouvait pas l'entendre sans pleurer.

Mais, si elle se dévouait ainsi de tout son cœur, prêtant son
concours à d'innombrables manifestations charitables, Sarah
Bernhardt n'avait pas les moyens de se limiter aux seuls galas de
bienfaisance. Son film terminé, elle devait continuer à gagner
sa vie.

A soixante-douze ans, amputée d'une jambe, toujours portée,
et sa santé devenue beaucoup plus fragile, évidemment elle eût
préféré ne pas quitter l'Europe, mais qu'y faire ? Dix pays étaient
en guerre. D'autre part, un cinquième de la France était envahi.
Et dans la partie restée libre, peut-être y avait-il, en dehors de
Paris, trois ou quatre villes, Lyon, Marseille, Nice, Toulouse,
possédant un grand music-hall, où elle pourrait passer « en
numéro », la seule façon de paraître en scène qu'elle pensait lui
être désormais permise.

Alors de nouveau, elle dut partir pour l'Amérique et s'embarqua le 30 septembre 1916. Elle devait rester absente un an et
demi. Une toute petite troupe l'entourait, dix acteurs seulement :
Jean Angelo, (le fils de celui qui, durant sa première tournée, en
1880, jouait les principaux rôles de son répertoire) Deneubourg,
Favières, Gervais, Glass et Hubert, Mmes Jane Méa, Caubet,
Baujault et Pelisse. Il ne lui en fallait pas plus pour jouer son
répertoire, qui se composait d'une dizaine d'actes, chacun ne com-
portant que cinq ou six personnages.

Parmi ces pièces en un acte, il y en avait deux de son fils,
Maurice Bernhardt, *La Mort de Cléopâtre,* en collaboration avec
Henri Cain et *Hécube,* en collaboration avec René Chavance, et
une autre que Sarah Bernhardt avait écrite elle-même, *L'Holo-
causte.* C'était encore *Du Théâtre au Champ d'Honneur,* un acte
d'un jeune écrivain combattant inconnu, *Vitrail* de René Fauchois,

*L'Etoile dans La Nuit* d'Henri Cain et *Le Faux Modèle* d'Edouard Daurelly.

Elle jouait également le 3ᵉ acte du *Procès de Jeanne D'Arc*, le 5ᵉ acte de *La Dame aux Camélias*, le 6ᵉ acte de *L'Aiglon* et la scène du tribunal du *Marchand de Venise*, de Shakespeare. Au cours de cette dernière tournée, dont le manager était Charles Frohmann, et comme elle l'avait déjà fait en Amérique en 1912-13, Sarah Bernhardt parut « en attraction », dans les music-halls de toutes les grandes villes des Etats-Unis, et joua à trois reprises différentes, à New-York: du 4 au 23 décembre 1916 à l'Empire Theatre, du 1ᵉʳ au 13 septembre 1917 au Knickerbocker, et du 17 au 31 décembre au Palace. En janvier 1918, pour faire ses adieux, irrévocables cette fois, à tous les publics américains, elle joua aussi dans d'autres établissements, en dehors de Broadway, notamment au Keith Riverside Theatre.

*
* *

Sarah Bernhardt rentra en France fatiguée et assez découragée. Non que cette tournée eût été mauvaise. Toujours l'Amérique l'accueillit avec enthousiasme. Mais elle sentait bien à quel point les conditions si défavorables dans lesquelles elle apparaissait maintenant, décevaient le public. D'abord, son répertoire était bien médiocre. Ces petites pièces en un acte, plus ou moins adroitement bâclées par des auteurs dont les bonnes intentions étaient plus manifestes que l'ingéniosité, ne pouvaient satisfaire la glorieuse interprète de tant de chefs-d'œuvre et devaient affliger ses admirateurs.

Et peut-être lui semblait-il plus attristant encore de jouer seulement le dernier acte de *La Dame aux Camélias*, en sachant que les quatre premiers lui étaient désormais interdits, ou la mort de *L'Aiglon*, tableau magnifique, mais épilogue d'une pièce en six actes. Lorsqu'elle le jouait seul, ses regrets s'avivaient davantage d'avoir dû renoncer au reste du rôle.

Sans doute, au cours de sa carrière, depuis longtemps elle avait pris l'habitude de jouer un seul acte d'une grande pièce — dès la soirée d'inauguration des spectacles de la Comédie-Française à Londres, en 1879 — mais alors, ceci ne résultait que de sa fantaisie, ou de la composition d'un programme exceptionnel. Et elle savait que le lendemain, si elle le voulait, elle pourrait rejouer la pièce intégrale. On admet volontiers d'être privé d'un être cher, si, à tout moment, on peut le rappeler ou le rejoindre. Ce qui est déchirant, c'est la séparation définitive, irrémédiable. C'était là, à peu près, ce qu'elle ressentait maintenant: Elle continuait à vivre, alors que Floria Tosca, Adrienne Lecouvreur et Fédora étaient mortes pour elle. Le 22 février 1915, le jour où elle avait été opérée dans cette clinique de Bordeaux, on l'avait, à tout jamais, séparée de ces héroïnes tant aimées, pour lesquelles, en somme, elle vivait et qu'elle avait si longtemps fait vivre. N'avait-elle pas joué certains personnages, tels *Phèdre* et *Andromaque,* pendant quarante ans ?

Certes, bien d'autres actrices ont quitté le théâtre longtemps avant de mourir, ce qui est aussi bien mélancolique. D'autres, en raison de leur âge, ont dû, un jour, changer d'emploi et abandonner définitivement des rôles qu'elles avaient créés trente ou quarante ans plus tôt. Mais, si d'autres personnages se substituaient aux anciens, du moins leur importance et leur qualité pouvaient-elles rester les mêmes. Lorsqu'en 1909, Blanche Pierson créait, à la Comédie-Française, Mlle de Saint-Salbi dans *Sire,* de Henri Lavedan, elle brillait du même éclat que lorsque, trente-cinq ans plus tôt, elle créait au Vaudeville la *Dora* de Victorien Sardou. L'une était une jeune femme, l'autre une douairière aux cheveux blancs. Mais les deux rôles servaient l'actrice tout aussi bien. Dans une pièce comme dans l'autre, on la voyait d'un bout à l'autre de la soirée, elle était le personnage principal. Ses deux auteurs étaient également illustres. L'âge ne lui apportait aucune déchéance, ne l'avait contrainte à aucun renoncement.

Quelle différence avec Sarah Bernhardt qui, pendant près d'un demi-siècle, avait incarné les grandes héroïnes des œuvres les plus marquantes du répertoire français et qui, tout à coup, devait se contenter de petits drames de vingt minutes, signés de noms obscurs ! Encore était-elle bien heureuse de les trouver, car des pièces, même en un acte, dont un personnage peut, d'un bout à l'autre, rester strictement immobile, ne sont pas fréquentes. Elle jouait ce qu'on lui apportait, ce qu'elle pouvait adapter à ses moyens physiques. Ah ! Comme ses auteurs habituels s'étaient montrés oublieux et ingrats !....

Lorsqu'elle revint d'Amérique, en 1918, il y avait déjà plus de trois ans qu'elle avait été opérée et aucun n'avait pensé à écrire pour elle une pièce en trois ou quatre actes, qu'elle pourrait jouer sans devoir faire un pas !...

J'ai raconté, au premier chapitre de ce livre comment, dégoûtée de ces petits sketches si étrangement indignes d'elle et ne possédant aucune œuvre nouvelle spécialement écrite à son intention, elle avait dû jouer *Athalie,* sans joie et surtout, sans grand profit, car, si elle y fut purement admirable évidemment cette tragédie particulièrement austère ne pouvait fournir que quelques représentations.

Reprise en avril 1920, *Athalie* fut donc la première des quatre pièces importantes — j'entends : emplissant une soirée — que Sarah Bernhardt joua immobile. Ces quatre pièces, *Athalie, Daniel, La Gloire* et *Régine Armand* constituèrent exclusivement le répertoire de ses trois dernières années. Et ce furent aussi les quatre seules grandes pièces qu'elle joua depuis le début de la Guerre jusqu'à sa mort, c'est-à-dire de 1914 à 1923.

Mais, si, chronologiquement, *Athalie* doit être d'abord nommée, c'est seulement *Daniel* qui marqua véritablement sa rentrée au théâtre.

\*
\* \*

En effet, depuis ses dernières représentations dans *Jeanne Doré*, en mai 1914, *Les Cathédrales* en 1915, n'avaient fourni que quelques matinées isolées et à une époque où les esprits étaient bien loin du théâtre, à l'Alhambra, *Vitrail*, en 1919, n'avait été joué que quatorze jours et *Athalie* fut seulement un spectacle de matinées classiques.

*Daniel* marquait donc la reprise de ses représentations régulières. Comme de coutume, il en fut donné d'abord une répétition générale, puis une première de gala et la pièce fut ensuite jouée en série, tous les soirs et le dimanche en matinée. Il y avait plus de six ans, soixante-dix-neuf mois exactement, que Sarah Bernhardt n'avait pas paru devant le « Tout-Paris des Premières ». Sa dernière répétition générale avait été celle de *Tout-à-Coup,* le 16 avril 1914, et *Daniel* fut créé le 9 novembre 1920.

C'est pourquoi cette première fut tellement sensationnelle. J'hésite d'autant moins à dire qu'elle constitua un véritable événement, que je sais bien que ma pièce n'était absolument pour rien dans la curiosité, dans l'attente fiévreuse que, pendant quelques jours, provoqua l'annonce de la rentrée de Sarah Bernhardt.

Lorsqu'après l'avoir vue dans *Vitrail,* j'avais résolu de tenter d'écrire une pièce pour elle, c'est la question du rôle qui s'était d'abord posée. Non seulement Sarah Bernhardt ne pouvait pas marcher, mais elle avait soixante-seize ans. Comment, sous quel aspect la présenter ?

Elle pouvait encore, avec vraisemblance, figurer une femme de soixante à soixante-cinq ans, mais pas plus jeune. Si elle jouait un personnage féminin, je devrais donc écrire pour elle un rôle de mère, comme *Jeanne Doré*. C'était facile et c'est ce que j'ai fait dans *Régine Armand*. Mais pour sa rentrée, c'était dommage.

Je me rappelais sa miraculeuse jeunesse dans *La Beffa*, dont la création n'était pas si lointaine. Je me rappelais aussi combien elle ravissait le public, lorsqu'elle jouait des scènes d'amour. Plutôt que de la faire apparaître sous les traits d'une aïeule, de souligner ainsi son âge et sa renonciation, ne serait-il pas plus habile de la restituer à ses admirateurs telle qu'ils l'avaient si longtemps acclamée, c'est-à-dire toujours aimante et passionnée?

Bref, j'acquis la conviction que dans ma pièce, il fallait qu'elle fut jeune et qu'elle aimât. Mais comment concilier cela avec son âge et son infirmité?... C'est ainsi que je vis la nécessité de lui offrir un rôle masculin. A propos des interprètes de *L'Aiglon*, j'ai fait remarquer qu'à âge égal, au théâtre, un homme est toujours plus marqué qu'une femme. Elle ne pouvait plus jouer une femme de trente ans, alors qu'elle pouvait jouer un homme de trente ans.

Et puis, sauf Chérubin en 1873 et *Werther* en 1903, toujours les travestis avaient été pour elle de grands succès. Depuis Zanetto du *Passant*, jusqu'au Prince Charmant de *La Belle au Bois Dormant*, elle avait triomphé dans *Lorenzaccio*, *Gringoire*, *Hamlet*, *L'Aiglon*, *Pelléas*, *Les Bouffons* et combien d'autres!... Une sorte de superstition me fit croire qu'en lui faisant jouer, à nouveau, un rôle d'homme, je m'assurais, d'avance, la réussite.

Si cet homme était malade au point de ne pouvoir bouger de son fauteuil, d'un coup je justifiais à la fois l'immobilité forcée de Sarah et son visage outragé par les ans. Et si, grelottant de fièvre, son personnage devait garder constamment une couverture sur ses jambes, son infirmité était définitivement dissimulée.

Je pensais aussi qu'il n'était pas possible de faire admettre au public un personnage qui ne bougerait absolument pas pendant toute la soirée. D'autre part, l'âge de Sarah Bernhardt et sa résistance, maintenant moins grande, me conseillaient la prudence. Il ne fallait ni la fatiguer, ni fatiguer les spectateurs par son immobilité constante. Je jugeai donc que je ne devais la faire apparaître qu'à deux actes sur quatre, les deux derniers naturellement. Je pouvais ainsi l'annoncer, la faire désirer, bref préparer son entrée pendant plus d'une heure, et c'est sur les deux actes qu'elle jouerait que s'achèverait la soirée et que le public quitterait le théâtre.

Telles étaient les données du problème : construire une pièce en quatre actes, autour d'un personnage central qui devait être le seul héros de l'histoire, dont on parlerait constamment dès le début, mais qui n'apparaîtrait qu'aux troisième et quatrième actes et qui ne pouvait jamais ni entrer ni sortir, c'est-à-dire qu'il devait, obligatoirement, être sur le théâtre du lever au baisser du rideau de chacun de ces deux actes, lesquels, par conséquent, ne pouvaient contenir aucune scène dont il ne fut pas.

Soumis à ces contraintes impérieuses qui, évidemment, ne simplifiaient pas ma tâche, voici quel était le sujet de *Daniel* :

Deux frères, Albert et Daniel Arnault, s'adorent. Ils ont respectivement 40 et 30 ans. Deux ans plus tôt, ils ont fait, ensemble, la connaissance d'une jeune fille, Geneviève et ensemble, mais à l'insu l'un de l'autre, ils sont tombés amoureux d'elle. Daniel est désœuvré et pauvre. Albert est le puissant directeur d'une importante usine d'automobiles. Et Geneviève était sans fortune, ayant, en outre, sa mère et sa sœur à sa charge. Sans un mot, Daniel s'est effacé et Albert a épousé Geneviève.

Personne ne voit plus Daniel. Il adorait la jeune fille. Son chagrin a été tel qu'il s'est enfermé chez lui et ne sort jamais, fumant l'opium pour tâcher d'oublier... Sa santé s'altère. Depuis deux ans, il a vieilli de vingt ans.

Geneviève n'est pas heureuse avec Albert, qui est un homme très bon, mais uniquement préoccupé de ses affaires. Se sentant seule, moralement abandonnée, elle se réfugie dans l'amour qu'avait depuis longtemps pour elle, Maurice Granger, un ami des frères Arnault.

Albert a des soupçons qui, bientôt, se précisent : sa femme a un amant. Mais est-ce bien Granger ? S'il en acquiert la preuve, il le tuera. Et pour tâcher d'avoir cette certitude, il va chez Daniel, qui voit souvent Granger, qui sait peut-être...

Daniel, en effet, a connu la liaison de Geneviève et de Maurice, et d'abord, il en a été révolté, meurtri. Mais Geneviève vient le voir et lui explique sa faute, la justifie. En s'effaçant si généreusement, jadis, Daniel n'a pas fait son bonheur. Elle souffre auprès d'Albert, alors qu'elle éprouve pour Granger un amour immense. Elle est résolue à lui consacrer sa vie.

Daniel l'écoute, bouleversé. Son parti est pris. Il se sacrifiera une fois de plus. Il sauvera les deux amants. Et quand Albert l'interroge, au lieu de lui nommer Granger, comme il voulait le faire, il ment. Il utilise certains indices, qui semblent confirmer ses aveux, quelques visites que Geneviève lui a faites... Bref, il s'accuse et confesse à Albert que l'amant de Geneviève, c'est lui, Daniel !... Fou de rage, Albert va pour l'étrangler, mais il ne peut pas... C'est presqu'un mourant et surtout, c'est son frère. Daniel détourne ainsi les soupçons d'Albert. Maurice et Geneviève peuvent s'enfuir.

Quelques semaines plus tard, Daniel est au plus mal. Albert revient et lui pardonne son mensonge. Daniel prie son frère de lui relire à haute voix une lettre de Geneviève qu'il vient de recevoir. Elle demande pardon à Albert et elle remercie Daniel. Grâce à lui, elle est enfin heureuse. Daniel écoute, apaisé. Maintenant, il peut mourir...

*
* *

Le matin de la répétition générale, Georges Casella, qui était alors directeur du journal *Comoedia*, un quotidien exclusivement consacré au théâtre, avait publié, en première page, un article signé de lui, et à peu près ainsi conçu :

« A mes confrères, les journalistes de Paris,

« Au public des répétitions générales :

« On nous accuse souvent de manquer de courtoisie envers les auteurs et les artistes. On nous reproche d'arriver au théâtre en retard, de partir avant la fin du spectacle, de venir aux galas en veston, bref, de rester toujours et uniquement des professionnels, qui assistent aux plus belles soirées d'art comme des employés vont à leur bureau. Une occasion s'offre à nous de combattre cette légende. Après plus de six ans de retraite et malgré tout ce qui pourrait la détourner de la scène, la plus grande artiste du monde fait sa rentrée à son théâtre et créera, ce soir, une pièce nouvelle. Remercions-la de son courage et exprimons-lui notre affectueuse admiration. Je vous le demande à tous, mes confrères, mes amis : qu'aucun de nous n'aille voir *Daniel,* ce soir, sans apporter, au moins, une fleur pour Sarah Bernhardt. »

L'appel fut entendu, plus qu'on aurait pu le croire.

Le soir, deux mille personnes se pressaient dans la salle du Théâtre Sarah Bernhardt. Il y avait douze spectateurs dans les loges de six places et trente personnes debout dans chaque entrée.

Les deux premiers actes, chez Albert Arnault, d'abord à Saint-Germain, puis à Paris, furent applaudis. Mais l'impatience du public était visible. Quand allait-on voir Sarah Bernhardt ? Et surtout, comment apparaîtrait-elle ? On savait son opération. On savait qu'elle ne marchait plus jamais. De quelle façon l'auteur allait-il la présenter ?

Enfin, vers onze heures moins le quart, le rideau se leva sur le troisième acte, chez *Daniel.* Le décor, splendide, représentait un atelier-salon, de couleur sombre et faiblement éclairé. Et au milieu de la scène, Sarah Bernhardt était seule.

Daniel était assis dans un grand fauteuil et lisait, à la lueur d'une lampe posée sur une table, tout près de lui. Sarah Bernhardt était vêtue d'une longue robe de chambre de velours grenat, par-dessus une chemise blanche à col souple et une cravate de satin noire. Elle portait une perruque châtain foncé, avec une raie à gauche. En plus moderne, sa composition rappelait celle du poète de la *Nuit de Mai,* qu'elle avait incarné un soir, onze ans plus tôt, à la Comédie-Française.

A son apparition, ce fut un enthousiasme indescriptible. Les applaudissements, les acclamations, les cris : « Sarah !... Sarah !... » durèrent plus de dix minutes. Sept ou huit fois, elle dut se lever et saluer. Avec une grâce infinie, elle prenait, d'une main, la couverture posée sur ses genoux et, la laissant pendre adroitement devant elle, se dressait, debout sur son unique jambe, s'appuyant de la main droite à la table et de la main gauche, au bras du fauteuil. Et le geste était tellement naturel, le mouvement si simple, son sourire si radieux que, même du premier rang, nul ne pouvait soupçonner qu'elle fournissait un effort énorme, en se tenant, ainsi, en équilibre, sur un pied, et en s'arc-boutant sur ses deux bras raidis.

Les applaudissements ayant enfin cessé, elle put jouer le troisième acte. Aux premiers mots qu'elle prononça, lorsqu'après si longtemps, Paris réentendit enfin la voix d'or, un frisson parcourut toute la salle. Un silence religieux régnait. L'assistance semblait fascinée.

A deux reprises, au cours de l'acte, elle répétait un vers, le premier d'une chanson que Daniel a composée jadis :

« Et puis, par un beau soir, une femme a passé... »

Ce n'était rien. Mais elle y mettait une telle intensité, une telle douleur, que son amour éperdu pour Geneviève, sa vie brisée du jour de leur rencontre, la résignation déchirante de Daniel, tout se sentait dans ces douze syllabes banales. Les deux fois, la salle éclata en applaudissements. D'ailleurs, vingt, trente répliques firent applaudir Sarah Bernhardt. L'acte, qui devait durer trois quarts d'heure, dura près d'une heure, tant ses effets furent fréquents et prolongés. Et puis, Geneviève étant sortie pour la dernière fois, Daniel restait seul et le rideau tomba, pour se relever aussitôt.

Alors, de toutes les places du théâtre, du premier rang d'orchestre, jusqu'au dernier rang des galeries, une véritable pluie de bouquets et de gerbes s'abattit sur la scène. En trois minutes, le salon de Daniel ressemblait à un immense parterre. Tout autour de Sarah, il y avait des montagnes de fleurs. Cependant que, trépignant, hurlant, toute la salle, debout, acclamait Sarah Bernhardt, la rappelant encore, encore et toujours...

Il fallut dix minutes pour déblayer la scène et enlever les bouquets. Tous les machinistes avaient dû s'y mettre. Derrière le décor, le tas de fleurs était plus large et plus haut qu'une meule de foin.

Le quatrième acte durait un quart d'heure. Sarah Bernhardt joua la mort de Daniel à miracle. Et à la fin de la pièce, pendant un quart d'heure encore, ce furent d'interminables ovations. Personne ne songeait à partir. De 1904 à 1922, j'ai assisté à bien des représentations inoubliables de Sarah Bernhardt. Je ne crois pas qu'il y en eût beaucoup qui puissent se comparer au triomphe qu'obtint, non pas *Daniel,* mais Sarah dans *Daniel.*

Autour d'elle, d'ailleurs, la pièce était remarquablement jouée. Arquillière représentait exactement l'Albert Arnault que j'avais rêvé : large, robuste, violent et bon. Yonnel réalisait bien le doux et romantique Granger. Mauloy était tout à fait supérieur dans un rôle de docteur, confident ironique et indulgent et Marcelle Géniat fut une Geneviève sensible, douloureuse, passionnée et très belle, qui justifiait l'amour que trois hommes avaient pour elle.

*
* *

Sarah Bernhardt aimait beaucoup Marcelle Géniat, l'actrice et la femme. Elle l'appelait « ma petite fleur ». Cette affection me permit d'aplanir un incident qui eut lieu quelques jours après la première de *Daniel.*

Vers la dixième représentation, un matin, Marcelle Géniat me téléphone. Elle avait pris froid, avait beaucoup de fièvre et presque aphone, ne pouvait pas jouer le soir. J'appelle aussitôt Ullmann, qui m'apprend que la doublure ne savait pas encore le rôle et ne serait prête que la semaine suivante. Et il y avait dix-huit mille francs de location. (Les prix des places ayant été augmentés depuis la Guerre, la recette maxima du Théâtre Sarah Bernhardt était alors de vingt mille francs). Si peu de temps après la rentrée de Sarah Bernhardt, faire relâche et rembourser eût été une catastrophe.

Heureusement, la pièce avait été montée à Bruxelles, au Théâtre du Parc, deux jours après qu'elle avait été créée à Paris. Et je croyais me rappeler que ses représentations devaient durer une semaine. Je m'informe. En effet, après la série prévue, les acteurs qui étaient allés jouer *Daniel* à Bruxelles, venaient de rentrer à Paris et parmi eux, l'interprète du rôle de Geneviève, une actrice fort belle et pleine de talent, nommée Nelly Cormon.

D'accord avec Ullmann, je cours chez elle et la supplie de jouer le soir. Ses conditions seront les nôtres. Très gentiment, elle me répond :

— En principe, ma situation, au théâtre, ne me permettrait pas de « doubler » ma camarade Géniat. Mais il s'agit de Mme Sarah Bernhardt. Vous pouvez compter sur moi. Je jouerai jusqu'à ce que la créatrice du rôle soit rétablie. Et, rendant un service, je ne veux pas être payée. Ce qui me ferait plaisir, c'est une photo dédicacée de Mme Sarah Bernhardt.

Je remercie Nelly Cormon avec effusion, je lui promets qu'elle aura sa photo et je téléphone au théâtre que tout va bien.

L'après-midi, je lui fais répéter son rôle et m'attardant, avec un soin particulier, sur le troisième acte, je lui indique minutieusement tout ce que fait Sarah Bernhardt, les « temps », les moindres jeux de scène. Elle n'avait, d'ailleurs, avec elle qu'une longue scène et une autre, très courte. Elle savait son texte à la lettre. Tout devait se passer le mieux du monde.

Mais le soir, très émue, sans doute, de jouer pour la première fois de sa vie avec Sarah Bernhardt, Nelly Cormon se trouble un peu. Au cours de sa grande scène, Geneviève s'agenouillait devant Daniel, le suppliant de la sauver, et dans son angoisse, lui prenait les mains, qu'elle couvrait de larmes et de baisers. Ayant mal repéré ses distances, voilà que Nelly Cormon tombe à genoux exactement sur le pied de Sarah Bernhardt, qui fait une grimace de douleur, puis, nerveuse à l'excès, elle lui serre la main avec une telle force que Sarah ne peut se retenir de pousser un léger cri.

De la loge du pompier, je regardais jouer l'acte. Je vois ce qui se passe, le regard courroucé de Sarah. Je prévois qu'à l'entr'acte il y aura de l'orage !...

Ce fut une tempête. Hors d'elle, Sarah Bernhardt criait :

— Qu'est-ce que vous m'avez donné là pour jouer avec moi ?... Ce n'est pas une femme, c'est une tortionnaire... un bourreau !... Elle m'a broyé la main, réduit le pied en bouillie !... Je ne veux plus la voir. Je ne veux plus en entendre parler. Tant que Géniat ne sera pas là, je ne jouerai plus !...

Heureusement, Geneviève Arnault ne paraissait pas au quatrième acte. La soirée s'acheva sans autre incident, Et le lendemain, Géniat, qui s'était énergiquement soignée, pouvait reprendre son rôle.

Restait la photo !... La photo dédicacée de Sarah Bernhardt, que j'avais promise à Nelly Cormon et qu'il fallait lui donner. Avec une extrême bonne grâce et refusant de toucher un cachet, elle nous avait sauvé vingt mille francs de recettes. Je devais tenir ma promesse. Et d'autre part, je savais bien que, si je demandais à Sarah de signer pour elle un de ses portraits, elle se répandrait en invectives sur son compte et m'enverrait moi-même au diable.

Alors, je remis à Géniat une photo représentant Sarah Bernhardt dans le rôle de Daniel, et je lui fis la leçon. Après tout, c'était son indisposition, involontaire mais bien malencontreuse, qui nous avait mis dans l'embarras. Elle pouvait bien m'aider à arranger les choses. Géniat était la plus exquise des amies. Elle en convint, et le soir, allant saluer Sarah Bernhardt dans sa loge, avant la représentation, elle lui dit :

— Madame, j'ai déjà plusieurs photos de vous, mais je voudrais garder un souvenir de cette pièce, que je resterai si fière d'avoir jouée avec vous. Auriez-vous la bonté de me dédicacer ce portrait ? Mais pas à moi, Géniat. Au nom que vous me donnez si tendrement en scène, tous les soirs, à la Geneviève que vous aimez dans la pièce, lorsque vous êtes le Daniel que représente ce portrait ?...

La ruse était un peu grosse. Elle réussit tout de même. Ravie de voir Géniat revenue, Sarah Bernhardt prit son stylo et pensant avec fureur à sa brutale remplaçante d'un soir, écrivit rageusement :

« A la parfaite, la douce, l'irremplaçable Geneviève Arnault
en affectueux souvenir de
SARAH BERNHARDT. »

Comme il était convenu, Géniat m'apporta la photo signée, mais en soupirant :

— Une pareille dédicace !... Ça me fait mal au cœur de m'en séparer !

Elle me la rendit tout de même et j'allai la porter, chez elle, à Nelly Cormon. Celle-ci lut les deux lignes écrites par Sarah Bernhardt et confuse, rougissante, s'exclama :

— Je savais bien que dans le rôle, j'avais plu à Madame Sarah, mais je n'aurais pas cru que c'était à ce point ! Ce qu'elle a écrit là est trop gentil pour moi. Par exemple, ce n'est pas très aimable pour la créatrice. Je tâcherai que Géniat ne voie jamais cette photo, ça lui ferait de la peine !...

\*
\* \*

Trois semaines après la première de *Daniel,* Sarah Bernhardt créa encore un rôle, ou plus exactement une scène, dans une petite pièce en deux actes, qui ne fut représentée qu'une seule fois, au Théâtre Sarah Bernhardt, l'après-midi du 4 décembre 1920, pour la représentation de retraite de Georges Noblet, un délicieux comédien du boulevard, qui avait quitté le théâtre depuis quelques années déjà.

Pour cette matinée, Sacha Guitry avait écrit spécialement une comédie en deux actes intitulée *Comment on écrit l'Histoire,* qui fut interprétée par Sarah Bernhardt, Lucien Guitry, Sacha Guitry, Yvonne Printemps et Noblet.

Par la suite, l'auteur transforma cette petite pièce en une opérette en quatre actes, musique d'Oscar Strauss, intitulée *Mariette.* Elle fut créée au Théâtre Edouard VII en octobre 1928.

Le 1er acte de *Comment on écrit l'Histoire* se passait en 1851. Yvonne Printemps jouait le rôle de Mariette jeune. Au 2e acte, qui se passait de nos jours, Sarah Bernhardt était la même Mariette,

soixante-dix ans plus tard. Dans l'opérette, c'est Yvonne Printemps
qui apparut sous les deux aspects du personnage.

\*

\*   \*

Le 4 avril, après avoir joué *Daniel*, pendant trois mois, à
Paris, Sarah Bernhardt allait donner la pièce, pendant deux
semaines, à Londres, au Princes Theatre.
Pendant son séjour, le Club des Artistes dramatiques anglais
organisa une grande manifestation en son honneur. Ce ne fut pas
tout à fait l'habituelle « Journée Sarah Bernhardt », mais quelque
chose qui y ressemblait.

Un après-midi, toutes les personnalités du théâtre, des lettres,
de la politique et de la « société » furent conviées à venir lui
présenter leurs respects, et l'hommage de leur admiration. L'intérêt
de cette cérémonie était de réunir le plus grand nombre possible
de célébrités autour de la plus grande célébrité du monde. De fait,
il était difficile d'imaginer plus brillante assistance. Tous les noms
les plus connus du Royaume-Uni furent successivement annoncés.
Sarah Bernhardt comptait voir cinq cents personnes. Il y en eut
deux mille.

Vers deux heures et demie, elle avait pris place sur un grand
fauteuil, au milieu de la scène du Princes. Ceux qui venaient la
saluer étaient debout, à l'orchestre, attendant leur tour. La salle
et la scène étaient réunies par deux petits escaliers. Par celui qui
était à l'extrême-droite, la procession montait sur le plateau. Par
celui qui était à l'extrême-gauche, elle redescendait. On eût dit un
défilé à la sacristie ou une présentation à la Cour !...
Auprès de Sarah, se tenait le Président du Club, — je crois
bien que c'était Gérald du Maurier — qui lui nommait, un à un,
ceux qui s'inclinaient devant elle. Arquillière, Marcelle Géniat et
moi nous tenions debout derrière son fauteuil. Pendant une heure,
tout alla bien. A la cadence de quatre ou cinq personnes à la
minute environ, les notabilités londoniennes défilaient. Sarah
souriait : « *Delighted !... You are charming !... Thank you !...* »
Au bout d'une heure et demie, elle me dit tout bas : « J'en ai
assez. Qu'on m'apporte ma chaise !... » Je la suppliai de rester
encore un peu. Au bout de deux heures, elle murmura : « Ma
chaise. ou j'ai une crise de nerfs !... » Je m'approchai alors de l'un
des organisateurs et lui dis que Mme Sarah Bernhardt se sentait
fatiguée et voulait se retirer. Il sursauta : « Impossible !... A peine la
moitié des assistants lui ont été présentés. » Sarah entendit cette
réponse et dit simplement : « Bon. » Deux minutes plus tard, elle
perdait connaissance, avec une telle perfection qu'il était impossible
de soupçonner que cet évanouissement était simulé. Il fallut bien

la ramener à son hôtel et, dans l'auto, elle me disait : « Je n'en pouvais plus !... Ils sont exquis, tous, je les adore, mais je les aurais mordus !... »

Depuis trente ans, dans toutes les parties du monde, tant d'hommages officiels lui avaient été adressés, tant de matinées, de banquets, de galas variés et autres glorifications diverses avaient été organisés en son honneur, qu'il serait insuffisant de dire qu'elle en était blasée. Positivement, ces solennités lui étaient devenues insupportables.

Mais ce qui ne la laissait jamais indifférente, c'étaient les démonstrations populaires. Les hommages réglés et pompeux l'ennuyaient, alors que jusqu'à la fin de ses jours, l'adoration naïve et spontanée des foules la touchait profondément.

Dans cet ordre d'idées, c'est à Madrid que j'ai assisté à la plus étonnante de toutes les manifestations d'enthousiasme dont j'aie vu Sarah Bernhardt être l'objet.

C'était en mai 1921. Avec six pièces de mon répertoire, je faisais une tournée en Espagne. J'avais d'abord joué pendant quatre jours à San Sebastian, puis je faisais une semaine à Madrid, à l'issue de laquelle Sarah Bernhardt venait jouer *Daniel*. A partir du 21 mai, elle donna la pièce deux fois à Madrid, puis trois fois à Barcelone. Ma troupe l'entourait et je jouais moi-même le rôle de Granger, qu'avait créé Yonnel.

Le 19 mai, vers 9 heures du soir, elle arrivait, en chemin de fer, à la gare centrale de Madrid, venant de Paris qu'elle avait quitté la veille, avec le Docteur Marot, Jeanne de Gournay, sa dame de compagnie et son intendant Emile. En Espagne, les représentations ont lieu très tard. Les matinées commencent à cinq heures et demie et les soirées à dix heures et demie. Avant de jouer, j'avais donc pu aller chercher Sarah Bernhardt à la gare.

Cinq mille personnes l'attendaient. Un énorme service d'ordre avait dû être requis. La foule s'agitait, bourdonnait, commentait son arrivée. Enfin, le train parut. Je montai dans son compartiment. Et lorsqu'elle eut pris place dans sa chaise, Emile et moi, nous la portâmes. Depuis que son train était entré en gare, la curiosité anxieuse de la foule avait décuplé. Comment la retrouverait-on après si longtemps ? Un grand silence régnait à présent : on allait la voir...

Lorsqu'à la portière du wagon elle apparut dans sa chaise, souriante, un tonnerre de vivats et d'acclamations retentit. Au-dessous d'elle, c'était comme une mer humaine, agitée de longs remous. Et partout, il y avait du monde : sur les quais, sur les voies, sur les toits des wagons voisins, sur les chariots à bagages ;

des hommes étaient accrochés aux réverbères. Avec précaution, Emile et moi, nous la descendîmes du wagon sur le quai.

Alors il se passa une chose que je n'oublierai jamais. Comme sur un ordre muet, qu'ils auraient reçu à la même minute, tous les hommes présents ôtèrent leurs vestons et les jetèrent par terre, formant une sorte de tapis, qui aurait été déroulé, en un instant, depuis le wagon jusqu'à la voiture qui l'attendait dans la rue, devant la gare. Pour s'y rendre, le trajet était au moins de deux cents mètres. Il fallait traverser les quais, une grande salle d'attente, l'immense hall de la gare... C'est donc un millier de vêtements, peut-être, qui, à la fois, s'abattirent sur le bitume. Et Sarah ne marchait pas. Ce n'était donc pas pour qu'elle n'eût pas à poser le pied sur le sol, que tous ces gens avaient eu ce geste. C'était pour faire un chemin d'honneur à ceux qui avaient, eux-mêmes, l'honneur de la porter!

Ce jour-là, j'ai vu Sarah Bernhardt réellement très émue. Elle murmurait : « Ah! Qu'ils sont gentils!... Ah! Les braves gens!... »

*
* *

La première représentation de *Daniel* à Madrid fut mouvementée, du moins dans les coulisses. D'après mon contrat, mon impresario espagnol. M.B., devait me régler, tous les soirs, une somme globale, comprenant mon cachet, mes frais de troupe et de voyages. Il m'avait payé les deux premiers soirs, à San Sebastian, mais, le troisième jour, prétextant que c'était dimanche et que les banques étaient fermées, il avait remis le règlement au lendemain. Puis il ne m'avait remis que des acomptes... Bref, en une semaine, il était arrivé à me devoir une cinquantaine de mille francs. Las de lui adresser des réclamations, j'avais cessé de lui rappeler sa dette. J'étais tellement sûr qu'il me paierait!

Le nom de Sarah Bernhardt flamboyant à la porte, la salle du Théâtre Comœdia était comble à craquer. Depuis dix jours, il ne restait plus un strapontin. Le Roi Alphonse XIII, la Reine et la Reine-Mère étaient dans leur loge. Nous jouons le premier acte, puis le deuxième. Enfin, Sarah Bernhardt allait paraître. Il était presqu'une heure du matin. « Pressons le changement de décor!... » crie M. B. aux machinistes.

Mais je m'approche et lui dis très doucement :

— Cher Monsieur, il m'est dû cinquante-deux mille francs qui, d'après nos conventions, devaient m'être payés, par fractions, chaque soir, avant le dernier acte. J'ai assez attendu. Je vous prie de bien vouloir me régler cette somme à l'instant même. La représentation ne continuera que lorsque vous me l'aurez intégralement versée.

Affolement du manager, qui essaie d'abord de discuter. Me voyant bien résolu, il se précipite dans la loge de Sarah Bernhardt et lui raconte, avec indignation et un fort accent madrilène, le « chantage » auquel je viens de me livrer, ajoutant qu'il ne veut pas douter qu'elle jouera le troisième acte dès que le décor sera planté. Sarah Bernhardt n'admettait pas qu'on touchât à ceux qu'elle aimait. Depuis que j'étais devenu son « petit gendre » nul ne pouvait se permettre, devant elle, de formuler sur moi la moindre critique. Elle répond sèchement à l'impresario :

— Pour ces quelques représentations, Monsieur, je suis engagée non par vous, mais par Louis Verneuil. Je jouerai le troisième acte lorsqu'il me demandera, lui, de le jouer.

M. B. n'avait plus qu'à s'exécuter. Mais il n'avait pas cinquante-deux mille francs sur lui. A l'époque, c'était une somme relativement importante. Et bien entendu, je ne voulais pas de chèque. Il dut courir du haut en bas du théâtre et, pour réunir le montant de sa dette, emprunter au comptable, à la buraliste, au concierge, au patron du café voisin !... Au bout de vingt minutes, un chambellan était venu, de la part du Roi, demander pourquoi l'entr'acte était aussi long. Je lui répondis qu'il y avait eu un petit accident de décor et que je priais Sa Majesté de bien vouloir nous excuser : la représentation allait continuer dès que possible. Enfin, écumant de rage, M. B. m'apporta une pile de billets de banque de toutes valeurs et de tous formats, des pièces d'argent, et même de nickel. Je fis le compte, paisiblement. La somme y était. Je dis au régisseur : « Maintenant, au rideau. » Et l'ayant tendrement remerciée, je priai Sarah Bernhardt de bien vouloir venir en scène.

A partir du lendemain et jusqu'à la fin de la tournée, M. B. me paya très ponctuellement.

Mais Sarah Bernhardt l'avait pris en aversion plus que je ne l'avais fait moi-même et de ce jour, dès qu'elle l'apercevait, elle me disait, le plus haut possible :

— A propos, est-ce que M. B. te doit de l'argent, en ce moment ? Dis-le moi, parce que ce soir, j'arriverais un peu plus tard au théâtre. Ça m'ennuie, ces longs entr'actes que cet homme nous force à faire !...

Rougissant jusqu'aux oreilles, M. B. saluait Sarah jusqu'à terre et passait, digne et ulcéré.

\*
\*   \*

Le mois suivant, Sarah Bernhardt faisait, dans le Midi de la France, une tournée de conférences sur Edmond Rostand. Son programme comprenait d'abord une causerie d'une bonne heure, puis elle disait des fragments des pièces, et quelques poèmes de l'auteur de *Cyrano*. Elle tenait la scène, à elle seule, pendant deux heures et demie, elle changeait de ville tous les jours, et elle avait tout près de soixante-dix-sept ans !...

A la même époque, j'étais engagé par C. B. Cochran, pour faire, à Londres, au Garrick Theatre, une saison de quatre semaines, du 15 juin au 15 juillet 1921. J'avais une troupe d'une quinzaine d'artistes, qui comprenait notamment Marcelle Géniat, Arquillière, Madeleine Lambert, Marcelle Praince, Jacques de Féraudy, et je devais jouer huit pièces, à raison de deux par semaine, chaque spectacle étant affiché pour trois soirées et une matinée.

J'avais envoyé, à l'avance, les brochures ou manuscrits des huit pièces à Cochran, pour qu'il les soumît au bureau de la Censure anglaise, dont le chef était alors Lord Cromer.

Une dizaine de jours avant la date fixée pour ma première, Cochran me téléphone de Londres à Paris, et me dit :

— La Censure refuse trois de vos pièces. Nous ne saurions faire une bonne saison de quatre semaines avec seulement cinq spectacles. Il faut absolument que nous ayons l'autorisation de jouer tout le répertoire annoncé. Chaque pièce n'étant donnée que quatre fois et en français, je crois qu'il ne sera pas trop difficile de faire revenir les censeurs sur leurs décisions. Mais vous devriez m'y aider. Venez donc immédiatement voir Lord Cromer, plaidez vous-même votre cause et tâchez de vous munir d'une ou deux lettres de recommandation de personnalités françaises influentes.

Le même jour, je faisais quelques visites. Directement ou indirectement, j'allais déranger tout ce que je connaissais de plus puissant à Paris. Et je prenais le train pour Londres, emportant une lettre autographe d'Aristide Briand, Président du Conseil, une lettre de Louis Barthou qui était alors, sauf erreur, Ministre de la Justice et une lettre, particulièrement pressante, signée par Paul Painlevé qui ne faisait pas partie du Cabinet à l'époque, mais qui restait toujours l'un des principaux ministrables. Je crois qu'il était difficile de faire mieux. Tous trois me recommandaient chaudement aux autorités britanniques, insistaient sur le but de propagande française de mes représentations et exprimaient, d'avance, leur gratitude à ceux qui voudraient bien faciliter ma tâche.

Le lendemain de mon arrivée, j'étais reçu fort aimablement, au St. James Palace, par Lord Cromer, qui examinait attentivement les lettres que je lui remettais, hochait la tête en souriant et me disait :

— Je vois, Monsieur, que vous avez des protecteurs haut placés et je n'ai pas besoin de vous dire combien je serais heureux de leur être agréable... Mais je ne suis pas le seul à décider. J'ai un conseil de lecteurs, auxquels je dois soumettre le cas. J'ajoute que la question est plus délicate qu'on ne pourrait le croire. En autorisant vos pièces, je vais créer un précédent. Il faudra que j'en autorise d'autres du même ton, dont je désire maintenir l'interdiction. Enfin, veuillez me laisser votre adresse et je vous appellerai dès que j'aurai pris l'avis de mes collègues.

Je le remercie, je lui indique que je suis descendu au Savoy, où je rentre, plein de confiance, et j'attends. Un jour... deux jours... trois jours... Pas de réponse. Je retourne au St. James Palace. Le cas était toujours « à l'étude ». Cochran commençait à s'inquiéter. Moi aussi. A Paris, tous mes acteurs, prêts à partir, n'attendaient qu'un télégramme de moi pour s'embarquer. Nous devions débuter le lundi suivant, et nous étions déjà mercredi ! Allait-on seulement pouvoir ouvrir ?

Brusquement j'eus l'idée de demander conseil à Sarah Bernhardt. J'avais son itinéraire avec moi. Je regarde où elle jouait ce mercredi : c'était à Tarbes, au Théâtre Caton. Je lui envoie un long télégramme, lui faisant part de mon embarras et la priant de me nommer quelque personnalité anglaise influente, à laquelle je pourrais m'adresser de sa part et dont l'intervention, auprès de Lord Cromer, serait décisive. Elle était si souvent venue à Londres : certainement, elle y connaissait tout le monde.

Quelques heures plus tard, Sarah Bernhardt me répondait : « Ne t'inquiète pas. Je me charge de tout. »

Et en même temps, elle adressait à la Reine Mary — le Roi d'Angleterre était alors Georges V — un télégramme ainsi conçu :

> Chère amie, les pièces de mon petit-fils sont parisiennes, mais pas immorales. Je vous serai infiniment reconnaissante d'intervenir personnellement pour que la Censure n'en interdise aucune. Mille remerciements affectueux.
>
> SARAH BERNHARDT.

Le lendemain matin, à neuf heures, Lord Cromer me téléphonait lui-même que mes huit pièces étaient autorisées. Ce que le Président du Conseil et deux des plus importants hommes d'état français n'avaient pu obtenir, m'avait été accordé sur un télégramme de quelques mots de Sarah Bernhardt.

Le câble de Sarah à la Reine Mary fut connu et publié dans toute la presse. On en retrouvera le texte dans les journaux anglais de l'époque.

Je pourrais raconter vingt, trente autres anecdotes de ce genre. Mais il faut bien que j'en garde quelques-unes, inédites, pour mes amis. Si je les publiais toutes ici, d'abord ce volume aurait huit cents pages, ensuite lorsque, dans l'avenir, on me priera encore de parler de Sarah Bernhardt, — et cela m'arrive souvent — dès que je commencerais une histoire, on m'interromprait en me disant : « Je la connais. Je l'ai lue dans votre livre. »

D'ailleurs, en écrivant cet ouvrage, je n'ai pas eu le dessein de faire un recueil de souvenirs, mais d'abord de raconter fidèlement ies soixante-dix-huit années de son existence. De nombreux et souvent remarquables ouvrages de tous les genres et de tous les tons, ont été publiés sur Sarah Bernhardt, mais je n'en connais aucun qui constitue un historique complet et précis de sa vie et de sa carrière. C'est pourquoi je m'étais assigné ce but, ayant le sentiment de combler une lacune. Un jour, peut-être écrirai-je un autre livre : « Sarah Bernhardt intime » et ce seront alors trois cents pages d'anecdotes.

Parmi toutes celles qui prouvent sa popularité et aussi sa puissance, je crois que son intervention télégraphique en faveur de mes représentations à Londres est l'une des plus éloquentes. Négligeant censeurs, ministres, ambassadeurs et tous autres, elle s'adressait directement aux souverains, traitant avec eux d'égal à égal. Et il en était ainsi dans le monde entier. Un désir exprimé par elle, était un ordre. Quelle autre actrice avait eu, ou aura jamais, cette extraordinaire autorité ?

\*
\* \*

Aussitôt après ma saison à Londres, ce fut l'été à Belle-Isle, dont j'ai longuement parlé, puis le 19 octobre 1921, Sarah Bernhardt créa *La Gloire,* de Maurice Rostand.

Ceux qui ont vu ou lu cette pièce, ont dû aussitôt deviner que, certainement, ce n'était pas l'enthousiasme qu'elle lui inspirait, qui avait décidé Sarah Bernhardt à la jouer, mais uniquement la reconnaissance affectueuse qu'elle gardait au père de l'auteur, le merveilleux poète de *La Princesse Lointaine,* de *La Samaritaine* et de *L'Aiglon.* Son fils bénéficiait de l'indulgente amitié de Sarah Bernhardt, parce qu'il s'appelait Rostand et parce que vingt-cinq ans plus tôt, elle l'avait connu tout enfant.

Dans cette pièce, il avait eu l'étrange idée de faire jouer à Sarah Bernhardt... un tableau ! (« Un vieux tableau », dirent aussitôt les petits hebdomadaires de l'époque. La plaisanterie était inévitable. Seul, Maurice Rostand ne l'avait pas prévue.)

Dans le décor, face au public, il y avait, au mur, un grand portrait encadré, qui représentait, grandeur nature, une femme assise, en robe rouge et or et couronnée de lauriers : la Gloire. Ce portrait était peint sur une toile métallique qui devenait transparente lorsqu'on l'éclairait de la coulisse. Derrière, dans le costume du tableau, Sarah Bernhardt était assise sur un praticable, à la hauteur du cadre, et muette, immobile, restait là, d'un bout à l'autre de la représentation, enfermée dans une sorte de cabinet noir, où elle était invisible. Et puis, une fois par acte, c'est-à-dire trois fois dans la soirée, la Gloire parlait. Alors le cabinet noir s'illuminait, Sarah Bernhardt apparaissait et récitait à l'un des personnages de la pièce, une trentaine de vers. Ceci fait, elle disparaissait dans l'obscurité revenue, derrière le tableau, où la Gloire peinte la dérobait, à nouveau, à la vue des spectateurs.

Voilà ce que Maurice Rostand, ayant l'insigne honneur d'avoir une pièce jouée par Sarah Bernhardt, avait trouvé, pour mettre en valeur la plus grande artiste du monde !

Quant au sujet de la pièce, le voici, très exactement résumé en trois lignes.

Clarence est un jeune peintre qui est certain d'avoir un immense talent, mais la Gloire lui sera toujours refusée, parce qu'il a l'affreux malheur d'être le fils d'un peintre illustre et universellement admiré. Il devient fou et meurt de désespoir.

Les trois actes de *La Gloire* ont été conçus et écrits uniquement pour décrire le calvaire qu'est l'existence d'un homme dont le père occupe, dans la même profession que lui, une place prépondérante. Et cette pièce était l'œuvre du fils d'Edmond Rostand ! Je crois que tout commentaire serait superflu. A propos d'une autre pièce de cet auteur, Lucien Dubech, le critique de *L'Action Française* et de *Candide*, a écrit :

« M. Maurice Rostand a reçu du Ciel un nom glorieux, sans aucune des qualités qu'il faudrait pour le porter noblement. »

Pour moi, je n'ai jamais été critique dramatique et même occasionnellement, je ne désire pas le devenir. Je préfère laisser mes lecteurs assumer eux-mêmes cette fonction, après qu'ils auront lu ces quelques vers, extraits de *La Gloire,* de Maurice Rostand :

...J'ai sur l'éternité, posé mon poing nerveux.
...Aux flambeaux de la nuit, heurtant notre pâleur...
...De mon soupir final je veux extraire une aile.
...Chaque marche aura l'air construite avec du temps.
...Ce n'est que par le cœur qu'on obtient l'étendue.
...Il faudrait que mon sens me devint un problème.
...Chacun de mes tableaux est un pas vers son cœur.
...Que je vais en mourir, parce que j'en vivrai.
...Oui, j'ai fait de mon âme un bûcher d'harmonie.
...Tout mon pauvre cerveau m'absorbait comme un gouffre.

...Je suis un dieu qui meurt devant ses douze temples.
...Ton âme, en se brûlant soi-même, se déchire.
Je mets au défi toute personne de bonne foi, d'attribuer un sens quelconque à chacun des vers cités. « Reconnaissons-lui un génie, disait encore Lucien Dubech, celui de l'impropriété. M. Maurice Rostand met, bout à bout, n'importe quels mots pour leur faire dire n'importe quoi. » Mais il serait vain d'étudier ici ce singulier ouvrage. Ce que je ne puis m'empêcher d'exprimer, c'est la tristesse que j'ai ressentie, et que partageaient tous les amis et les admirateurs de Sarah Bernhardt, de la façon dont Maurice Rostand l'avait présentée dans sa pièce.

Avoir Sarah Bernhardt pour interprète, toute disposée à jouer un rôle, un vrai, avoir l'occasion inespérée d'imaginer et d'écrire pour elle un personnage, pensant et agissant, un être qui aime, qui pleure, qui souffre, — qui vit, en un mot, comme elle seule savait le faire — et se borner à lui faire dire une centaine de vers (le rôle n'avait guère plus) enfermée dans un cadre accroché au mur,... c'était dépasser les limites de l'inconscience.

Ce fut évidemment, là, l'opinion générale, car, dès le milieu de décembre, le Théâtre Sarah Bernhardt devait annoncer les dernières de *La Gloire*.

*
* *

Au début de ses représentations, vers la fin d'octobre 1921, un matin, vers dix heures, la dame de compagnie de Sarah Bernhardt me téléphona qu'elle était au plus mal. Un quart plus tard j'étais boulevard Péreire. C'était une crise d'urémie. Glacée, claquant des dents, les yeux mi-clos, incapable de bouger, elle m'accueillit d'un vague sourire. Le Docteur Marot semblait soucieux. Sa température était descendue au-dessous de 35. Le danger n'était pas niable.

Peu à peu, Maurice Bernhardt, Marcelle, Simone, Lysiane étaient accourus, très inquiets. Sarah Bernhardt s'était assoupie et longtemps, resta immobile, silencieuse, grelottant sous dix couvertes, dans une chambre où il faisait une chaleur suffocante. Vers quatre heures et demie, elle ouvrit les yeux, regarda la pendule et murmura : « Bon, je partirai dans une heure. »

Elle voulait jouer le soir ! Le docteur intervint. Tous, nous la suppliions de ne pas bouger. Elle nous laissa dire, puis, vers cinq heures et demie, se redressant avec effort, elle nous demanda de sortir de sa chambre et appela Jeanne de Gournay pour l'aider à s'habiller.

Et elle s'habilla !... Couverte de fourrures de la tête aux pieds, serrant contre elle une boule d'eau chaude, elle se fit porter dans sa voiture et, arrivée au théâtre, dormit encore une heure. Vers sept heures et demie, elle commença à se maquiller. Le fard tremblait dans sa main et elle dut s'y reprendre à trois fois pour accentuer de rouge le dessin de ses lèvres. Quand on sonna au public, elle était prête.

Alors, par-dessus le costume de la Gloire, elle s'enveloppa de châles de laine et se fit transporter sur la scène. Pendant toute la soirée, près de trois heures, elle allait devoir rester dans son cabinet noir, sur le petit praticable placé derrière le tableau, attendant le moment d'apparaître. Tout autour d'elle, on avait disposé des radiateurs électriques. Enfoncée dans son fauteuil, recroquevillée sur elle-même, elle demeura prostrée pendant tout le premier acte. Elle ne disait que les tout derniers vers. Puis, sentant venir sa réplique, tout à coup, elle se redressa et nous fit signe. Elle enleva et nous tendit ses châles, rectifia son maquillage, se raidit, sourit... et dans un effort surhumain, dit toute sa tirade, d'une voix affaiblie, mais presque normale.

Rentrée dans l'ombre, elle retombait dans son fauteuil, épuisée. On se précipitait. Mais ce n'était qu'un instant de faiblesse. Elle put dire, de même, sa tirade du 2ᵉ acte, puis celle du 3ᵉ et enfin, se faire porter dans sa loge... La représentation avait eu lieu.

Ce soir-là, j'ai vu les acteurs, les régisseurs et même les machinistes du Théâtre Sarah Bernhardt pleurant à chaudes larmes. Ils la connaissaient bien et depuis longtemps, mais aucun ne l'avait encore vue fournir un tel effort, et à son âge, déployer cette vaillance surhumaine. Tous, nous étions bouleversés, confondus de respect et d'admiration. Le lendemain, elle était encore faible. Mais deux jours plus tard, nul n'aurait pu croire qu'elle venait de frôler la mort.

*
\*    \*

Pour les fêtes de Noël 1921 et du Jour de l'An 1922, Sarah Bernhardt joua à Bruxelles successivement *Athalie, La Gloire* et *Daniel,* quatre ou cinq représentations de chaque spectacle, puis elle créa *Régine Armand,* la seconde pièce que j'ai écrite pour elle et qui fut sa dernière création. La première représentation eut lieu à Bruxelles, au Théâtre des Galeries-Saint-Hubert, le 12 janvier 1922.

*Régine Armand* était une comédie dramatique en 4 actes, dans laquelle Sarah Bernhardt jouait une grande actrice à la fin de sa carrière. Visiblement, le personnage n'était autre qu'elle-même et son rôle comportait un grand nombre de répliques sur le théâtre, sur l'art, sur la mission du comédien, sur le courage professionnel. En les disant, c'est Sarah Bernhardt qui parlait, plutôt que Régine Armand. Une courte scène épisodique au 2e acte, produisait un très grand effet.

Se sentant vieux et fatigué, un comédien de sa troupe voudrait prendre sa retraite et lui demande de ne pas renouveler son engagement. Régine Armand s'y refuse. Quitter le théâtre? Mais tant qu'un acteur a la force de jouer et se sent aimé du public, il n'a pas le droit de se retirer. Ce serait une désertion.

— Se reposer!... s'écriait Sarah Bernhardt indignée. Est-ce que j'y pense, moi?... Et crois-tu que je me reposerai jamais?... Chaque soir, la salle, bruyamment, la remerciait de cette promesse.

Le personnage de Régine Armand n'était pas du premier acte, mais jouait les trois autres. Le second se passait au théâtre, dans sa loge, pendant une représentation de *Cléopâtre,* ce qui permettait à Sarah Bernhardt d'apparaître dans le costume qu'elle portait, trente-deux ans plus tôt, dans la pièce de Sardou. Le troisième acte nous amenait chez elle et le décor reproduisait, à peu près, le hall de son hôtel du boulevard Péreire. Le quatrième acte était à nouveau dans sa loge, pendant une représentation d'*Adrienne Lecouvreur.* Régine Armand, très malade, avait voulu jouer « quand même ». Mais ses forces la trahissaient. Elle tombait en scène, hors de la vue du public et était ramenée dans sa loge dans les bras d'un machiniste. (J'étais ainsi parvenu à la faire « entrer ».) Mais l'effort qu'elle venait de fournir l'avait tuée : elle expirait.

L'action de *Régine Armand* était très violente, du même ton que *Daniel.* Michel Armand, le fils de Régine, est l'amant de Denise, la toute jeune femme du banquier Voraud. Un clubman, Raffard, fait à Denise une cour grossière. Michel le provoque. Ils se battent. Ce duel, dont la raison officielle est une discussion politique improbable, fait naître les soupçons de Voraud. Pendant que la rencontre a lieu, il va chez Régine, qui en attend anxieusement le résultat. Un coup de téléphone. Voraud prend le récepteur, raccroche et lui laisse entendre que Michel est grièvement blessé. Folle d'angoisse, Régine laisse éclater sa rage contre celle pour qui son fils a risqué sa vie. Voraud, renseigné, se retire. Michel reparaît, sain et sauf : c'est son adversaire qui a été touché. D'abord éperdue de joie, Régine tremble bientôt : pourquoi Voraud a-t-il menti? Pour le savoir, Michel court chez Denise. Mais il arrive trop tard : son mari l'a tuée. Désespéré, le jeune homme s'éloigne à jamais. Privée de son fils, le seul amour de sa vie, Régine meurt de chagrin. Quand

Michel, rappelé, se décide à revenir, sa mère agonise, et elle ne le reconnaît plus.

Autour de Sarah Bernhardt, les principaux rôles de la pièce étaient tenus, à Bruxelles, par Arquillière, Gaston Dubosc, Jacques de Féraudy, Andrée Pascal, Marie Montbazon et par moi, qui jouais Michel.

Pendant l'année 1922 presque toute entière, Sarah Bernhardt joua exclusivement *Régine Armand* et *Daniel*. D'abord de janvier au début d'avril, au cours d'une longue tournée en Belgique, en Hollande, en Suisse et en France. Dans beaucoup de villes, même peu importantes, de son itinéraire, elle put rester deux jours, jouant une fois chaque pièce. En effet, bien qu'elles fussent de ton assez semblable, ces deux comédies dramatiques avaient l'avantage de présenter Sarah Bernhardt sous deux aspects totalement différents. Dans l'une, elle était un jeune homme, dans l'autre, une grande actrice de soixante ans passés.

Elle joua *Régine Armand* à Paris, au Théâtre Sarah Bernhardt, du 20 avril à fin juin 1922. Puis, après avoir passé son dernier été à Belle-Isle, elle rejoua mes deux pièces dans le Midi de la France et en Italie, du milieu d'octobre à la fin de novembre 1922.

Ayant dû subir, au début d'avril, une opération dans la gorge, j'eus le chagrin de ne pas pouvoir jouer mon rôle à Paris, et c'est Roger Puylagarde, au Théâtre Sarah Bernhardt, qui fut Michel Armand. Les deux autres rôles les plus importants de la pièce changèrent également de titulaire. Jacques Grétillat succéda à Arquillière dans Voraud et Simone Frévalles fut une ravissante et touchante Denise.

Je suis heureux de pouvoir écrire que c'est sur le double succès de *Daniel* et de *Régine Armand* que s'acheva la prodigieuse carrière de Sarah Bernhardt. De novembre 1920 à novembre 1922, elle joua *Daniel* plus de deux cent cinquante fois. Et de janvier à novembre 1922, elle joua *Régine Armand* plus de cent cinquante fois. Ces chiffres comprennent, globalement, les représentations qu'elle en donna à Paris, en France et dans les pays étrangers qui eurent la faveur de l'applaudir durant ses dernières années : Angleterre, Belgique, Hollande, Espagne, Suisse et Italie.

Certes, ces deux pièces étaient bien indignes de son génie, je suis le premier à le reconnaître. Et les obligations matérielles auxquelles j'avais dû me soumettre, limitaient grandement mes possibilités. Du moins avais-je atteint le but que je m'étais proposé. Malgré son infirmité, Sarah Bernhardt avait pu enfin renoncer au music-hall et aux petits actes, son seul répertoire depuis 1915. Elle avait reparu dans de vraies pièces, dont son personnage était le héros ou l'héroïne, sans devoir entrer et sortir de scène portée, comme dans *Athalie,* ce qui, malgré tout, réclamait du public une grande complaisance. Enfin, et surtout, elle avait pu, jusqu'à son dernier jour, gagner largement sa vie.

*
* *

C'est dès le premier chapitre de ce livre que j'ai narré, en détail, les derniers mois de la vie et la mort de Sarah Bernhardt. J'ai adopté cette méthode, un peu inusitée, pour deux raisons. D'abord parce que cette période finale comprend les faits que j'ai intitulés : « Comment j'ai connu Sarah Bernhardt ». Ensuite parce que j'ai pensé qu'en lisant, d'abord, la glorieuse et émouvante apothéose que furent ses dernières années, le lecteur serait peut-être plus tenté encore de savoir comment, par quelle suite de succès et d'événements, elle avait acquis cette fabuleuse renommée.

En soixante ans de carrière, de 1862 à 1922. Sarah Bernhardt a positivement remué le monde. Il serait même plus exact de dire en quarante-cinq ans seulement, car ce n'est que vers 1877 que commença sa très grande célébrité.

Elle a tout joué. De la vieille romaine aveugle de *Rome vaincue* au petit page espiègle du *Passant,* de la cynique espionne de *La Femme de Claude* à la pure Sainte Thérèse de *La Vierge d'Avila,* d'*Hamlet* et Lady Macbeth aux *Précieuses Ridicules* et à Dorine de *Tartuffe,* du pauvre *Gringoire* à la magnifique Impératrice *Théodora,* de la hautaine Marie-Antoinette de *Varennes* à l'humble et modeste *Jeanne Doré.* La galerie des rôles de Sarah Bernhardt est la plus complète, la plus diverse, la plus étendue qui soit. La plupart des personnages qu'elle a créés restent indissolublement attachés à son nom. On ne saurait les imaginer sous d'autres traits que les siens.

J'ai noté que, parfois, on avait regretté qu'elle n'eût pas choisi ses pièces, et aussi ses auteurs, avec plus de sévérité, s'attachant plus au succès direct qu'elle pourrait remporter dans un personnage, qu'à la qualité de l'œuvre qu'elle interprétait. A la réflexion, ce reproche est injuste. Si l'on examine attentivement la longue liste de ses rôles, qui figure à la fin de ce volume, on constatera, en effet, qu'à la seule exception de Corneille, dont elle n'a joué qu'une seule pièce, *Le Cid,* à ses débuts au Théâtre-Français, ce sont tout justement les plus illustres auteurs français qu'elle a interprétés le plus souvent et tout d'abord Racine, dont elle joua sept pièces et dix rôles. (Elle fut Aricie et Phèdre dans *Phèdre,* Zacharie et Athalie dans *Athalie,* Hermione et Andromaque dans *Andromaque).*

Bien qu'elle fût, avant tout, une tragédienne, elle joua pourtant cinq pièces (et six rôles) de Molière et, de même, cinq pièces et six rôles de Shakespeare et cinq pièces de Victor Hugo.

Viennent ensuite Sardou, avec sept pièces, Dumas fils (cinq pièces) et Rostand.

Rien n'est moins contestable que les chiffres. On voit donc qu'en dépit de la légende qui dépeint Sarah Bernhardt commé ayant, à l'instar de Frédérick Lemaître, obtenu ses plus grands succès dans des drames de qualité médiocre, ses sept auteurs favoris furent Racine, Molière, Shakespeare, Victor Hugo, Victorien Sardou, Alexandre Dumas fils et Edmond Rostand. Il paraît difficile, au contraire, de concevoir meilleur choix.

D'ailleurs, Sarah Bernhardt n'aurait pas maintenu sa gloire intacte, si le fonds de son répertoire n'avait pas été digne de son génie. Les chefs-d'œuvre faisaient accepter les « pièces à effet ». Pour dépasser les plus grandes, une actrice doit d'abord servir les plus grands. C'est dans *Phèdre, Hamlet, Lorenzaccio, L'Aiglon* et *Andromaque* qu'elle se surpassa elle-même, et c'est pour cela qu'elle a pu se faire une place telle qu'aucun nom, dans l'histoire du théâtre, ne saurait être comparé au sien.

Depuis Burbage et la Champmeslé jusqu'à la Duse et Réjane, en passant par Adrienne Lecouvreur, Garrick, Mlle Mars, Rachel, Talma, Coquelin, Irving, Novelli, Ellen Terry, Mounet-Sully, Lucien Guitry, y en a-t-il un seul ou une seule qui, dans l'avenir, restera autant que Sarah Bernhardt ?

Pendant un demi-siècle et dans le monde entier, elle a fait acclamer, aimer et comprendre les écrivains et l'art français, la culture et la langue françaises. Pendant un demi-siècle, le monde entier a dû reconnaître et proclamer que le plus grande artiste vivante était une Française. Et, depuis qu'elle est morte, personne. dans aucun pays, ne l'a remplacée.

C'est ainsi que pour le prestige de sa patrie, Sarah Bernhardt a fait autant que ses plus glorieux conquérants et ses plus illustres penseurs. Un jour, à une petite fille qui passait son certificat d'études, on demandait de nommer les trois plus grands Français qui aient jamais existé. Elle répondit : « Jeanne d'Arc, Napoléon et Sarah Bernhardt. » L'examinateur a souri. Je ne crois pas que j'aurais trouvé cette réponse si puérile. La sagesse des peuples est, dans sa naïveté, parfois plus grande qu'on ne l'imagine. Un nom qui a grandi, qui s'est imposé et qui survit à ce point, ne peut être que celui d'une très grande Française.

C'est parce qu'elle a vu naître des génies tels que Sarah Bernhardt, qu'on peut croire en l'avenir de la France, et garder intacte la foi que ce grand pays restera toujours parmi les premiers du monde.

FIN

# RÔLES JOUÉS PAR SARAH BERNHARDT

(Les titres précédés d'un astérisque sont ceux des pièces qu'elle a créées.)

1862 IPHIGÉNIE (Jean Racine) rôle d'Iphigénie.
VALÉRIE (Scribe et Mélesville) rôle de Valérie.
LES FEMMES SAVANTES (Molière) rôle d'Henriette.
L'ÉTOURDI (Molière) rôle d'Hippolyte.
1864 LA MAISON SANS ENFANTS (Dumanoir).
*LE DÉMON DU JEU (Théodore Barrière et Crisafulli).
*UN MARI QUI LANCE SA FEMME (Eugène Labiche et R. Deslandes).
1865 LA BICHE AU BOIS (Cogniard frères) rôle de la Princesse Désirée.
1866 LE JEU DE L'AMOUR ET DU HASARD (Marivaux) rôle de Silvia.
1867 LES FEMMES SAVANTES (Molière) rôle d'Armande.
LE ROI LEAR (Shakespeare) rôle de Cordélia.
ATHALIE (Racine) rôle de Zacharie.
LE TESTAMENT DE CÉSAR GIRODOT (Belot et Villetard) rôle d'Hortense.
FRANÇOIS-LE-CHAMPI (Georges Sand) rôle de Mariette.
LE MARQUIS DE VILLEMER (G. Sand) rôle de la Baronne d'Arglade.
LE DRAME DE LA RUE DE LA PAIX (Adolphe Belot) rôle de Julia.
1868 KEAN (Alexandre Dumas père) rôle d'Anna Damby.
*LA LOTERIE DU MARIAGE
1869 *LE PASSANT (François Coppée) rôle de Zanetto (pièce en un acte).
*LE BÂTARD (Alfred Touroude).
1870 *L'AFFRANCHI (Latour de Saint-Ybars).
*L'AUTRE (Georges Sand).
1871 *JEAN-MARIE (André Theuriet) rôle de Thérèse (pièce en un acte).
1872 *MADEMOISELLE AISSÉ (Louis Bouilhet) rôle de Mlle Aissé.
RUY BLAS (Victor Hugo) rôle de la Reine.
MADEMOISELLE DE BELLE-ISLE (Dumas père) rôle de Mlle de Belle-Isle.
BRITANNICUS (Racine) rôle de Junie.
LE CID (Pierre Corneille) rôle de Chimène.
1873 LE MARIAGE DE FIGARO (Beaumarchais) rôle de Chérubin.
DALILA (Octave Feuillet) rôle de la princesse Léonora Falconieri.
*L'ABSENT (Eugène Manuel) (pièce en un acte).
*CHEZ L'AVOCAT (Paul Ferrier) rôle de Marthe (pièce en un acte).
ANDROMAQUE (Racine) rôle d'Andromaque.
PHÈDRE (Racine) rôle d'Aricie.
1874 *LE SPHINX (Octave Feuillet) rôle de Berthe de Savigny.
*LA BELLE PAULE (Louis Denayrousse) (pièce en un acte).
ZAÏRE (Voltaire) rôle de Zaïre.
PHÈDRE (Racine) rôle de Phèdre.
1875 *LA FILLE DE ROLAND (Henri de Bornier) rôle de Berthe.
GABRIELLE (Emile Augier) rôle de Gabrielle.
1876 *L'ÉTRANGÈRE (Alexandre Dumas Fils) rôle de Mrs. Clarckson.
LA NUIT DE MAI (A. de Musset) rôle de la Muse (pièce en un acte).
*ROME VAINCUE (Alexandre Parodi) rôle de Posthumia.
1877 HERNANI (Victor Hugo) rôle de Dona Sol.
1878 *OTHELLO (Shakespeare-Jean Aicard) rôle de Desdémone (fragments).
AMPHYTRION (Molière) rôle d'Alcmène.
1879 MITHRIDATE (Racine) rôle de Monime.
1880 L'AVENTURIÈRE (Emile Augier) rôle de Dona Clorinde.
LE SPHINX (Octave Feuillet) rôle de Blanche de Chelles.

ADRIENNE LECOUVREUR (Scribe et Legouvé) rôle d'Adrienne.
FROUFROU (Meilhac et Halévy) rôle de Gilberte.
LA DAME AUX CAMÉLIAS (A. Dumas fils) rôle de Marguerite Gautier.
1881 LA PRINCESSE GEORGES (Alexandre Dumas fils) rôle de Séverine.
1882 *FÉDORA (Victorien Sardou) rôle de Fédora.
1883 *NANA-SAHIB (Jean Richepin) rôle de Djamma.
1884 *MACBETH (Shakespeare — Jean Richepin) rôle de Lady Macbeth.
*THÉODORA (Victorien Sardou) rôle de Théodora.
1885 MARION DELORME (Victor Hugo) rôle de Marion.
1886 *HAMLET (Shakespeare — Cressonnois et Samson) rôle d'Ophélie.
LE MAÎTRE DE FORGES (Georges Ohnet) rôle de Claire de Beaulieu.
*L'AVEU (Sarah Bernhardt) rôle de Marthe (pièce en un acte).
1887 *LA TOSCA (Victorien Sardou) rôle de Floria Tosca.
1888 FRANCILLON (Alexandre Dumas fils) rôle de Francine de Riverolles.
1889 *LÉNA (Pierre Berton — F. C. Philipps) rôle de Léna.
1890 *JEANNE D'ARC (Jules Barbier) rôle de Jeanne d'Arc.
*CLÉOPÂTRE (Victorien Sardou) rôle de Cléopâtre.
1891 GRINGOIRE (Th. de Banville) rôle de Gringoire ( pièce en un acte).
1893 *LES ROIS (Jules Lemaître) rôle de la Princesse Wilhelmine.
1894 *IZÉIL (Eugène Morand et Armand Silvestre) rôle d'Izéil.
LA FEMME DE CLAUDE (Alexandre Dumas fils) rôle de Césarine.
*GISMONDA (Victorien Sardou) rôle de Gismonda.
1895 *MAGDA (Hermann Sudermann) rôle de Magda.
*LA PRINCESSE LOINTAINE (Edmond Rostand) rôle de Mélissinde.
1896 *LORENZACCIO (Alfred de Musset) rôle de Lorenzaccio.
1897 *SPIRITISME (Victorien Sardou) rôle de Simone.
*LA SAMARITAINE (Edmond Rostand) rôle de Photine.
*LES MAUVAIS BERGERS (Octave Mirbeau) rôle de Madeleine.
1898 *LA VILLE MORTE (Gabriele d'Annunzio) rôle de Anne.
*LYSIANE (Romain Coolus) rôle de Lysiane.
*MÉDÉE (Catulle Mendès) rôle de Médée.
1899 *HAMLET (Shakespeare — Schwob et Morand) rôle d'Hamlet.
1900 *L'AIGLON (Edmond Rostand) rôle du Duc de Reichstadt.
CYRANO DE BERGERAC (Edmond Rostand) rôle de Roxane.
1901 LA PLUIE ET LE BEAU TEMPS (L. Gozlan) rôle de la Baronne (un acte).
LES PRÉCIEUSESE RIDICULES (Molière) rôle de Madelon (un acte).
1902 *FRANCESCA DE RIMINI (M. Crawford et M. Schwob) rôle de Francesca.
SAPHO (Alphonse Daudet) rôle de Fanny Legrand.
*THÉROIGNE DE MÉRICOURT (Paul Hervieu) rôle de Théroigne.
1903 ANDROMAQUE (Racine) rôle d'Hermione.
*WERTHER (Gœthe — Pierre Decourcelle) rôle de Werther.
PLUS QUE REINE (Emile Bergerat) rôle de Joséphine.
*JEANNE WEDEKIND (Filippi — Krauss) rôle de Jeanne Wedekind.
*LA SORCIÈRE (Victorien Sardou) rôle de Zoraya.
1904 *VARENNES (Lavedan et Lenôtre) rôle de Marie-Antoinette.
1905 ANGELO (Victor Hugo) rôle de La Tisbé.
ESTHER (Racine) rôle d'Assuérus.
PELLÉAS ET MÉLISANDE (Maurice Mæterlinck) rôle de Pelléas.
*ADRIENNE LECOUVREUR (Sarah Bernhardt) rôle d'Adrienne.
1906 *LA VIERGE D'AVILA (Catulle Mendès) rôle de Sainte Thérèse.
1907 *LES BOUFFONS (Miguel Zamacoïs) rôle de Jacasse.
*LE VERT-GALANT (Emile Moreau) rôle de la Reine Margot (un acte).
*LA RELLE AU BOIS DORMANT (Jean Richepin) rôle du Prince Charmant.
1908 *LA COURTISANE DE CORINTHE (M. Carré, P. Bilhaud) rôle de Cléonice.

1909  LA NUIT DE MAI (Alfred de Musset) rôle du poète (pièce en un acte).
      CYRANO DE BERGERAC (Edmond Rostand) rôle de Cyrano (fragments).
      *LE PROCÈS DE JEANNE D'ARC (Emile Moreau) rôle de Jeanne d'Arc.
1910  *LA BEFFA (Jean Richepin — Sem Benelli) rôle de Gianetto Malespini.
      LA FEMME X (Alexandre Bisson) rôle de Jacqueline.
      *JUDAS (John de Kay — Chassagne) rôle de Judas.
1911  LUCRÈCE BORGIA (Victor Hugo) rôle de Lucrèce Borgia.
1912  *LA REINE ELISABETH (Emile Moreau) rôle d'Elisabeth d'Angleterre.
      *UNE NUIT DE NOËL SOUS LA TERREUR (Bernhardt-Cain) rôle de Marion.
1913  *JEANNE DORÉ (Tristan Bernard) rôle de Jeanne Doré.
1914  *TOUT À COUP (P. G. de Cassagnac) rôle de la Marquise de Chalonne.
1915  *LES CATHÉDRALES (Eugène Morand) rôle de Strasbourg (un acte).
1916  *LA MORT DE CLÉOPÂTRE (Bernhardt-Cain) rôle de Cléopâtre (un acte).
      *L'HOLOCAUSTE (Sarah Bernhardt) rôle de la Duchesse (un acte).
      *DU THÉÂTBE AU CHAMP D'HONNEUR, rôle de Marc (un acte).
      *VITRAIL (René Fauchois) rôle de Violaine (un acte).
      *HÉCUBE (M. Bernhardt et R. Chavance) rôle d'Hécube (un acte).
      *LE FAUX MODÈLE (Edouard Daurelly) rôle de Madeleine (un acte).
      LE MARCHAND DE VENISE (Shakespeare) rôle de Portia (fragments).
      *L'ÉTOILE DANS LA NUIT (H. Cain) rôle de Jane de Mauduit (un acte).
1920  ATHALIE (Racine) rôle d'Athalie.
      *DANIEL (Louis Verneuil) rôle de Daniel Arnault.
      *COMMENT ON ÉCRIT L'HISTOIRE (S. Guitry) rôle de Mariette (un acte).
1921  *LA GLOIRE (Maurice Rostand) rôle de la Gloire.
1922  *RÉGINE ARMAND (Louis Verneuil) rôle de Régine Armand.

*Cette liste omet peut-être quelques rôles joués par Sarah Bernhardt en tournée.*

# MÉMENTO DE LA VIE DE SARAH BERNHARDT

1844 ............ Naissance à Paris.
1856 ............ Première Communion au Couvent de Grandchamps.
1860 ............ Entrée au Conservatoire.
1861 ............ Second Prix de Tragédie.
1862 ............ Débuts à la Comédie-Française.
1863 ............ Quitte la Comédie-Française.
1864 ............ Petits rôles au Gymnase.
           Naissance de son fils unique Maurice Bernhardt.
1865 ............ Joue l'opérette à la Porte-Saint-Martin.
1866 ............ Engagée à l'Odéon.
1869 ............ Son premier succès : *Le Passant.*
1870-71 ....... Infirmière à l'Odéon transformé en Hôpital Militaire.
1872 ............ Son premier grand succès : *Ruy Blas.*
           Quitte l'Odéon et rentre à la Comédie-Française.
1874 ............ Son premier triomphe : *Phèdre.*
1875 ............ Nommée Sociétaire de la Comédie-Française.
1877 ............ Grande reprise d'*Hernani* avec Mounet-Sully.
1880 ............ Démission de la Comédie-Française.
           Première tournée d'Amérique.
           Joue, pour la première fois, *La Dame aux Camélias.*
1881 ............ Première grande tournée d'Europe.
1882 ............ Sarah Bernhardt épouse Jacques Damala.
           Devient Directrice du Théâtre de l'Ambigu.
           Premier grand succès au boulevard : *Fédora.*
1883 ............ Séparation de corps de Damala.
           Quitte la direction de l'Ambigu.
1884 ............ L'apogée : *Théodora* à la Porte-Saint-Martin.
1886-87 ....... Grande tournée d'Amérique du Sud et du Nord.
1889 ............ Sarah Bernhardt est grand'mère et crée *Jeanne d'Arc.*
           Mort de Damala.
1891-92-93 .. Sa plus grande tournée (Quatre parties du Monde).
1893-98 ....... Directrice du Théâtre de la Renaissance.
1899 ............ Quitte la Renaissance et prend le Théâtre Sarah Bernhardt.
1900 ............ Création de *L'Aiglon.*
1905 ............ Accident au genou.
1915 ............ Amputation de la jambe droite.
1916-17-18 .. Dernière tournée d'Amérique.
1922 ............ Sa dernière création : *Régine Armand.*
1923 ............ Mort à **Paris.**

# AUTEURS CITÉS DANS CET OUVRAGE [1]

1. Les chiffres entre parenthèses indiquent le nombre de citations de chaque auteur.

# INDEX

Bernhardt (Edouard) : 37, 38, 42, 43.
Bernhardt (Jacqueline) : 29.
Bernhardt (Jeanne) : 108, 128, 133, 141, 142, 145, 160, 161, 168, 169, 174, 184, 202.
Bernhardt (Lysiane) : 26, 29, 34, 36, 215, 258, 273, 295.
Bernhardt (Marcelle) : 29, 34, 295.
Bernhardt (Maurice) : 17, 18, 19, 21, 25, 26, 27, 29, 34, 35, 58, 62, 63, 64, 74, 77, 78, 80, 85, 96, 133, 142, 148, 172, 173, 176, 177, 191, 192, 193, 197, 203, 215, 224, 227, 228, 231, 238, 250, 269, 273, 276, 295.
Bernhardt (Simone) : 26, 203, 204, 215, 258, 260, 273, 295.
Bernhardt (Terka) : 203, 258.
Bernstein (Henry) : 104.
Berr (Georges) : 26.
Berton (Charles) : 72, 73.
Berton (Pierre) : 72, 106, 128, 130, 159, 174, 176, 186, 189, 190, 197, 200, 202, 207, 208.
Biche au Bois (La) : 62, 180.
Bilhaud (Paul) : 259.
Billot (Général) : 225.
Bisson (Alexandre) : 264.
Bois Sacré (Le) : 262.
Boisdeffre (Général de) : 225.
Booth : 135.
Bornier (Henri de) : 110, 113.
Bossu (Le) : 87, 275.
Bouffons (Les) : 12, 257, 262, 280.
Bouilhet (Louis) : 86.
Boulenger (Marcel) : 29.
Bouquetière des Innocents (La) : 177
Bourdet (Edouard) : 89.
Bourgeois (Anicet) : 177.
Bourgeois (Léon) : 237.
Brandès (Marthe) : 196.
Brémont (Louis) : 228, 262.
Bressant : 49, 72, 92, 96, 116.
Briand (Aristide) : 20, 291.
Britannicus : 22, 98, 106, 208.
Brohan (Augustine) : 49.
Brohan (Madeleine) : 106, 113, 123.
Broisat (Emilie) : 92, 123.
Burbage : 300.
Busnach (William) : 133, 226.

— C —

Cain (Henri) : 258, 269, 276, 277.
Calmettes (André) : 232, 240, 251, 256, 269.

Calvaire (Le) : 225.
Campbell (Patrick) : 251.
Carlisle (Alexandra) : 26.
Carré (Albert) : 89.
Carré (Michel) : 259.
Cartouche : 173.
Casanova : 161.
Casella (Georges) : 282.
Cassagnac (Guy de) : 270.
Cassagnac (Paul de) : 270.
Cassive (Armande) : 99, 205.
Cathédrales (Les) : 275, 279.
Caubet (Mlle) : 276.
Cavalleria Rusticana : 219, 221.
Cena del Beffe (La) : 261.
Chabrillat : 172, 173.
Champmeslé (La) : 300.
Chantecler : 239.
Charrette Anglaise (La) : 17.
Chassagne (J. C. de) : 265.
Châtiments (Les) : 73.
Chavance (René) : 276.
Chemineau (Le) : 178, 275.
Chéret : 169.
Chèvrefeuille (Le) : 222.
Chez l'Avocat : 99, 198.
Chilly (de) : 65, 66, 67, 70, 71, 72, 73, 75, 78, 81, 86, 90, 91, 92.
Christian IX : 164.
Cid (Le) : 49, 98, 106, 299.
Citta Morte (La) : 223.
Clairin (Georges) : 25, 27, 28, 106, 109, 114, 116, 117, 118, 133, 148, 199, 235, 273.
Claretie (Jules) : 89, 183, 195.
Clémenceau (Georges) : 20, 272, 273.
Cléonice : 259.
Cléopâtre : 9, 204, 205, 211, 249, 297.
Cléry (Julia de) : 169.
Cochran (C. B.) : 291, 292.
Cœur d'Homme (Un) : 261.
Cogniard (Les Frères) : 62.
Colombey : 181.
Colombier (Marie) : 134, 141.
Comédiens et Comédiennes : 102.
Comment on écrit l'histoire : 286.
Comtesse de Sommerive (La) : 136.
Connor (William F.) : 254, 255, 264.
Contemporains (Les) : 194.
Coolus (Romain) : 228.
Cooper : 169, 173, 205.
Coppée (François) : 10, 75, 76, 106, 152, 217, 224, 256.
Coquelin aîné : 20, 99, 104, 111, 112, 113, 120, 123, 125, 129, 205, 206, 212, 213, 221, 237, 239, 240, 241,

Izéil: 207, 210, 211, 213, 215, 233, 239.

— J —

Jablonovska (Terka) : 197.
Jarrett (Edward) : 123, 126, 127, 131, 135, 136, 137, 139, 140, 141, 142, 145, 146, 193.
Jean-Marie: 86, 213, 244.
Jeanne d'Arc: 203, 260, 261.
Jeanne Doré: 12, 16, 269, 270, 271, 279, 299.
Jeanne Wedekind: 249.
Jeu de l'Amour et du Hasard (Le) : 67, 70.
Joubé (Romuald) : 270, 275.
Joumard: 169.
Journal d'une Femme de Chambre (Le) : 225.
Judas: 265.
Juif Polonais (Le) : 239.
Jules César: 208.
Jullien (Mary) : 128.

— K —

Kalb (Marie) : 128, 181.
Kampf (Léopold) : 264.
Kay (John de) : 265.
Kean: 72.
Kératry (Comte de) : 81.
Kerly (Jeanne) : 198.
Kismet: 269.
Knoblauch (Edward) : 269.
Krauss (Henry) : 258.
Krauss (Luigi) : 249.

— L —

Labiche (Eugène) : 56.
Lacressonnière: 177.
Lafontaine: 87, 120.
Lamartine: 93.
Lambert (Madeleine) : 291.
Lambquin (Mme) : 81.
Lara: 116.
Laroche: 104, 109.
Larrey (Baron) : 39, 40, 41, 44, 81.
Latour de Saint-Ybars: 79.
Laudi (Les) : 220.
Laurent (Marie) : 210.

Lavedan (Henri) : 26, 104, 250, 269, 278.
Lavolée (Régis) : 43, 44, 48, 50, 54.
Lazare (Bernard) : 224.
Le Bargy (Charles) : 104, 222, 237.
Leconte (Marie) : 258.
Lecouvreur (Adrienne) : 61, 300.
Legault (Maria) : 159.
Lély (Madeleine) : 275.
Lemaitre (Frédérick) : 72, 300.
Lemaitre (Jules) : 194, 201, 208, 209, 221, 224, 269.
Léna: 200, 201, 202, 206.
Lenôtre (Georges) : 250.
Lesueur (Mme Daniel) : 256.
Ligne (Prince Eugène de) : 64.
Ligne (Prince Henri de) : 60, 61, 62, 63, 64, 65, 66, 67, 69, 79, 80, 191, 192.
Ligne (Général de) : 64, 65, 67.
Lincoln (Mrs. Abraham) : 135.
Lloyd (Marie) : 106, 114.
Locandiera (La) : 219, 221.
Lorenzaccio: 12, 207, 216, 233, 235, 266, 267, 270, 280, 300.
Lorsque l'Enfant Parait... : 59.
Loterie du Mariage (La) : 73.
Loubet (Emile) : 235.
Loïe Fuller: 264:
Louis XIV: 251.
Lou Tellegen: 263, 264, 265, 266, 267, 268, 269.
Lovelace: 161.
Lucrèce Borgia: 12, 265, 269.
Lynn (Emmy) 261.
Lysiane: 228.

— M —

Macbeth: 184, 185, 186, 232, 258, 299.
Mac-Mahon (Maréchal de) : 113.
Madame Sans-Gène: 104, 205.
Madame X: 264.
Mademoiselle Aissé: 86.
Mademoiselle de Belle-Isle: 92, 93, 98.
Mademoiselle Ma Mère: 24.
Maeterlinck (Maurice) : 251.
Magda: 213, 215, 219, 221, 222, 250, 251.
Magnier (Pierre) : 229, 232, 243, 244, 246.
Maille (Constance) : 258.
Maintenon (Mme de) : 22, 251.
Maison de Poupée: 219.

# TABLE DES MATIÈRES

Achevé d'imprimer le dix mars mil-neuf cent quarante-deux à Montréal, Canada.